# 会社法入門

葭田英人 著

第六版

# CORPORATION LAW

同文舘出版

# 第六版はしがき

　2019年12月4日，会社法の一部を改正する法律案が第200回国会（臨時会）に提出され可決成立した。2月に取りまとめられた会社法制（企業統治等関係）の見直しに関する要綱を踏まえた法案であり，①株主総会資料の電子提供，②株主提案権，③取締役の報酬等（株式報酬等を含む），④補償契約（会社補償）と役員等賠償責任保険契約（D＆O保険），⑤業務執行の社外取締役への委託，⑥社外取締役の設置義務，⑦社債の管理（社債管理補助者制度），⑧株式交付（自社株式等を対価とするTOB）などに関する改正が盛り込まれている。

　これらの改正の具体的内容として，株主総会資料の電子提供および株主提案権の創設については，株主総会の手続を効率化し，円滑に運営するためのものであり，取締役の報酬等（株式報酬等を含む）は，取締役の個別の役員報酬の内容（特に，インセンティブ報酬等）の決定方針を定め，公開することを義務付けるものである。補償契約（会社補償）と役員等賠償責任保険契約（D＆O保険）に関する規定は，それら契約の締結を株式会社がすることができる範囲や手続等を明確にし，適切に運用されるように会社法に新設された。

　また，業務執行の社外取締役への委託や社外取締役の設置義務は，社外取締役を有効に活用し，企業の透明性を確保し，企業統治の信頼を高めるために規定された。社債の管理（社債管理補助者制度）については，社債の管理が円滑に行われるように補助する制度として創設された。株式交付制度は，新たな子会社化の手続であり，株式交換とは異なる組織再編行為として新設された。

　これらの2019年度改正会社法の内容を踏まえ，第六版の刊行に際し，必要と思われる補正を行い，直近の動向を盛り込み，体系的にやさしくかつ詳細な解説を追加補充するとともに，会社法の理論的な論点や考え方を整理し，その仕組みを明らかにすることを目的として改訂した。

　本書が，読者の方々にとって十分に参考になる内容であることを期待したい。

また，第六版の刊行にあたり，初版以来格別のご配慮をいただいた同文舘出版の編集部の方々に厚くお礼を申し上げたい。

2020年1月

葭田 英人

# 第五版はしがき

　2014年6月20日，コーポレートガバナンスの強化と親子会社法制の見直しを改正の中心とする改正会社法が成立し，2015年5月1日より施行された。また，会社法施行規則も2015年2月に改正された。

　さらに，法務省は，株主総会の手続の改善，社外取締役の義務付けの是非，役員報酬の制度改正，社債の管理業務に関する規定の見直しを主な検討課題として，法制審議会に会社法改正を諮問した。法制審議会で議論し，2019年以降の法案提出を目指すこととなった。

　これらの内容を踏まえ，本書第五版の刊行に際し，大幅に見直しを行い，理解を深めるために，必要と思われる補正を行い，直近の動向を盛り込み，要所に図表を取り入れて，より詳細な解説を追加補充した。さらに，会社法の全体像について，体系的にやさしくかつ詳細に記述するとともに，会社法の理論的な論点や考え方を整理し，その仕組みを明らかにすることを目的として改訂した。

　本書が，読者の方々にとって十分に参考となる内容であることを期待したい。また，第五版の刊行にあたり，初版以来格別の配慮をいただいた同文舘出版の取締役編集局長　市川良之氏をはじめ編集部の方々に厚くお礼を申し上げたい。

　2017年3月

葭田　英人

# 初版はしがき

　平成18年5月1日に施行された会社法は，中小規模の閉鎖会社を想定した有限会社を廃止して株式会社に統合した（既存の有限会社は特例有限会社として存続できる）。有限会社と統合した株式会社においては，機関設計が柔軟化され自由に選択することができ，定款自治の拡大，組織再編の整備などが図られている。さらに，最低資本金制度が廃止され，新たな剰余金分配規制を導入し，会計参与制度や合同会社が創設されている。

　なかでも，株式会社の類型として，発行する株式の全部または一部について株式の譲渡制限を定款で定めない公開会社と，すべての株式の譲渡制限を定款で定めた非公開会社（全株式譲渡制限会社），さらには，大会社（資本金5億円以上または最終の貸借対照表の負債総額200億円以上の会社）とそれ以外の会社に分類する改正がなされた。新会社法は，株式会社を中心とした会社制度の抜本的な改正により経営の選択肢を増やし，機動的な経営を図ることを目的としたものであり，会社法制の現代化を目指した根本的な大改正といえる。

　本書は，現代に即応した最新の理論的水準の内容を盛り込みながら，現在問題となっている事項について論及し，学説の対立するところはできる限りふれ，通説を中心とした平易で明快かつ標準的な解説となるよう心がけている。さらに，本書を通じて会社法について必要とされる知識を会得することができ，会社法の仕組みを明らかにすることができるものと考える。

　初めて会社法を学習される方のみならず，実務に関与しておられる方々にも十分に役立つ内容であり，幅広く読者からご理解をいただけるものと思う。この機会に，恩師である平出慶道先生の学恩にあらためて深く感謝し，心からお礼を申し上げたい。また，出版に際し，いろいろとお世話くださった同文舘出版の取締役出版部長　市川良之氏に厚くお礼申し上げたい。

　　2008年2月

葭田　英人

# 目　次

## 第1編　総　則

### 第1章　総　論 ―― 2

第1節　法　人 …… 2
第2節　会社の概念 …… 3
第3節　会社の種類 …… 5
第4節　会社の能力 …… 9

### 第2章　会社の商号 ―― 11

第1節　商号の意義 …… 11
第2節　商号の選定 …… 12
第3節　商号の登記 …… 13
第4節　名板貸し …… 14

### 第3章　会社の使用人 ―― 16

第1節　会社の使用人の意義 …… 16
第2節　支配人 …… 16
第3節　その他の会社の使用人 …… 20

## 第4章　会社の代理商 ─────────── 21

第1節　代理商の意義 ……………………………………… 21
第2節　代理商の権利と義務 ……………………………… 22

## 第5章　登　　記 ─────────────── 24

第1節　登記の意義 ………………………………………… 24
第2節　登記手続 …………………………………………… 25
第3節　登記の効力 ………………………………………… 26

# 第2編　株式会社

## 第1章　設　　立 ─────────────── 32

第1節　発起人 ……………………………………………… 32
第2節　定　　款 …………………………………………… 33
第3節　設立手続 …………………………………………… 38
第4節　設立に関する責任 ………………………………… 43
第5節　設立無効と会社の不存在 ………………………… 44

## 第2章　株　　式 ─────────────── 47

第1節　株式の意義と特質 ………………………………… 47
第2節　株主の権利と責任 ………………………………… 48
第3節　株式の種類 ………………………………………… 53
第4節　株券と株主名簿 …………………………………… 58
第5節　株式の併合・分割・無償割当て ………………… 66

第6節　株式の譲渡・担保・取得 ………………………………………… 69
　　第7節　単元株制度 …………………………………………………………… 78
　　第8節　募集株式の発行 ……………………………………………………… 79

## 第3章　新株予約権 ──────────────────── 89

　　第1節　新株予約権の発行手続 ……………………………………………… 89
　　第2節　新株予約権の譲渡・質入れ ………………………………………… 93
　　第3節　自己新株予約権の取得 ……………………………………………… 95
　　第4節　新株予約権の行使 …………………………………………………… 96
　　第5節　新株予約権の活用方法 ……………………………………………… 99

## 第4章　機　　関 ──────────────────── 100

　　第1節　総　　説 ……………………………………………………………… 100
　　第2節　株主総会 ……………………………………………………………… 102
　　第3節　取締役と取締役会 …………………………………………………… 120
　　第4節　会計参与 ……………………………………………………………… 134
　　第5節　監査役と監査役会 …………………………………………………… 138
　　第6節　会計監査人 …………………………………………………………… 147
　　第7節　監査等委員会設置会社 ……………………………………………… 151
　　第8節　指名委員会等設置会社 ……………………………………………… 157
　　第9節　役員等の損害賠償責任 ……………………………………………… 165

## 第5章　計　　算 ──────────────────── 178

　　第1節　総　　説 ……………………………………………………………… 178
　　第2節　会計帳簿と計算書類等 ……………………………………………… 179
　　第3節　資本金および準備金 ………………………………………………… 190

第4節　剰余金の分配 …………………………………………………… 195

## 第6章　事業の譲渡等 ─────────────────── 201
　第1節　事業譲渡の意義 ………………………………………………… 201
　第2節　事業譲渡等の手続 ……………………………………………… 204

## 第7章　会社の再建 ──────────────────── 207
　第1節　民事再生 ………………………………………………………… 207
　第2節　会社更生 ………………………………………………………… 208

## 第8章　会社の消滅 ──────────────────── 210
　第1節　解　　散 ………………………………………………………… 210
　第2節　清　　算 ………………………………………………………… 212

# 第3編　持分会社

## 第1章　概　　要 ───────────────────── 218

## 第2章　設　　立 ───────────────────── 219
　第1節　定款作成 ………………………………………………………… 219
　第2節　持分会社の成立 ………………………………………………… 219
　第3節　定款変更 ………………………………………………………… 220
　第4節　設立無効・取消しの訴え ……………………………………… 220

## 第3章　社　員 —— 222

第1節　社員の責任 ………………………………………… 222
第2節　持分の譲渡と取得の制限 ………………………… 223
第3節　社員の加入 ………………………………………… 223
第4節　社員の退社 ………………………………………… 224

## 第4章　管　理 —— 225

第1節　業務の執行 ………………………………………… 225
第2節　業務執行社員の義務と責任 ……………………… 225
第3節　持分会社の代表 …………………………………… 226
第4節　社員代表訴訟 ……………………………………… 227

## 第5章　計　算 —— 228

第1節　総　則 ……………………………………………… 228
第2節　合同会社の計算に関する特則 …………………… 230

## 第6章　終　了 —— 236

第1節　解　散 ……………………………………………… 236
第2節　清　算 ……………………………………………… 237

# 第4編 社 債

## 第1章 総 則 ―― 242

第1節 社債の意義 …………………………… 242
第2節 社債の発行 …………………………… 243
第3節 社債権者の権利 ……………………… 246

## 第2章 社債管理者 ―― 249

第1節 設置と資格 …………………………… 249
第2節 権 限 ………………………………… 249
第3節 責 任 ………………………………… 250
第4節 辞任・解任 …………………………… 251
第5節 事務の承継 …………………………… 251
第6節 社債管理補助者 ……………………… 252

## 第3章 社債権者集会 ―― 255

第1節 招集手続 ……………………………… 255
第2節 議決権 ………………………………… 256
第3節 決 議 ………………………………… 256

# 第5編　組織再編

## 第1章　組織変更 —————————————— 260

第1節　意　　義 ……………………………………… 260
第2節　手　　続 ……………………………………… 260

## 第2章　合　　併 —————————————— 264

第1節　意　　義 ……………………………………… 264
第2節　吸収合併 ……………………………………… 266
第3節　新設合併 ……………………………………… 267

## 第3章　会社分割 —————————————— 269

第1節　意　　義 ……………………………………… 269
第2節　吸収分割 ……………………………………… 270
第3節　新設分割 ……………………………………… 272
第4節　詐害的な会社分割における債権者の保護 ……………… 274

## 第4章　株式交換および株式移転 —————————————— 276

第1節　意　　義 ……………………………………… 276
第2節　株式交換 ……………………………………… 278
第3節　株式移転 ……………………………………… 279

## 第5章　株式交付 ——————————————— 281

第1節　意　　義 ……………………………………… 281
第2節　手　　続 ……………………………………… 282

## 第6章　組織再編行為の手続 ——————————— 286

第1節　吸収合併消滅会社，吸収分割会社，株式交換完全子会社の手続 … 286
第2節　吸収合併存続会社，吸収分割承継会社，株式交換完全親会社の手続 … 290
第3節　新設合併消滅会社，新設分割会社，株式移転完全子会社の手続 … 294
第4節　新設合併設立会社，新設分割設立会社，株式移転設立完全親会社の手続 … 296
第5節　組織再編行為の無効の訴え ………………………… 299

# 第6編　外　国　会　社

## 第1章　総　　説 ——————————————————— 302

## 第2章　外国会社の取扱い ——————————————— 303

第1節　外国会社の規制 ……………………………………… 303
第2節　擬似外国会社 ………………………………………… 305
第3節　外国会社の組織再編 ………………………………… 306

索　　引 ——————————————————————— 307

# 凡　例

## 【法令名略語】

| | |
|---|---|
| 会社 | 会社法 |
| 会社計規 | 会社計算規則 |
| 会社施規 | 会社法施行規則 |
| 会更 | 会社更生法 |
| 銀行 | 銀行法 |
| 商 | 商法 |
| 商登 | 商業登記法 |
| 整備 | 会社法の施行に伴う関係法律の整備等に関する法律 |
| 担信 | 担保付社債信託法 |
| 独禁 | 私的独占の禁止及び公正取引の確保に関する法律 |
| 破産 | 破産法 |
| 不正競争 | 不正競争防止法 |
| 保険 | 保険業法 |
| 民 | 民法 |
| 民再 | 民事再生法 |
| 有限 | 有限会社法（廃止前） |

## 【判例等略語】

| | |
|---|---|
| 大判 | 大審院判決 |
| 最判 | 最高裁判所判決 |
| 最大判 | 最高裁判所大法廷判決 |
| 高判 | 高等裁判所判決 |
| 地判 | 地方裁判所判決 |
| 民集 | 大審院・最高裁判所民事判例集 |
| 判時 | 判例時報 |
| 新聞 | 法律新聞 |

# 第 1 編
## 総　　則

# 1章 総論

## 第1節 法　人

### 1　法人の分類

　法律により人格を与えられた自然人以外の団体を法人といい，法律上，一定の権利能力を認められている組織である。法人は，その目的や性質により公法人と私法人に区分される。公法人とは，国や地方公共団体（都道府県，市町村など）のような法人格をもつ公共団体をいう。公法人以外の法人を私法人といい，私法人はさらに財団法人と社団法人に分類される。

### 2　財団法人

　財団法人は，一定の目的のために供せられた財産自体に法人格が与えられた団体であり，社団法人の定款に相当する寄付行為に従い事業を運営していく法人である。これには日本棋院や日本体育協会などが属する。

### 3　社団法人

　社団法人とは，一定の目的をもつ人の集合体に権利能力が与えられた団体であり，根本規則である定款に従い，その社員（構成員）からなる社員総会の意思決定に基づいて，その目的である事業を運営する法人である。

　社団法人は，公益法人，営利法人，中間法人に分けられる。公益法人とは，祭祀，宗教，慈善，学術，技芸その他公益に関する事業を目的とし，営利を目的としない法人をいい（民33条2項），社会全般，不特定多数の利益を目的とする日本赤十字社，日本新聞協会などがこれに属する。なお，学校法人は学校

法人法，宗教法人は宗教法人法，社会福祉法人は社会福祉事業法など特別法に規律される公益法人もある。

また，営利を目的とする社団を営利法人といい，社員（構成員）に法人の利益を分配しなければならない。合名会社，合資会社，合同会社，株式会社がこれに属する。中間法人は，消費生活協同組合，農業協同組合，労働組合，中小企業協同組合，保険相互会社など公益も営利も目的としないが，団体構成員の相互扶助を目的とし，特別法により法人格が認められている中間的目的をもつ互助団体である。なお，財団法人は，利益を分配する社員（構成員）がいないので，営利法人となることはない。

### 4　権利能力のない社団

公益や営利を目的とせず，構成員の学術，精神，体力の向上を目的とし，組織・総会運営・財産管理など社団法人としての実体を備えているが，法人格が認められていない団体を権利能力のない社団（人格のない社団）といい，学術団体，同窓会，社交クラブ，運動クラブなどがこれに属する。

## 第2節　会社の概念

### 1　企業形態

#### (1) 個人企業と共同企業

出資者が1人の個人企業の場合には，企業活動により生じる権利義務や損益はすべて経営者個人に帰属する。経営者個人は単独で企業主体となり，債権者は経営者個人に対し責任を追及することができる。これに対し，出資者が複数の共同企業には，法人格を有しない組合企業（民法上の組合・匿名組合・有限責任事業組合など）と，法人格を有する会社企業（合名会社，合資会社，合同会社，株式会社）がある。

## (2) 組合企業

### ① 民法上の組合

　民法上の組合とは、複数の当事者が出資をし、共同の事業を営むことについて合意することにより組合契約が成立する（民667条1項）共同企業形態をいい、個人企業の集合体である。各組合員は独立して業務を行うことができるが、組合財産は組合員の共有となる（民668条）。

### ② 匿名組合

　匿名組合は、当事者の一方（匿名組合員）が相手方（営業者）の営業のために出資し、その営業から生ずる利益を分配することを約束する財産出資契約により成立する（商535条）。出資者である匿名組合員と営業者の共同事業であるが、営業者だけが表面に出ることになる。

### ③ 有限責任事業組合

　会社形態ではなく民法上の組合契約の特例として、「有限責任事業組合契約に関する法律」（平成17年5月6日公布）に基づいた有限責任事業組合は、イギリスにおけるLLP（Limited Liability Partnership）を範としたもので、有限責任制であり、内部自治原則をとり、構成員課税（パススルー課税）という特徴を有する。

## (3) 会社企業

　典型的な共同企業形態である会社は、多くの資本と労力を集めることができ、損失を分散し軽減することもできる。さらに、会社の社員（構成員）が変わっても、会社そのものは長く存続することができる。なお、ここでいう社員とは、従業員という意味ではなく、出資者の意味である。

## 2　会社の特質

　会社は営利社団法人ともいわれ、法人格を有し営利を目的とする社団であるから、その特質として営利性、社団性、法人性がある。

## (1) 営　利　性

　会社は事業活動を行って利益を得ることを目的とするばかりではなく，その利益を出資者である構成員に剰余金の配当または残余財産分配の形で分配することを目的とする。なお，商人概念の営利性は，営利を目的として対外的取引を行うという意味であり，営利法人概念と同じ意味ではない。また，公法人や公益法人も営利事業を行うことはあるが，構成員に分配することを目的としないので営利性があるとはいえない。

## (2) 社　団　性

　共同の目的を有する１人以上からなる構成員が結合した団体には組合と社団があるが，構成員と構成員が相互に契約で直接結合している団体を組合といい，構成員が団体と直接結合し，他の構成員とは団体を通じて間接結合している団体を社団という。合名会社，合同会社，株式会社については，一人会社は認められるが，合資会社は，無限責任社員と有限責任社員がそれぞれ１人以上で構成されるので，一人会社は存在しない。

## (3) 法　人　性（会社３条）

　会社は，法人格が認められた社団であり，会社自身が独立した権利義務の帰属主体となることにより，個人財産と会社財産が区分され，会社の法律関係（契約締結，訴訟等）を簡便に処理することができる。

# 第３節　会社の種類

## 1　社員の責任内容による区分

　会社法施行前の会社は，社員（構成員）の責任内容により合名会社，合資会社，株式会社，有限会社に区分され，前三者については旧商法の規定に，有限会社については有限会社法の規定によっていた。社員（構成員）の責任につい

ては，会社債務について会社債権者に対して直接責任を負う者と，会社に対して出資義務を負うだけで，何ら直接責任を負わないで間接責任を負う者に分けられる。さらに，出資金額を限度とした有限責任を負う者と，会社債務全額について弁済する無限責任を負う者に分類される。

## 2　株式会社

会社法は，中小規模の閉鎖会社を想定した有限会社制度を廃止して株式会社に統合した。改正前のわが国の中小会社の多くは，社会的信用を理由に有限会社形態をとらず，定款に全株式譲渡制限の定めをした株式会社の形態をとっていた。しかし，全株式譲渡制限会社の制度は，非閉鎖性を前提とした株式会社制度の実態にそぐわないものであった。また，有限会社という名称に人気がなく，有限会社形態の方が適合するであろう会社が株式会社形態をとる例も多かった。

したがって，全株式譲渡制限会社の形態をとりながら，定款自治を広く認める会社形態の方が実態に適合するという観点から，株式会社の一類型として，全株式の譲渡制限を定款で定める非公開会社（公開・非公開の区別は，上場・店頭登録等の有無ではない）が存在する改正がなされたのである。

なお，公開会社とは，その発行する全部または一部の株式の内容として，譲渡によるその株式の取得について株式会社の承認を要する旨の定款の定めを設けていない会社をいうのであり（会社2条5号），非公開会社（全株式譲渡制限会社）は，すべての種類の株式が譲渡制限株式である株式会社のことをいう。

また，株式会社においては，公開会社と非公開会社，大会社（資本金5億円以上または最終の貸借対照表の負債総額200億円以上の会社）とそれ以外の会社では機関構成の選択肢が異なっている。特に，非公開会社や大会社以外の会社にとっては選択の範囲がきわめて広く，機関設計の大幅な自由化が行われ，旧商法上のみなし大会社（資本金1億円以上の会社で，会社の定款において会計監査人の監査を受ける旨の定めをした会社），中会社（資本金1億円超5億円未満かつ最終の貸借対照表の負債総額200億円未満の会社），小会社（資本金1億円以下かつ最終の貸借対照表の負債総額200億円未満の会社）の制度は

廃止された。

## 3 持分会社

新たな会社類型として合同会社が創設された。合同会社とは，社員の有限責任が確保され，会社の内部関係については組合的規律が適用されるという特徴を有する会社である。つまり会社の内部的には民法上の組合であり，対外的には有限責任という会社類型である。

合同会社は，株式会社のように内部規律に強行規定が適用されることはなく，内部規律の面から組合型であり，人的結合を重視し，全社員の総意により会社運営を行っていくという人的つながりの強い会社形態をとり，株式制度を採用しないという共通の特質を有することから，合名会社や合資会社とともに持分会社として規定された。

## 4 会社の区分

会社は，合名会社，合資会社，合同会社，株式会社，特例有限会社に区分される。

### (1) 合名会社

直接無限責任社員のみから構成されている会社で（会社576条2項），会社財産をもってしても会社債務を完済できないときは，各社員が連帯して会社債権者に対して直接弁済の責任を負う（会社580条1項）。

### (2) 合資会社

直接無限責任社員と直接有限責任社員から組織された会社であり（会社576条3項），直接無限責任社員は，合名会社の社員と同様の責任を負い，直接有限責任社員は，会社債権者に対して直接責任を負うが，その責任は出資額を限度として会社債務を弁済する有限責任である（会社580条2項）。

(3) 合同会社

アメリカにおける LLC（Limited Liability Company）をモデルとして日本に導入されたもので，対外的には出資者の責任が有限責任の法人であるが，対内的には組合的な内部自治原則（定款自治）により出資者が自ら経営を行うので，組織内部の取り決めは自由に決定することができる企業組織である。

株式会社同様，会社債権者に対し直接責任を負うことはなく，その出資の価額を限度として，会社の債務を弁済する責任を負う間接有限責任社員から構成されている（会社576条4項・580条2項）。また，合同会社の活用方法としては，合弁事業，投資ファンド，高度専門的職業などが考えられている。

(4) 株式会社

株式の引受価額を限度として責任を負う間接有限責任社員からなる会社である（会社104条）。社員は株主と呼ばれ，会社債権者に対し直接責任を負うことはなく，会社に対して出資義務を負うだけである。なお，原則として，株主は株主総会で会社の基本的事項を決議するが，会社の経営は取締役に委任されている。

(5) 特例有限会社

有限会社法の廃止に伴い，廃止前から存在する有限会社については，その実体を維持したまま会社法を適用することとし，「会社法の施行に伴う関係法律の整備等に関する法律」により，会社法の規定による株式会社（特例有限会社）として存続するか，商号を有限会社から株式会社に変更するかの選択は，その会社の自由に委ねられている。

## 第4節　会社の能力

### 1　権利能力

　会社は法人格をもっているのであるから権利能力を有する。しかし，自然人と異なり法人としての性格上一定の制限がある。

（1）性質による制限

　会社は自然人ではないので，自然人としての親権，生命権などの権利や，扶養などの義務の主体となることはできない。

（2）法令による制限

　会社の法人格は，法律により与えられたものであるから，権利能力も法令により制限される（民34条）。たとえば，会社が解散または破産した場合，清算の目的の範囲内において，清算が結了するまでは存続するものとみなされる（会社476条・645条，破産35条）。

（3）目的による制限

　会社の権利能力は定款に定めた事業目的の範囲内に制限されるので，目的の範囲外の行為は効力を生じない。しかし，その行為が定款の目的内のものかどうかは，客観的な性質から判断されなければならない。

### 2　行為能力

　会社の活動は，自然人の行為を通じて実現するものであるが，その行為は法律行為であり，実際には会社の機関が法律行為を代理する。会社はその権利能力の範囲において行為能力を有する。したがって，会社の機関が，職務遂行にあたり第三者に損害を与えた場合には，会社が損害賠償の責任を負う。

## 3　法人格否認の法理

　社員が，会社財産や業務を社員個人のものと混同させたり，会社の法人格を社員個人の責任回避のために濫用して他者に損害を与えたりするような場合は，不法または不当な目的のために法人格が濫用されたことになる。そこで，法律の適用を回避するために濫用されているときには，その法律関係に関してのみ会社の法人格を否認し，会社と社員を同一視して，会社名義でなされた取引であっても，社員個人の行為として責任を負わせることが認められており，これを法人格否認の法理という（最判昭44・2・27民集23巻2号511頁）。

# 2章 会社の商号

## 第1節 商号の意義

### 1 商号の規制

　商号とは，会社が事業において自己を表示するために用いる名称であり，事業上の信用を表す役割を果たしている。商号は会社の名称であるから，文字により表示することができ，かつ発音することができるものでなければならない。単なる記号・紋様・図形による表示は商号ではないが，外国文字による商号登記は認められている。また，商号は，会社が取り扱う商品を他の会社の商品と区別するために用いる商標や，会社がその事業を表示するために用いる記号である営業標とは異なる。

　さらに，個人企業は，営業活動において必ず商号を使用しなければならないわけではなく，氏名その他の名称を用いてもよい。しかし，商号以外の名称をもたない会社は，事業活動においては必ず商号を使用することになる。

### 2 商号単一の原則

　商号は同じ事業については1つしか使用できない。これを商号単一の原則といい，1つの事業に数個の商号を認めると公衆の誤認を招くおそれがあり，また，他者の商号選定の自由を制限することにもなりかねないからである。会社は法律上1個の企業であるから，複数の事業を行っていても商号は1つとされる。これに反して，個人企業が複数の営業を営む場合には，それぞれの営業について別個の商号を使用できる（商登28条2項2号・43条1項3号）。

## 第2節　商号の選定

### 1　商号選定の自由と制限

　個人企業・会社を問わず，商号としてどのような名称を選定しても自由である（商11条1項，会社6条1項）。これを商号自由の原則という。しかし，会社の種類により組織や社員の責任が異なるため，会社と取引する公衆にとって利害関係があることから，会社の商号は，会社の種類を表す合名会社・合資会社・合同会社・株式会社という文字を使用し，その商号中に，他の種類の会社であると誤認されるおそれのある文字を用いてはならない（会社6条2項・3項）。
　一方，特別法により規制されている銀行・証券・信託・保険の事業を行う会社は，商号中にこれらの文字を採用しなければならない。また，会社は，設立の際には必ず商号を選定し定款に記載しなければならない（会社27条2号・576条1項2号）。
　他方，個人企業のように会社でないものは，その名称または商号中に会社であると誤認するような文字を使用してはならない。（会社7条）。これに違反した者には100万円以下の過料が科される（会社978条2号）。

### 2　不正目的での商号の使用制限

　何人も不正の目的をもって，他の会社であると誤認させるような名称または商号を使用することはできない（会社8条1項）。不正の目的とは，他人の商号を自己の商号として使用することにより，公衆に対し自己の事業を他人の事業であるかのように誤認させる意図をいう。
　この禁止に違反する名称または商号の使用によって営業上の利益を侵害され，または侵害されるおそれのある会社は，その営業上の利益を侵害する者または侵害するおそれがある者に対し，その侵害の停止または予防の請求をすることができる（会社8条2項）。また，不正使用者には，100万円以下の過料が科される（会社978条3号）。

さらに，不正競争防止法も商号選定自由を制限する例外規定を設けている。すなわち，他人の商品または営業と混同するような行為や，他人と誤認する商品等表示を使用する行為を不正競争とし（不正競争2条1項1号・2号），利益を侵害されるおそれのある者は，使用差止請求権・損害賠償請求権・信用回復措置請求権が認められている（不正競争3条・4条・14条）。

## 第3節　商号の登記

### 1　商号登記制度

　会社の事業上の名称である商号は，事業上の信用を維持するため法的に保護される必要があり，公衆も会社の商号や事業の種類を知ることができ，双方にとって利益となる。このような観点から商号登記制度が設けられている。

　個人企業は，商号を登記するかしないかは自由であるが，会社の商号は必ず登記しなければならない（商11条2項，会社911条3項2号・912条2号・913条2号・914条2号）。つまり，個人企業の商号は，相対的登記事項であり商号登記簿に登記されるが（商登6条1号），会社の商号については絶対的登記事項であり，各種の会社登記簿に必ず登記しなければならない（商登6条5号〜8号）。

### 2　商号登記の制限

　旧商法19条は，他人が同一市町村内（政令指定都市では区）で同一の営業のために同じ商号を登記することはできないと規定していたが，輸送・通信手段の高度化，企業活動の広域化および会社の設立や支店の登記をする際，時間と手間を要するということなどを考慮した場合，合理性が乏しいという観点から，商号の登記については，すでに登記されている会社と同一の住所の会社は，行う事業のいかんにかかわらず，他の会社と同一の商号を登記することはできない（商登27条）。このような登記の申請がなされたときは，登記官はそ

の申請を却下しなければならない（商登24条13号）。

　また，会社は，事業を廃止した場合，商号の使用のみを廃止した場合，商号を変更した場合には商号権を失うことになる。このように登記した事項に変更が生じ，またはその事項が消滅したときは，当事者は，遅滞なく，変更の登記または消滅の登記をしなければならない（会社909条，商登29条2項）。

## 第4節　名板貸し

### 1　意　　義

　自己の商号を使用して事業または営業を行うことを他人（名板借人）に許諾した会社（名板貸人）は，その会社がその事業を行うものと誤認して他人と取引した者（善意の第三者）に対し，その取引から生じた債務について，他人と連帯して弁済する責任を負わなければならない（会社9条）。これを名板貸しという。

　この場合，取引の相手方（善意の第三者）が，名板貸人がその事業を行うものと誤認した場合，その外観を与えた行為を帰責事由として，取引した者の信頼を保護する必要がある。そこで，名板借人が名板貸人の名義を使用して営業した場合，名板貸人の許諾を要件としてその責任を規定したのである。

### 2　責　　任

　名板貸人の営業と名板借人の営業とが異なる場合，名板貸人の責任については，特別の事情がない限り同種の営業であることを要する（最判昭43・6・13民集22巻6号1,171頁）。さらに，取引の相手方が悪意の場合には，名板貸人の責任は生じないが，名板貸人が悪意の立証責任を負う。また，多くの学説・判例（最判昭41・1・27民集20巻1号111頁）は，取引の相手方の誤認が過失による場合でも，名板貸人の責任は生ずるが，重過失による場合は悪意の場合と同様，名板貸人の責任は生じないと解している。

また，名板貸人は，許諾した営業の範囲内において取引により直接生じた債務だけでなく，名板借人の債務不履行による損害賠償責任や原状回復義務などを負う（最判昭30・9・9民集9巻10号1,247頁）。さらに，営業に関連する手形債務についても責任を負う。しかし，単に手形行為をなすことにのみ名義使用を許諾した場合には見解が分かれているが，判例は，名板貸人としての責任は負わないとする立場をとっている（最判昭42・6・6判時487号56頁）。

# 3章 会社の使用人

## 第1節　会社の使用人の意義

　会社の使用人とは，雇用契約により特定の会社に従属し指揮命令に服する会社内部の非独立的補助者である。これに対して特定の会社の外部の独立的補助者として代理商がある。他に独立的補助者として仲立人・問屋・運送人・運送取扱人・倉庫業者等がいるが，不特定の会社のためにその事業を補助する点において代理商とは異なる。

　つまり，特定の会社のために事業を補助するという点において，会社の使用人と代理商は共通する。会社の使用人は，事業上の代理権の程度により支配人，ある種類または特定の事項の委任を受けた使用人，物品の販売等を目的とする店舗の使用人に分類されている。

## 第2節　支　配　人

### 1　支配人の意義

　支配人とは，もっとも広範な代理権を有する最上級の会社の使用人であって，会社に代わってその事業に関する一切の裁判上または裁判外の行為をなす権限を有する者である（会社11条1項）。このような代理権を支配権という。通説では，支配人・支店長・マネージャーなど名称の如何を問わず，会社により包括的・不可制限的代理権を与えられていれば支配人である。

　これに対し，支配人とは本店または支店の事業の主任者である会社の使用人

をいい，制限された代理権しか与えられていない者でもかまわないとする見解もある。しかし，いずれの学説も支配人と表見支配人（後述）の区別が必ずしも容易ではなく，区別の困難は解消されているわけではない。

## 2 支配人の選任・終任

### (1) 選　任

会社（外国会社を含む）は，支配人を選任し，その本店または支店において，その事業を行わせることができる（会社10条）。支配人は他の支配人を選任する権限を有することはなく（会社11条2項の反対解釈），そのためには特別の授権が必要である。会社においては，その代表社員または代表取締役が支配人を選任するが，持分会社では総社員の過半数決議（会社591条2項），株式会社では取締役会決議（会社362条4項3号）が必要である。

### (2) 資　格

支配人となる者は，自然人でなければならないが能力者である必要はなく（民102条），その資格には特別の制限はない。ただ，株式会社の監査役は，その会社または子会社の支配人を兼務することはできない（会社335条2項）。

### (3) 終　任

支配人と会社は，代理権の授与を伴う雇用関係にあるので，支配人の死亡・破産・後見開始の審判を受けたこと，会社による支配人の解任または支配人の辞任，会社の破産，事業廃止，会社解散等，代理権の消滅または雇用関係の終了により支配人は終任となる。また，会社が支配人を選任し，またはその代理権が消滅したときは，その本店の所在地において，その登記をしなければならない（会社918条）。

## 3　支配人の代理権

### (1) 意　義

　支配人は，会社に代わってその事業に関する一切の裁判上または裁判外の行為をなす権限を有する（会社11条1項）。裁判上の行為とは，会社の訴訟代理人となり訴訟行為を行うだけでなく，訴訟代理人（弁護士）を選任することもできる。裁判外の行為とは，事業に関して代理人を選任することもでき，他の使用人（後述）を選任し，または解任することができる私法上の適法行為をいう（会社11条2項）。

### (2) 代理権の制限

　支配人の代理権の範囲は，本店の登記簿において，その支配人が代理権を有する本店または支店を登記しなければならない。さらに，支配人の代理権に制限を加えても，取引の安全を図る目的からその制限は善意の第三者に対抗することはできない（会社11条3項）。しかし，相手方に悪意・重過失があるときは，相手方は保護されないが，会社にその立証責任がある。また，支配人の代理権の制限を登記することはできない。

## 4　支配人の義務

　支配人は，会社との委任契約および雇用契約により善管注意義務（民644条），報告義務（民645条）などの義務を負う。さらに，支配人が広範な代理権を有し事業の機密にも通じていることから，特殊の不作為義務を課している。すなわち，支配人は，会社の許可がなければ自ら営業を行うことはできない（会社12条1項1号）。

　さらに，会社のために勤務することを保障するため，会社の許可がなければ他の会社または商人の使用人，他の会社の取締役，執行役または業務を執行する社員となることも禁止されている（営業避止義務）（会社12条1項3号・4号）。また，支配人は会社の許可がなければ，自己または第三者のために会社

の事業の部類に属する取引を行うことはできない（競業避止義務）（会社12条1項2号）。

　もし，支配人が，競業避止義務に違反して取引を行ったときは，その行為自体は有効であるが，支配人の解任理由となり，支配人または第三者が得た利益の額は，会社に生じた損害の額と推定し（会社12条2項），支配人が反証できない場合には，会社は損害賠償を請求することができる。

## 5　表見支配人

　会社から事業に関する支配権を与えられているか否かにより，使用人が支配人であるかどうかが判断され，支配権が与えられていない限り支配人ではない。しかし，支店長や営業所長は，会社を代理する権限を有する者と考えるのが自然であり，そのように信じて取引を行った第三者は，民法の表見代理の規定（民109条・110条・112条）により保護される。

　さらに，会社の本店または支店の事業の主任者たる名称を付した使用人は，その本店または支店の事業に関し，一切の裁判外の行為をする権限を有するものとみなす（会社13条本文）。したがって，事業につき支配権を付与されていない場合でも，支配人と同一の権限を有するとみなして取引の安全を図り，会社は，相手方に対して真実の支配人が行使した場合と同様に責任を負わなければならない。これを表見支配人の制度という。

　会社法にいう本店または支店とは，会社の事業活動の中心たる事業所としての実質を備えていれば，出張所や支部などの名称でもよい（最判昭37・5・1民集16巻5号1031頁）。また，事業の主任者たる名称とは，本店営業部長，支社長，支店長，営業所長などが該当するが，次長，支店長代理などは上席者の存在が明らかであるので該当しないと解されている（最判昭29・6・22民集8巻6号1170頁）。

　さらに，表見支配人の権限の範囲は，裁判上の行為を除き，支配人の権限と同じであり事業に関する一切の行為に及び，善意の第三者は保護される。ただし，相手方が悪意の場合には，表見支配人の制度は適用されない（会社13条但書）。悪意とは，使用人が支配人でないことを知っていることであり，知ら

ないことに重大な過失があれば悪意とみなされる。

## 第3節　その他の会社の使用人

### 1　ある種類または特定の事項の委任を受けた使用人

　会社法は，事業に関するある種類または特定の事項の委任を受けた使用人は，その事項に関する一切の裁判外の行為をする権限を有すると規定している（会社14条1項）。現在の部長・課長・係長・主任などであり，部分的包括代理権を与えられているものをいう。また，会社がその代理権に制限を加えても善意の第三者に対抗することはできない（会社14条2項）。その選任・解任は，会社のほか支配人もできるが（会社11条2項），登記事項ではない。

### 2　物品の販売等を目的とする店舗の使用人

　物品の販売等（販売，賃貸その他これらに類する行為をいう）を目的とする店舗の使用人は，その店舗にある物品の販売等に関する権限を有するものとみなされる（会社15条本文）。この店舗の使用人は，会社から代理権を与えられているとは限らないが，取引の安全を図るため，店舗で扱う物品の店舗内での販売については代理権があるとみなされる。しかし，取引の相手方が悪意の場合には相手方は保護されない（会社15条但書）。

# 4章 会社の代理商

## 第1節　代理商の意義

### 1　意　義

　代理商とは，会社の使用人ではなく，特定の会社のために平常その事業の部類に属する取引の代理または媒介をする者をいい，取引の代理または媒介をしたときは，遅滞なく，会社に対して通知しなければならない（会社16条）。また，代理商は，特定の会社から取引の代理または媒介をなすことを継続的に委託されている者であり，特定の会社の事業を補助する点で会社の使用人と同じであるが，独立した商人である点で異なっている。したがって，特定の会社と雇用関係にある会社の使用人は自然人に限られるが，企業組織外の代理商は法人でもよい。

　また，会社が事業の範囲を拡大しようとする場合，各地に営業所を設け会社の使用人を派遣するより，その土地の事情に明るい代理商に依頼した方が合理的であり，損害保険代理店が代理商の代表的なものである。

### 2　締約代理商と媒介代理商

　代理商には取引の代理をする締約代理商と，取引の媒介をする媒介代理商がある。取引の代理とは，特定の会社の代理人として相手方と契約を締結することをいい，取引の媒介とは，特定の会社と相手方との契約が成立するよう仲立ちをすることをいう。

　締約代理商は，取引の代理という法律行為の委託を受けるものであるから法的性格は委任であり（民643条），媒介代理商は，取引の媒介という事実行為

の委託であるから法的性格は準委任である（民656条）。なお，相互保険会社のような商人以外の者のために取引の代理または媒介をしても代理商とはいえず，民事代理商ということになる。

また，締約代理商と取次商（問屋・準問屋・運送取扱人）とは，契約締結の代理を引き受ける点で類似するが，締約代理商は特定の会社の名をもって行うのに対し，取次商は自己の名をもって行う点で異なる。さらに，媒介代理商と仲立人とは，取引の媒介を行う点で同じであるが，媒介代理商は特定の会社のために代理人として継続的に媒介を行うのに対し，仲立人は不特定多数の者のために臨時的に媒介を行う点が異なっている。

### 3 代理商契約の終了

代理商契約の終了に関しては，委任または準委任の関係にあるから，委任の一般終了事由があれば終了する（民653条）。なお，契約の期間を定めなかったときは，2か月前までに予告し，その契約を解除することができる（会社19条1項）。しかし，やむを得ない事由があるときは，いつでもその契約を解除することができる（会社19条2項）。

## 第2節 代理商の権利と義務

### 1 権　利

代理商契約は委任または準委任の性質を有するので，その契約から生ずる権利として，必要な費用の前払の請求を認める費用前払請求権（民649条），代理商が必要な費用を出費したときの請求を認める出捐償還請求権（民650条），独立した商人であることに基づき特約がなくても報酬の請求ができる報酬請求権（商512条），さらに，代理商は，取引の代理または媒介を行って生じた債権が弁済期にあるときは，その弁済を受けるまでは，会社のためにその代理商が占有する物または有価証券を留置できる（会社20条）。代理商が占有する物

または有価証券は，特定の会社の所有物である必要はなく，まったく関係のない他人の物でもよい。つまり，代理商が有する債権との間には関連性を必要としない。

## 2 義　　務

　代理商は特定の会社に対し委任または準委任の規定が適用されるので，取引の代理または媒介にあたり善良な管理者の注意をもって事務処理をしなければならない善管注意義務を負う（民644条）ほか，遅滞なく通知しなければならない通知義務を負う（会社16条）。代理商が通知義務に違反し損害が発生したときには損害賠償責任が生じる（大判昭10・5・27民集14巻959頁）。

　さらに，代理商は，特定の会社の許可がなければ，自己または第三者のために特定の会社の事業の部類に属する取引（競業避止義務）をし，またはその会社の事業と同種の事業を行う他の会社の取締役，執行役または業務を執行する社員となることはできない（営業避止義務）（会社17条1項）。しかし，代理商がこの義務に違反してもその競業行為自体は有効であるが，その行為によって代理商または第三者が得た利益の額は，会社に生じた損害の額と推定され（会社17条2項），会社は，損害賠償を請求することができると解される。

# 5章　登　記

## 第1節　登記の意義

### 1　登記制度

　登記とは，会社の取引上重要な事項を公示することにより取引の安全性を確保するとともに，会社自身の信用を増進することができ，公示事項を第三者に対抗することができる。このように登記制度は，会社自身の利益と取引の相手方ないしは一般大衆の利益のために設けられた制度である。

### 2　本店と支店での登記

　会社が登記すべき事項は，当事者の申請または裁判所書記官の嘱託により，商業登記法の定めに従い，本店の所在地を所轄する登記所（法務局）の商業登記簿に登記する（商登1条の3・6条，会社907条・911条〜929条）。なお，支店の所在地における登記は廃止された。

### 3　登記事項

　多くの登記事項は，必ず登記を要する絶対的登記事項であるが，個人企業の商号のように，登記するか否かを当事者の自由に委ねている相対的登記事項もある。登記事項に変更が生じまたは消滅したときは，当事者は，遅滞なく，変更の登記または消滅の登記をしなければならない（会社909条）。このことは絶対的登記事項ばかりではなく相対的登記事項についても必要とされる。

## 4　公示的機能

　登記事項はだれでも閲覧でき，登記簿謄本や証明書などの交付を請求することができる（商登10条・11条）。しかし，企業数が多く取引が頻繁に行われている状況では，取引ごとに登記簿を閲覧することは実際上行われていないのが現状であり，登記制度の公示的機能は十分なものではない。そこで，「電気通信回線による登記情報の提供に関する法律」が施行され，インターネットを通じて登記簿の情報を確認することができるような環境が整備されてきている。

## 5　商業登記簿

　商業登記簿には，商号登記簿・未成年者登記簿・後見人登記簿・支配人登記簿・株式会社登記簿・合名会社登記簿・合資会社登記簿・合同会社登記簿・外国会社登記簿の9種類がある（商登6条）。

# 第2節　登　記　手　続

## 1　当事者申請主義

　商業登記は，当事者申請主義により当事者の申請に基づいてなされるのが原則である（会社907条・909条，商登14条）。しかし例外的に，登記事項が裁判により生じた場合は，裁判所書記官が職権で，遅滞なく，会社の本店の所在地を管轄する登記所にその登記を嘱託しなければならない。これには，株主総会決議取消判決の登記，会社解散の登記，会社設立無効の登記，会社の組織変更または組織再編無効の登記などがある（会社937条）。

## 2　登記申請の審査

　商業登記が真実と一致していれば問題ないのだが，登記の申請があった場合に，登記官は，申請事項が真実と合致しているか否かを審査する職務権限があ

るかについては議論がある。形式的審査主義によれば，登記官は，登記申請の形式上の適法性のみを審査する職務および権限を有するにすぎないが，実質的審査主義によれば，形式的審査に加えて申請事項が真実であるか否かを実質的に審査する職務と権限を有する。しかし，商業登記法24条の登記申請の却下事由の大部分が形式的事由であることから，現行法は形式的審査主義をとるものと解される。

ただ，同条10号の規定は，登記すべき事項につき無効または取消しの原因があるときを却下事由としている。これは法律関係の無効が客観的に明白である場合であり，解釈上疑義がある場合でも登記をし，関係者の訴訟に委ねるべきであると解される。また，無効原因については，申請書と添付書類により判断すべきであるというのが通説である（最判昭43・12・24民集22巻13号3,334頁）。なお，取消原因の存在が却下事由と定められているが，取消原因が存在しても取り消されるまでは有効であるから，取消判決があるまでは登記を受けつけるべきであり，取消判決があった場合に改めて登記の抹消をすべきであるとする批判的見解がある。

## 第3節　登記の効力

### 1　一般的効力

#### (1) 意　義

登記すべき事項は，登記の後でなければ善意の第三者には対抗することができない。さらに，登記の後であっても第三者が正当な事由によりこれを知らなかったときは，対抗することはできない（会社908条1項）。これを商業登記の一般的効力（確保的効力・宣言的効力）という。商業登記の一般的効力については，登記された時点を基準にして，登記前の効力と登記後の効力に分けて説明する必要がある。

### (2) 消極的公示力

登記前の効力（消極的公示力・消極的公示原則）については，一定の事実が発生しまたは存在しても，登記すべき事項は登記をしない限り善意の第三者に対抗することができない（会社908条1項前段）。この場合の善意・悪意は，登記すべき事項が登記されているかどうかを知っているか否かではなく，登記すべき事項の事実を取引の時点において知っているかどうかである。

また，第三者が登記すべき事項の事実を知らなかったことに過失があったか否かは問われない。したがって，第三者が悪意であることの立証責任は，登記の当事者が負わなければならない。

### (3) 積極的公示力

登記後の効力（積極的公示力・積極的公示原則）については，登記すべき事項が登記された後は，善意の第三者に対しても対抗することができる。このように登記後においては，第三者が登記された事実を知らなくても，登記によりその登記事項を知ったものとみなされる（悪意の擬制）。

しかし，登記後でも第三者が正当な事由によりそのことを知らなかった場合には，善意の第三者にはその事項を対抗することができない（会社908条1項後段）。ここでいう正当な事由とは，交通の途絶，登記簿の滅失・汚損などの登記簿の閲覧を妨げる客観的事由をいい，第三者の主観的事由（病気，長期旅行など）は含まれない。正当な事由の立証は第三者が責任を負う。

## 2 特殊的効力

### (1) 意　義

登記に対して共通する効力として認められている一般的効力に対して，一定の場合のみに例外的に認められ登記するだけで効力が生ずる特殊的効力があり，効力の性質により分類することができる。

### (2) 創設的効力

商業登記により新たな法律関係が創設される創設的効力は、登記することにより法律効果が発生し、登記後は善意、悪意を問わずすべての第三者に対抗することができる。たとえば、会社の設立登記（会社49条）や会社の合併登記（会社750条2項・926条）などがこれにあたり、会社法908条の適用はないと解されている。

### (3) 補完的効力

登記後は法律関係について存在する瑕疵を主張することができなくなり、結果として瑕疵が補完されたと同じ効果が認められる補完的効力がある。たとえば、株式会社の設立登記後は、錯誤による設立時発行株式の引受けの無効や詐欺・脅迫による設立時発行株式の引受けの取消しをすることができなくなる（会社51条2項・102条4項）。

### (4) 付随的効力

登記が一定の行為の許容または免責の基礎となる場合がある。たとえば、株式会社の設立登記には、株券発行を許容する効力（会社215条）が認められ、持分会社の社員は、退社登記後2年、解散登記後5年を経過することにより責任を免除される（会社612条・673条）。これらは登記の法律効果に付随して法が認めた効力であり付随的効力という。

## 3 不実登記

商業登記は、登記事項の公示を行うものであるから、登記された内容が実際の事実と異なっている場合は、登記があっても何の効力も生じないことになる。そのため、故意または過失により不実の事項を登記した者は、その事項が不実であることをもって善意の第三者に対抗することができない（会社908条2項）。その結果、故意または過失により登記した者は、善意の第三者に対して責任を負わなければならない。このような責任は、英米法にいう禁反言の法理ないしドイツ法の外観法理と同様の考え方によるものである。

不実登記を信頼した善意の第三者が保護されるためには，登記申請者が，故意または過失により不実の事項を登記した場合である。したがって，登記官の過誤または第三者の虚偽の申請に基づく不実の登記は，当事者の故意または過失によるものとはいえないので会社法908条2項の適用はない。

　また，不実登記であることを知りながら放置していた場合は，登記申請者自身の故意による不実登記とみなされる。さらに，登記申請者でなくても故意または過失により不実登記に加わった者（不実登記について承諾を与えた者）は，登記事項が不実であることを善意の第三者に対抗することができない（最判昭47・6・15民集26巻5号984頁）。

# 第 2 編

# 株式会社

# 1章 設　立

## 第1節　発起人

### 1　意　義

　発起人とは，株式会社を設立する場合，定款を作成し設立手続を推進し企画する者をいう。しかし，実際に企画したかどうかは問わず，発起人として定款に署名した者をいう。したがって，実際の企画者であっても，定款への署名がない限り法律上の発起人とはなりえない。ただし，擬似発起人としての責任を問われることはある（会社103条2項）。

### 2　資　格

　発起人の資格には制限はないので，外国人，制限能力者，法人であっても発起人になることはできる。発起人は1人以上いればよく，各発起人は，設立時発行株式を1株以上引き受けなければならない株式会社の最初の株主である（会社25条2項）。

### 3　決定事項

　発起人は，定款に定めがある場合を除き，①発起人が割当てを受ける設立時発行株式の数，②発起人が割当てを受ける設立時発行株式と引換えに払い込む金銭の額，③成立後の株式会社の資本金および資本準備金の額に関する事項など，株式会社の設立時発行株式に関する事項を決定しなければならない。ただし，その決定には，発起人全員の同意が必要である（会社32条1項）。

## 4 発起人組合

発起人が複数の場合は，発起人相互間に会社の設立を目的とする組合契約（民法上の組合契約・民667条以下）を締結し，この契約の履行として会社設立手続が遂行される。これに関して共同責任を負う集団を発起人組合という。

## 第2節 定　款

### 1 作　成

会社の組織や活動を定める根本規則を定款といい，強行規定に反しない限り自由に定めることができる自治規則である。発起人が作成し，その全員がこれに署名または記名押印しなければならない（会社26条1項）。また，電磁的記録をもって作成することもできるが，法務省令で定める署名または記名押印に代わる措置をとらなければならない（会社26条2項）。

### 2 公証人の認証

公証人の認証を受けなければならない。これは定款の内容を明確にし，後日の不正行為や紛争を防止するためであり，公証人の認証がないと定款の効力は生じない（会社30条1項）。なお，公証人の認証を受けた定款は，裁判所の決定により変態設立事項が変更された場合（会社33条7項），変態設立事項の変更された事項についての定めを廃止する場合（会社33条9項），発行可能株式総数の定めを設ける場合（会社37条1項），発行可能株式総数の定めの変更をする場合（会社37条2項）を除き，株式会社成立前は変更することができない（会社30条2項）。しかし，会社成立後，定款を変更した場合には，公証人の認証は必要ない。

## 3　備置きと閲覧等

　発起人（株式会社成立後はその株式会社）は，定款を発起人が定めた場所（株式会社成立後は，その本店および支店）に備え置かなければならない（会社31条1項）。なお，発起人，株主，債権者は，定款の閲覧・謄抄本の交付を請求することができ（会社31条2項），親会社の株主その他の社員も，権利を行使するために必要があるときは，裁判所の許可を得て，定款の閲覧等の請求をすることができる（会社31条3項）。

## 4　記 載 事 項

　定款の記載事項には，絶対的記載事項，相対的記載事項，任意的記載事項がある。

### (1) 絶対的記載事項

　絶対的記載事項は，定款に必ず記載しなければならない事項であり，1つでも記載を欠いた場合，またはその記載が違法であるときは，定款全体が無効となる。定款の絶対的記載事項には，つぎの6つが列挙されている。

① 目的（会社27条1号）会社の事業目的を具体的に記載する。
② 商号（会社27条2号）株式会社の商号は，図形や記号は認められないが，漢字またはかな文字で表示し呼称できる限り商号の選定は自由である。しかし，株式会社という文字は使用しなければならない（会社6条）。
③ 本店の所在地（会社27条3号）本店の所在する最小独立行政区画（市町村，東京都や指定都市では区）を記載する。
④ 設立に際して出資される財産の価額またはその最低額（会社27条4号）最低額については制限の定めがないため，資本金1円の株式会社の設立が可能である。
⑤ 発起人の氏名または名称および住所（会社27条5号）発起人の署名のほかに，氏名または名称および住所の記載も必要である。
⑥ 発行可能株式総数（会社37条）株式会社が発行することができる株式

の総数（発行可能株式総数）については，発行可能株式総数を定款で定めていない場合には，株式会社の成立の時までに，発起人全員の同意（発起設立の場合）または創立総会の決議（募集設立の場合）によって定款を変更して定めなければならない（会社37条1項・98条）。

また，発行可能株式総数を定款で定めている場合でも，株式会社の成立の時までに，発起人全員の同意によって，発行可能株式総数についての定款の変更をすることができる（会社37条2項）。このように定款作成時に発行可能株式総数を決める必要がないので，発起人が割当てを受ける設立時発行株式の数についても，定款の作成（認証）後に，発起人全員の同意で定めることができる（会社32条1項）。

また，会社設立に際して発行する株式の総数は，発行可能株式総数の4分の1以上でなければならない（会社37条3項本文）。これは取締役の権利濫用を防止するためであるが，設立しようとする株式会社が全株式譲渡制限会社の場合には，新株または新株予約権を発行するには株主総会の特別決議が要求されているため，株主の利益を害するおそれがないと考えられ，この制約はない（会社37条3項但書）。

### (2) 相対的記載事項

相対的記載事項とは，記載しなくても定款自体の効力には影響しないが，定款に記載するとその効力が認められる事項である。数種の株式発行，株主総会の権限，株式譲渡制限などがこれにあたる。その中で最も濫用の危険が大きい事項が変態設立事項である（会社28条）。

つぎの4つの事項が該当し，定款に定めた場合には，裁判所の選任する検査役の調査を受けなければならない（会社33条1項）。また，これらの事項が不当とされた場合には，定款を変更しなければならない（会社33条7項・9項）。

① 現物出資（会社28条1号）金銭以外の財産をもってする出資をいう。出資は金銭出資を原則とするが，会社にとっては必要な財産を確保でき，出資者にとっても便宜性がある。しかし，財産評価が複雑であり，過大評価された場合には不当に多くの株式を与えることになり，会社の利益を害す

ることになる。このように評価面での濫用の危険があるので，定款に詳細な記載（現物出資者の氏名または名称，出資財産の価額，現物出資者に割り当てる設立時発行株式数）を求めた。

② 財産引受け（会社28条2号）株式会社設立に際し，会社の成立を条件として，第三者から会社に特定の財産を譲り受ける旨の契約をいう。通常の売買契約であり，財産の過大評価の弊害があることは現物出資の場合と同様である。そこで，目的財産およびその価額，譲渡人の氏名または名称を定款で定めない限り効力は生じない。

　また，株式会社の成立後2年以内に会社の成立前から存在する財産で，事業のために継続して使用する目的で譲り受ける財産の対価として交付する財産の帳簿価額の合計額が，純資産額の5分の1以下となる契約（事後設立）の場合には，株主総会の特別決議を要せず（会社467条1項5号但書），裁判所が選任する検査役の調査も必要としない。

③ 発起人が受ける報酬その他の特別の利益（会社28条3号）発起人が会社設立のために提供した労務に対する報酬については，発起人のお手盛りを防ぐため定款に記載し，検査の通った範囲内においてのみ会社に請求できる。

　また，会社設立企画者としての功労に報いるために発起人に与えられる特別の利益においても，配分が不当に取り決められる可能性があるので，剰余金の配当，新株予約権，残余財産分配優先権，会社設備の利用特権などの特別利益の配分について定款で規定することにしたのである。

④ 設立費用（会社28条4号）会社設立のために支出した費用で，事務所の賃借料，株式の募集広告費，有価証券届出費用，定款・株式申込書・目論見書その他必要書類の印刷費などがある。

　無制限にすると会社の利益を害するおそれがあるので，定款に予定額を記載させ，検査により認められた範囲内において会社が負担すべきものとしたのである。出費超過の場合には，発起人が負担しなければならない。

ただし，つぎの場合には検査役の調査を省略することができる。

ア）少額財産の特例　　現物出資・財産引受けの目的財産で，定款に記載さ

れまたは記録された価格総額が500万円を超えないとき（会社33条10項1号）。

イ）市場価格のある有価証券の特例　現物出資・財産引受けの目的財産が市場価格のある有価証券であり，定款に記載されまたは記録された価額が，市場価格として法務省令で定める方法により算定される価格を超えないとき（会社33条10項2号）。

ウ）弁護士等による価格証明の特例　現物出資・財産引受けの目的財産で，定款に記載されまたは記録された価額が相当であるとする弁護士，弁護士法人，公認会計士，監査法人，税理士，税理士法人の証明を受けたとき。ただし，目的財産が不動産の場合には，不動産鑑定士の鑑定評価の証明が必要である（会社33条10項3号）。

### (3) 任意的記載事項

任意的記載事項とは，強行法規や公序良俗に反しない限り，単に定款に記載できるだけにすぎない事項をいい，記載すれば明確になる事項である。具体的には，事業年度，株主総会の招集時期，株主総会の議長，取締役や監査役の員数，取締役・監査役の報酬，株主名簿の基準日，会社の公告方法などである。なお，会社の公告方法についての定めがない場合には，官報による方法となる（会社939条4項）。したがって，日刊新聞紙や電子公告の方法を選択する場合には，定款で定めておく必要がある（会社939条1項）。

## 5　定款変更

法律の規定または株主の固有権や株主平等の原則に反しない限り，会社内外の状況の変化により，株主総会決議によって定款変更することが認められている（会社466条）。定款変更には，株主総会において，総株主の議決権の過半数を有する株主が出席し（ただし，この場合の定足数は，定款の定めをもってしても3分の1未満とすることはできない），出席株主の議決権の3分の2以上の多数による特別決議を要する（会社309条2項）。ただし，公証人の認証は不要である。

さらに，会社が複数の株式を発行している場合に，定款変更により，ある種類の株主に損害を与えるときには，種類株主ごとの総会における特別決議が必要である（会社322条1項1号）。なお，定款変更の決議が条件や期限付きでなされた場合には，その条件成就または期限の到来により効力を生じる。

## 第3節　設立手続

株式会社の設立手続は，発起人が定款を作成し，株式発行事項を決定して株式引受けその他の手続を行うが，株式の引受方法により発起設立と募集設立がある。

### 1　発起設立

(1) 出資の履行

会社設立時に発行する株式全部を，発起人だけで引き受けて会社を設立する方法を発起設立という（会社25条1項1号）。発起人は，株式発行価額の全額を払込取扱機関として定められた銀行または信託会社に払い込むか，現物出資の給付をしなければならない（会社34条）。この場合，設立登記の際の払込取扱機関への金銭の払込みがあることの証明については，残高証明等により一定の時期に払込みが行われたことの証明があればよいので，設立前でも払込金を使用することができる。

また，発起人のうち出資の履行をしていない者がある場合には，発起人は，期日を定め出資の履行をしなければならない旨を，指定期日の2週間前までに通知しなければならないが，期日までに履行しないときは，設立時発行株式の株主となる権利を失う（会社36条）。なお，出資の履行をすることにより設立時発行株式の株主となる権利の譲渡は，成立後の株式会社に対抗することはできない（会社35条）。

### (2) 設立時取締役等の選解任

　出資の履行が完了した後，遅滞なく，発起人の議決権の過半数をもって設立時取締役等（取締役，会計参与，監査役，会計監査人）を選任しなければならない（会社38条1項・2項・3項・40条・41条）。ただし，定款で設立時取締役等を定める場合は，出資の履行が完了したときに選任されたものとみなされる（会社38条3項）。

　なお，設立しようとする株式会社が取締役会設置会社である場合には，設立時取締役は3人以上でなければならず（会社39条1項），監査役会設置会社である場合には，設立時監査役は3人以上でなければならない（会社39条2項）。

　また，発起人は，株式会社の成立時までの間，発起人の議決権の過半数（設立時監査役の解任については，3分の2以上の多数）をもって，設立時取締役等を解任することができる（会社42条・43条1項・44条1項・45条1項）。

### (3) 設立時取締役等の調査

　選任された設立時取締役および設立時監査役は，選任後遅滞なく，①現物出資財産等について，定款に記載または記録された価額が相当であること，②弁護士，弁護士法人，公認会計士，監査法人，税理士，税理士法人による証明が相当であること，③出資の履行が完了していること，④株式会社の設立手続が法令または定款に違反していないことを調査し（会社46条1項），この調査により，法令もしくは定款に違反し，または不当な事項があると認めるときは，設立時取締役は，発起人にその旨を通知しなければならない（会社46条2項）。ただし，指名委員会等設置会社の場合には，設立時取締役は，調査を終了したときは，その旨および内容を，設立時代表執行役に通知しなければならない（会社46条3項）。

### (4) 設立時役員等の選解任

　取締役会設置会社においては，設立時取締役は，その過半数をもって，設立時取締役の中から設立時代表取締役を選定する義務があり，株式会社成立の時までの間は解職することもできる（会社47条）。さらに，指名委員会等設置会

社においては，設立時取締役は過半数をもって，設立時取締役の中から指名委員会・監査委員会・報酬委員会の各設立時委員，設立時執行役，設立時代表執行役の選定・選任の義務があり，株式会社成立の時までの間は解職・解任をすることもできる（会社48条）。

(5) 株主の確定

株式会社は，その本店所在地において設立登記をすることにより成立し（会社49条），発起人は，その時に出資の履行をした設立時発行株式の株主となる（会社50条1項）。なお，株主となる権利の譲渡（権利株の譲渡）は，成立後の株式会社に対抗することができない（会社50条2項）。

## 2 募集設立

(1) 株式の引受け

会社設立の際に発行する株式総数のうち発起人が一部を引き受け，残りの株式については株主を募集して，会社を設立する方法を募集設立という（会社25条1項2号）。発起人は，その全員の同意をもって，設立時発行株式を引き受ける者の募集をする旨を定めることができ（会社57条），設立時募集株式の募集条件を募集株式ごとに均等に定めなければならない（会社58条）。

さらに，発起人は，設立時募集株式の引受けの申込みをしようとする者に対し，募集事項を通知しなければならない（会社59条1項）。株主募集に応じて設立時募集株式を引き受けようとする者は，発起人作成の申込みの条件などの要件が記載された書面（電磁的方法も可能）を発起人に交付しなければならない（会社59条3項・4項）。

設立時発行株式の引受けに関する意思表示については，民法の心裡留保（民93条但書）および通謀虚偽表示（民94条1項）の規定は適用されず（会社51条1項），株式引受人の意思表示が内心の意思と違っていることを会社が知っている悪意の場合であっても，株式引受けは有効となる。また，会社と通じてなす虚偽の意思表示も有効となる。

さらに、会社成立後、錯誤による設立時発行株式引受けの無効の主張や詐欺・強迫による設立時発行株式の引受けの取消しの主張は認められない（会社51条2項・102条4項）。ただし、株式引受け後、種類創立総会において定款変更の決議に反対した設立時種類株主は、種類創立総会の議決後2週間以内に限り設立時発行株式の引受けに係る意思表示の取消しが認められている（会社100条2項）。

### (2) 株式の割当て

株式の申込みがあると、発起人は、割当自由の原則により設立時募集株式の割当てを行い、所定の期日までに、その申込者に割り当てる株式数を通知しなければならない（会社60条）。設立時募集株式の申込者および契約により設立時募集株式の総数を引き受けた者は、設立時募集株式の引受人となり（会社62条）、設立時募集株式の引受人は、定められた払込みの期日またはその期間内に、払込価額の全額を遅滞なく払い込まなければならない（会社63条1項）。

### (3) 出資の履行

払込みは、不正を防止し払込みの確実をはかるために払込取扱金融機関に対して行い、その金融機関は、発起人の請求があるときは株式払込金保管証明書を交付しなければならない（会社64条1項）。また、預合や見せ金による会社設立の弊害を防止するため、交付証明した金額について払込みがなかったことまたは払込金の返還について制限があることをもって、会社に対して払込金の支払を拒むことはできない（会社64条2項）。

### (4) 払込みの仮装

預合とは、発起人が払込取扱金融機関からの借入金を株式払込金に充当し、会社の預金としておき、借入金を返済するまでは会社がその預金を引き出さないことを約束する行為をいう。これに対し、見せ金とは、発起人が払込取扱金融機関以外の者からの借入金を株式払込金にあて、会社成立後に保管金を引き出して借入金の返済にあてることをいう。

### (5) 失　　権

　設立時募集株式の引受人が，払込期日または払込期間内に全額の払込みをしないときは，設立時募集株式の株主となる権利を失う（会社63条3項）。しかし，設立時募集株式の引受人の全部または一部が払込みを行わない場合であっても，定款に定める「設立に際して出資される財産の価額またはその最低額」以上の出資がされているときには，そのまま設立を行うことができる打切発行が認められている。なお，設立時募集株式の引受人が設立時発行株式の株主となる権利の譲渡は，成立後の株式会社に対抗することができない（会社63条2項）。

### (6) 創 立 総 会

　募集設立の場合には出資がすべて履行されると，発起人は株式引受人全員で構成される創立総会を招集しなければならない（会社65条1項）。創立総会は会社設立後の株主総会にあたり，その招集，決議，議決権行使等の手続は，会社成立後の株主総会の規定に対応する内容であり，つぎの事項が決議される。①設立事項の発起人報告（会社87条），②設立時取締役等の選任（会社88条・90条），③設立時取締役等による調査報告（会社93条），④定款変更（会社96条），⑤株式会社設立廃止の決議（会社66条）。そして，発起設立の場合同様，設立時代表取締役，設立時代表執行役等の選定または解職が行われる（会社47条・48条）。

## 3　設 立 登 記

　株式会社は，本店所在地で設立登記を行うことにより成立する（会社49条・911条）。登記すべき事項は，定款に記載される事項のうち公示すべき事項のほか，発行済株式の総数・種類・数，資本金の額，取締役等の氏名，代表取締役の氏名・住所，公告方法などである（会社911条3項）。

## 第4節　設立に関する責任

　株式会社の設立時には，違法行為や不正行為が行われやすく，弊害を防止するために，発起人，設立時取締役，設立時監査役の責任について，つぎのような規定が設けられている。

### 1　会社成立の場合

#### (1) 財産価格てん補責任
　株式会社成立時における現物出資または財産引受けの目的財産の時価が，定款に記載されまたは記録された価額に比べて著しく不足するときは，発起人と設立時取締役は連帯して会社に対して不足額のてん補責任を負う（会社52条1項）。ただし，総株主の同意があればその責任は免除され（会社55条），検査役の調査を受けた財産の現物出資者または財産の譲渡者以外の発起人と設立時取締役は，発起設立・募集設立を問わず不足額を支払う義務を負わない（会社52条2項1号）。
　なお，発起設立の場合における発起人および設立時取締役については，財産価額の調査については注意を怠らなかったことを証明すれば，てん補責任を免れる過失責任である（会社52条2項2号）。しかし，募集設立の場合には，財産価額の調査について過失がない場合でも，募集株主に対する責任の重大さに鑑み，てん補責任を免れることはない無過失責任を負う（会社103条1項）。
　また，現物出資財産等について相当であると証明した者（弁護士，弁護士法人，公認会計士，監査法人，税理士，税理士法人）は，その証明をすることについて注意を怠らなかったことを証明した場合を除き，発起人および設立時取締役と連帯して不足額を支払う義務を負う（会社52条3項）。

#### (2) 任務懈怠責任
　株式会社設立に関し任務を怠り会社に損害を与えた発起人，設立時取締役ま

たは設立時監査役は，会社に対して連帯して損害賠償の責任を負う（会社53条1項）。また，任務懈怠につき，発起人，設立時取締役または設立時監査役に悪意または重過失があるときには，第三者に対して連帯して損害賠償責任を負う（会社53条2項・54条）。この責任は過失責任であり，総株主の同意があれば免除される（会社55条・424条・429条）。

### (3) 擬似発起人の責任

定款に発起人として署名しない場合でも，株式募集に関する文書に自己の氏名または名称および会社設立賛助の記載を承諾した場合，第三者を信頼させるような外観をつくったのであり，一般公衆の信頼を保護しようとする観点から，擬似発起人として発起人と同様の責任を負う（会社103条2項）。

## 2 会社不成立の場合

会社が成立せず，設立登記にまで至らなかった場合を会社不成立という。発起人がなした会社設立に関するすべての行為は，発起人全員が連帯して責任を負い，定款への記載を問わず，設立費用は発起人がすべて負担しなければならない（会社56条）。また，株式引受人から払込みを受けていた場合には返還しなければならない。なお，この場合においても，擬似発起人は発起人と同様の責任を負うことになる（会社103条2項）。

# 第5節　設立無効と会社の不存在

## 1　設 立 無 効

### (1) 設立無効原因

株式会社の設立登記後であっても，その設立手続に欠陥があれば設立は無効である。設立無効原因としては，法定されていないので解釈によるが，①定款

の絶対的記載事項の欠如および違法な記載がある場合（会社27条），②定款に公証人の認証がない場合（会社30条），③株式発行事項に関し発起人全員の同意がない場合（会社32条），④創立総会の招集がない場合（会社65条1項），⑤設立登記が無効な場合などを挙げることができる。

### (2) 設立無効の訴え

　設立無効原因があったとしても，会社はすでに活動を開始しているので，設立無効となった場合には，会社と取引する第三者の取引の安全を害し，法律関係の混乱を招くことになる。そこで，会社の設立無効がむやみに主張されることを防止するために，設立無効の訴えは，被告となる会社の本店所在地を管轄する地方裁判所に対し（会社835条），会社成立の日から2年以内に（会社828条1項1号），株主，取締役，業務監査権限を有する監査役，執行役，清算人が提起することができるものとした（会社828条2項1号）。

### (3) 設立無効判決の効力

　設立無効の判決が確定したときは，当事者のみならず第三者に対しても効力を有し（対世効）（会社838条），その旨の登記がなされ（会社907条），会社の解散に準じて清算をしなければならない。しかし，設立無効の判決が確定しても，判決には遡及効がなく将来に向かってのみ効力を有し，第三者との既往の取引の効力については影響を及ぼさないものと規定されている（会社839条）。

### (4) 担保提供命令

　濫訴防止の観点から，裁判所は，被告会社の申立てにより，設立無効の訴えを提起した株主または設立時株主に対し，相当の担保の提供を命ずることができる（会社836条1項）。しかし，被告の会社が，原告の株主に相当の担保を提供させるには，原告株主の訴えの提起が悪意によるものであることを疎明しなければならない（会社836条3項）。

## 2　会社の不存在

　設立手続が仮装の場合や，設立登記はしているが，会社としての実体がない場合には，その会社は不存在であり，誰でもいつでも不存在の主張をすることができる。

# 2章 株式

## 第1節 株式の意義と特質

### 1 意義

　社員（出資者）の地位が，細分化された割合的単位に分けられたものを株式といい，株式の所有者を株主という。これは，個性のない多くの者が株主として株式会社に出資し参加することを容易にするためと，会社としても資金調達が便利であり，経営の円滑化を図るためである。株主は株式会社の共同所有者であり，会社財産に対して一定の持分をもつが，直接的所有関係を有するものではない。

### 2 特質

　株式は，均一の割合的単位に細分化されているので，1人の株主が複数の株式を保有することができ，株式数に応じた個数の株主の地位を所有することになる（持分複数主義）。これは，多くの者が会社に参加しても，会社と株主の間の法律関係を画一的に簡明に処理することができ，株式の譲渡が円滑に行われるようにするためである。さらに，剰余金や残余財産の分配は持株数に応じて行われ（会社454条・504条），意思決定も多数決によりなされる（会社309条）。

　これに対し，合名会社および合資会社の社員は，出資額に応じて大きさの異なる1個の地位をもつにすぎない（持分単一主義）。

　株式は，株主の地位であり持分の単位であるので，さらに細分化して単位未満にすることは認められていない（株式不可分の原則）。それゆえ，1個の株式を数人に分割譲渡することはできない。しかし，株主に対する募集株式の割

当発行により1株未満の端数があるときは，これを切り捨てる（会社202条2項）。これに対し，1個または数個の株式を数人で共有することは差し支えない。

## 3　資本金と株式の関係

　募集株式が発行されると払込額または給付額が原則として資本金に組み入れられる。したがって，株式会社の資本金は，原則として設立または株式の発行に際して株主となる者が株式会社に対して払込みまたは給付をした財産の額である（会社445条1項）。

　しかし，株式の払込みまたは給付に係る額の一部を資本金に組み入れないこともできる。すなわち，払込額または給付額の2分の1を超えない額を資本金として計上しないことができるが（会社445条2項），資本準備金として計上しなければならない（会社445条3項）。資本準備金の額は，この範囲内で株主総会の特別決議（株主総会は委任のための特別決議により取締役または取締役会に委任することができる）または発起人全員により決定される（会社199条1項5号・2項・200条1項・32条1項3号）。

　昭和25年の商法改正で無額面株式が導入されるまでは，資本金と株式は一体の関係にあったが，それ以後のたび重なる改正や平成13年度改正の額面株式廃止により，株式分割，株式併合，株式の利益消却，利益または準備金の資本組入れなどが認められ，資本金と株式の関係は自由な関係となり，資本金の金額と株金総額は不一致となることから，資本金と株式の関係は切断された。

## 第2節　株主の権利と責任

### 1　株主の権利

　株主は株式会社に対して権利義務を有するが，株主間の関係は会社と株主の社員関係をとおして規律される。株主の権利は，自益権と共益権，単独株主権

と少数株主権，固有権などに分類される。

(1) 自益権と共益権
① 自 益 権

株主が会社から経済的利益を受けることを目的とする財産権的利益を自益権といい，株主自身の利益のために行使する権利である。たとえば，剰余金の配当受領権（会社454条），残余財産の分配受領権（会社504条）のほか，新株予約権（会社241条），株式買取請求権（会社116条・469条・785条）などがこれにあたる。

② 共 益 権

共益権は，株主が会社の経営に参加することを目的とした管理権であり，会社の利益のために行使する権利である。これには，株主総会における議決権（会社308条）のほか，株主提案権（会社303条），株主総会招集請求権（会社297条），総会検査役選任請求権（会社306条），業務財産調査のための検査役選任請求権（会社358条），株主総会決議取消権（会社831条），役員（取締役・会計参与・監査役）解任請求権（会社854条），代表訴訟提起権（会社847条），取締役の違法行為差止請求権（会社360条），帳簿閲覧請求権（会社433条），解散判決請求権（会社833条）などがある。

③ 社 員 権 論

剰余金の配当（自益権）は，株主総会の議決権（共益権）行使により決定されるものであり，自益権も共益権も株主自身の利益のための権利であることには変わりない（社員権論）。

(2) 単独株主権と少数株主権
① 単独株主権

単独株主権とは，持株数に関係なく1株を有する株主でも単独で行使できる権利をいい，自益権はすべて単独株主権に該当する。

なお，単独株主権のうち，株主総会における議決権行使に関連する議決権行使書面・代理権を証する書面等の閲覧・謄写請求権については，議決権行使の

適正を確保するためのものであり，議決権制限株式を有する株主についてはこれを認めないが（会社310条7項本文かっこ書），株主総会の議事録および提案事項について株主全員の同意による株主総会決議省略の同意の書面または電磁的記録については，議決権の有無を問わず閲覧・謄写の請求権を有する（会社318条4項・319条3項）。

　② 少数株主権

　少数株主権とは，権利濫用防止の観点から，総株主の議決権の一定割合または発行済株式総数の一定数以上を有する株主だけが行使できる集合性のある権利をいう。共益権には単独株主権と少数株主権があり，株主総会議決権，株主総会決議取消権，代表訴訟提起権などは単独株主権である。

　ア）少数株主権の割合基準

　少数株主権は，総会検査役選任請求権については総株主の議決権の100分の1以上を有することを要件とし，株主総会招集請求権，業務財産調査のための検査役選任請求権，役員解任請求権，帳簿閲覧請求権などは，総株主の議決権の100分の3以上の議決権を有する株主，解散判決請求権は総株主の議決権の10分の1以上の議決権を必要とし，株主提案権を行使するには総株主の議決権の100分の1以上または300個以上を要件としている。

　しかし，少数株主権の中には，議決権の有無や定款の定めにより制限することが適当ではない株主固有の権利もあることから，業務財産調査のための検査役選任請求権，役員解任請求権，帳簿閲覧請求権および解散判決請求権の行使要件は，上記の議決権割合または発行済株式の100分の3以上および10分の1以上の数の株式を有する株主を要件とする株式数割合も基準とする（会社358条・433条・833条・854条）。この場合，総株主の議決権には，議決権を行使することができない株主が有する議決権（自己株式，相互保有株式，単元未満株式の議決権）を算入しない。さらに，発行済株式から自己株式は除かれる。

　なお，株主総会に関連する少数株主権については，議決権行使の機会を確保するためのものであり，議決権を有する株主の少数株主権は定款をもっても奪うことができない反面，行使要件を引き下げることを定款で定めることは可能である（会社303条2項・426条7項）。

イ）少数株主権の保有期間制限

　少数株主権は，複数の株主の持株数の合計が，総株主の議決権の一定割合または発行済株式総数の一定数以上であれば行使できる権利である。ただし，共益権のうち単独株主権である代表訴訟提起権と取締役の違法行為差止請求権，および総株主の議決権の一定割合または発行済株式総数の一定数以上を要件としている少数株主権については，濫用防止のため6か月前から引き続き株式の保有を要件としている。

　しかし，全株式譲渡制限会社においては，株主は人的信頼関係があり，株式を譲り受けるためには会社の承認を必要とすることから，6か月間の保有期間制限の必要性はない（会社297条2項・303条3項・305条2項・360条2項・422条2項・479条3項・522条3項・847条2項・854条2項）。

(3) 固有権

　固有権とは，株主総会の多数決濫用から株主を守るため，株主総会の決議によっても奪うことができない株主の利益に関する権利（たとえば，剰余金の配当受領権）である。これに対し，株主総会の多数決で奪うことができる権利を非固有権というが，非固有権かどうかは法の解釈によればよく，適宜判断することになる。

## 2　株主の責任

(1) 出資義務

　株主は，株主有限責任の原則により，株式の引受価額を限度として出資義務を負うだけで，それ以外は責任を負わない（会社104条）。もっとも，会社成立前または新株発行の効力発生前に全部履行しなければならないので（会社34条1項・63条1項・3項・208条1項・2項・5項），募集株式の引受人としての義務にすぎず，株主となった後はなんら責任を負わない。

## (2) 出資の履行制限

　株式の払込みは現金によることが原則であり，現物出資の場合を除き，代物弁済は認められない。なお，小切手による場合には，小切手の決済があってはじめて払込みが完了する。さらに，募集株式の引受人は，出資履行の債務と株式会社に対する債権とを相殺することはできない（会社208条3項）。これは，会社が金銭による払込みを定めたにもかかわらず，引受人が会社の意思に反して相殺することを禁止したものである。

## 3　株主平等の原則

### (1) 意　義

　株主は，所有株式数に応じて平等な扱いを受け，多数決濫用や取締役の恣意的な権利行使の危険から擁護されなければならない。これを株主平等の原則という。この原則は，株主の所有株式数を基準とし，各株式の内容は同一であり，同一の扱いを受けることを意味する。

　株主は，その有する株式につき剰余金の配当受領権，残余財産の分配受領権，株主総会における議決権等を有し（会社105条1項），株式会社は，株主を，その有する株式の内容および数に応じて，平等に取り扱わなければならない（会社109条1項）。

### (2) 例外規定

　全株式譲渡制限会社においては，上記の株主の権利につき株主ごとに異なる取扱いを行う旨を定款で定めることができる（会社109条2項）。その旨の定款の定めがある場合には，株主保護の観点から，その定めに係る株主を権利内容の異なる種類株式を有する種類株主とみなし（会社109条3項），保有株式数にかかわらず1人1議決権や株主全員同額配当とすることが可能である。

　このような株主平等の原則の例外を定める規定に定款を変更する場合には，株主の利益を保護するために，総株主の半数以上であって，総株主の議決権の4分の3以上にあたる多数決をもって行う株主総会の特殊決議によらなければ

ならない（会社309条4項）。

また，会社法は，資金調達の便宜を図り，敵対的買収に対する防衛のために，さらには，事業承継の円滑化を図るために，株主平等の原則の例外として，優先株，普通株，劣後株，議決権制限株式，譲渡制限株式，取得請求権付株式，取得条項付株式，全部取得条項付種類株式，種類株主総会による拒否権付種類株式（黄金株），種類株主総会での役員選任権付種類株式（指名委員会等設置会社および公開会社は発行不可）など権利内容の異なる株式を認めている（会社108条1項）。さらに，株主平等の原則の例外規定として，共益権のうちの株主監督是正権については，総株主の議決権の一定割合または発行済株式総数の一定数以上の株式を有する株主や6か月前から引き続き株式を保有している株主だけに限定している。

ただし，原則として，株主平等の原則に反する定款の定め，取締役会決議，株主総会決議，代表取締役の行為は無効である（最判昭45・11・24民集24巻12号1963頁）。もっとも，株主優待制度のように不利益を受ける株主が，不平等に同意するのであれば差し支えない。

## 第3節　株式の種類

株主平等の原則により，株主の権利は平等であり株式の権利内容は同一であるが，株主平等原則の例外として，投資に対する多様化に応じ会社の資金調達の便宜を図り，支配関係の多様化に応じて敵対的買収に対する防衛のために，さらには，中小会社の支配権争いを避けるための種類株式の活用による事業承継の円滑化を図るために，権利内容の異なるつぎのような数種の株式の発行を認めている（会社108条1項）。ただし，あらかじめ定款において，各種の株式の権利内容や発行可能種類株式総数などを規定しておかなければならない（会社108条2項）。

## 1 優先株式・普通株式・劣後株式

　数種の株式において，剰余金の配当，残余財産の分配について，他の株式と異なる特別の取扱いを受けるとき，標準となる株式を普通株式というが，優先的に取り扱われる株式を優先株式，劣後的に取り扱われる株式を劣後株式（後配株式）という（会社108条1項1号・2号）。

　優先株式は，業績不振会社の資金調達を容易にし，劣後株式は，特別な便益を受ける者に発行される場合や，企業に対する資金援助の目的で発行される場合などにみられる。

　なお，優先株式には，一定額の優先配当を受けるほかに，利益があれば普通株式とともに配当を受ける参加的優先株式と，定められた優先配当額に達しない場合に，後の年度の利益からその不足分の配当を受ける累積的優先株式がある。参加的・非累積的優先株式は普通株式に近い性質をもち，非参加的・累積的優先株式は社債の性質に近くなる。

　また，剰余金の配当や残余財産の分配について，優先株式や劣後株式と関係なく，特定の子会社や事業部門の業績に連動させる株式（トラッキング・ストック）や，普通株式の何倍かの配当を支払うことを内容とする株式を発行することもできる。

## 2 議決権制限株式

　株式会社は，株主総会において，議決権を行使することができる事項について制限のある種類の株式を発行することができる（会社108条1項3号）。一定の事項についてのみ議決権を有する株式もしくは議決権のない株式，または一切の議決権の認められない完全無議決権株式を発行することができ，これらを総称して議決権制限株式という。議決権制限株式は，議決権の行使には関心がなく配当に期待する株主と，株主総会の費用を節約できる会社にとって好都合の株式であるといえる。

　公開会社においては，多数の議決権のない株式の株主が，少数の議決権のある株式の株主により支配されるのを防ぐために，議決権制限株式の総数は発行

済株式総数の2分の1を超えてはならず，超えるときには直ちに，2分の1以下にするための必要な措置をとらなければならない（会社115条）。しかし，全株式譲渡制限会社においては，株主は人的信頼関係があることから発行限度の規制はなく，1株だけに議決権があれば，他の株式はすべて無議決権株式とすることも可能である。

## 3 譲渡制限株式

　株式会社は，その発行する全部の株式の内容として，譲渡による株式の取得について，株式会社の承認を要する旨を定款で定めた株式を発行することができる（会社107条1項1号・2項1号）ことに加え，内容の異なる他の種類株式についてのみ，譲渡によるその種類株式の取得について，株式会社の承認を要する旨を定款で定めた株式を発行することができる（会社108条1項4号・2項4号）。つまり，譲渡制限のある株式と譲渡制限のない株式の両方を発行することができる。

　なお，原則として，株主間の譲渡においては会社の承認を必要とするが，会社が譲渡の承認をしたとみなす旨を定款で定めることもできる（会社107条2項1号ロ・108条2項4号）。

　また，種類株式発行後，ある種類株式について譲渡制限とする場合は，その種類株主総会の特殊決議を要し（会社111条2項・324条3項），反対株主には，株式会社に対し自己の有する株式を公正な価格で買い取ることを請求することができる株式買取請求権が認められている（会社116条1項2号）。

## 4 取得請求権付株式

　株式会社が，その発行する全部または一部の株式の内容として，株主が，株式会社に対して，株式の取得を請求することができる旨の定めを設けている株式を取得請求権付株式という（会社2条18号・107条1項2号・108条1項5号）。

　この場合，その取得の対価として，その株式会社の社債，新株予約権，新株予約権付社債，その他の財産（現金，子会社株式など）（会社107条2項2号）のほか，その株式会社の他の種類の株式（自己株式）も対象となる（会社108

条2項5号ロ）。つまり，株主が株主の権利として，株式を定款で定められた社債や新株予約権などとの引換えを要求できる株式である。

この場合，株主は，株券を会社に対し提出して，取得を請求しなければならない。ただし，株券が発行されていない場合には，株券提出を要しない（会社166条3項）。これにより会社は自己株式を取得し，株主は対価を取得する。

## 5 取得条項付株式

株式会社が，その発行する全部または一部の株式の内容として，株式会社に一定の事由が生じたことを条件として，株式会社が株式を取得できる旨の定めを設けている株式を取得条項付株式という（会社2条19号・107条1項3号・108条1項6号）。その取得対価は取得請求権付株式同様，その株式会社の社債，新株予約権，新株予約権付社債，その他の財産（会社107条2項3号），その株式会社の他の種類株式（会社108条2項6号ロ）が対象となる。

ある種類株式を取得条項付きとすることは，その種類株式の強制取得を認めることを意味する。そこで，種類株主の利益保護の観点から，ある種類株式を取得条項付きとする定款の定めを設けるか，または定款を変更する場合には，その種類株式を有する株主全員の同意が必要である（会社111条1項）。また，株式会社が，定款の定めに従って取得条項付株式を一定の事由が生じたことにより取得する場合には，株主総会（取締役会設置会社にあっては，取締役会）の決議は必要ない（会社169条2項但書）。

なお，会社は，一定の事由が生じた後，遅滞なく，株主および登録株式質権者に対し，通知または公告し（会社170条3項・4項），会社は自己株式を取得し，株主は対価を取得する。

## 6 全部取得条項付種類株式

株式会社は，株主総会の特別決議によって，種類株式の全部を取得することができることを内容とする旨を定款に定めている全部取得条項付種類株式を発行することができる（会社108条1項7号・2項7号）。なお，取締役は，株主総会において，全部取得条項付種類株式の全部を取得することを必要とする理

由を説明しなければならない（会社171条3項）。また，反対株主には，株式会社に対し，自己の有する株式を公正な価格で買い取ることを請求することができる株式買取請求権が認められている（会社116条1項2号）。

　取得は有償取得，無償取得のいずれも認められていて，その取得の対価としては，その株式会社の株式，社債，新株予約権，新株予約権付社債，その他の財産が対象である（会社171条1項）。これにより，他の種類株式等に強制的に転換できる種類株式を発行できることになり，敵対的買収への対抗策として活用することもできるが，100％減資を可能とすることを目的として導入された制度である。

　また，株式会社は，全部取得条項付種類株式の取得の価格の決定があるまでは，株主に対し，株式の価格の決定前に，その株式会社が公正な価格と認める額を支払うことができる（会社172条5項）。これにより，株主と会社の間で株式の対価をめぐる争いが生じ，株主が対価の受領を拒んだ場合でも，会社は自らが公正な価格と認める額を供託して，利息の発生を止めることができるようになる。

## 7　種類株主総会による拒否権付種類株式

　株主総会または取締役会および清算人会において決議すべき事項のうち，その決議のほかに種類株主総会の決議があることを必要とする株式で（会社108条1項8号・323条），種類株主に拒否権を認めた黄金株とも呼ばれている株式をいう。

## 8　種類株主総会での役員選任権付種類株式

　種類株式の種類株主総会において，取締役または監査役を選任することを認めた株式をいう（会社108条1項9号）。ただし，指名委員会等設置会社および公開会社については，この種類株式を発行することはできない（会社108条1項但書）。

## 第4節　株券と株主名簿

### 1　株　　券

(1) 意　　義

　株券は，株主の地位（株主権）である株式を表章する有価証券であり，すでに成立している株主権を結合したものであるから，発行により権利が創設されるものではないので非設権証券であり，法定の事項の記載を要する要式証券である（会社216条）。

　また，株券として本質的な事項を記載して代表取締役（指名委員会等設置会社においては，代表執行役）が署名または記名押印することを必要とし，これを欠いた株券は効力を有しないが，その他の事項が欠けても無効とはならない。ただし，株券に記載すべき事項を記載しなかった場合や，虚偽の記載をした場合には，100万円以下の過料が科される（会社976条15号）。なお，株券に記載した事項に変更が生じた場合には，株券の記載を訂正しなくても株券は無効になるわけではない。

　① 株券不発行

　有限会社制度を廃止して株式会社に統合したため，株券を発行する株式会社と株券に相当するものが発行されなかった有限会社との調整を図る必要性が生じたこと，および株式会社であっても全株式譲渡制限会社については，株式取引自体があまり行われないことから株券を発行する必要性が乏しく，実際に株券が発行されていない場合が多いことに鑑み，株券を発行する旨の定款の定めがある場合にのみ株券を発行できるものとし，原則として，株券は発行しないものとした。

　ただし，種類株式発行会社にあっては，定款で特定の種類の株式についてだけ株券を発行する旨の定めを置くことはできず，すべての種類の株式について株券を発行する旨の定めを置くことは認められる（会社214条）。このように

株券を発行する旨の定款の定めがある株式会社を株券発行会社という（会社117条7項）。

② 株券の発行

株券発行会社は株式を発行した日以後，遅滞なく株券を発行しなければならないが（会社215条1項），株券の発行を不当に遅滞している場合には，会社に対する関係においても有効とされる（最大判昭47・11・8民集26巻9号1,489頁）。なお，全株式譲渡制限会社においては，定款で株券を発行する旨を定めていても，株主から請求があるときまでは株券を発行しないことができる（会社215条4項）。

また，株券には，必要事項を記載し，株券発行会社の代表取締役（指名委員会等設置会社においては，代表執行役）がこれに署名し，または記名押印しなければならない（会社216条）。

株券発行会社は，株券を発行する旨の定款の定めを廃止する定款の変更をしようとするときは，その定款変更の効力が生ずる日の2週間前までに，その旨，その効力発生日および株券が無効となる旨を公告し，かつ，株主および登録株式質権者に各別に通知しなければならない（会社218条1項）。

(2) 株券不所持制度

株主のなかには，株式を譲渡する意思がなく株券を所持したくない者もいる。そこで，株券発行会社の株主は，会社に対し株券の所持を希望しない旨を申し出ることができる（会社217条1項）。この場合，会社は遅滞なく株券を発行しない旨を株主名簿に記載または記録しなければならない（会社217条3項）。これを株券不所持の制度という。

株券を喪失した場合に善意取得される可能性があるので，この制度により株券を安全に保有することができ，株主名簿に記載しておけば株主権の行使もできるようにしたのである。また，株券不所持を申し出た株主は，いつでも会社に対し株券の発行を請求することができる（会社217条6項）。

## 2 株券の善意取得と喪失

### (1) 株券の善意取得

　取引の円滑かつ安全の観点から，株券占有者は適法な所持人と推定される（会社131条1項）。したがって，実際には無権利者であっても，権利者としての外観を有する株券占有者である譲渡人から株式を譲り受けた場合，譲受人は善意または軽過失である限り株主の権利者となることができる（会社131条2項）。これを株券の善意取得制度という。なお，株券の善意取得は，株券を譲渡により取得した場合にのみ認められるのであり，包括承継（相続，会社合併など）により株券を取得した場合には認められない。

### (2) 株券喪失と株券喪失登録制度

　平成14年改正前商法においては，株券喪失者は，公示催告・除権判決により会社に対して株券の再発行を請求できることになっていたが，公示催告・除権判決の制度には問題が多かった。そこで，株券に限って，株券喪失の場合の救済のために公示催告・除権判決制度を廃止して，株主名簿や株式名義書換制度と連動している株券喪失登録制度が設けられた。なお，株券以外の有価証券については，公示催告・除権判決制度は存続している。

　株券喪失登録制度においては，株券喪失者が株券発行会社に対して株券喪失登録簿に記載または記録することを請求でき（会社223条），会社は株券喪失登録簿に喪失登録をして，株主名簿上の株主と質権者に遅滞なく通知する（会社224条1項）。喪失登録された株券が権利行使のために会社に提出されたときは，会社は提出者に対し株券喪失登録がされている旨を遅滞なく通知しなければならない（会社224条2項）。ただし，喪失登録された株券の名義書換えおよび会社への権利行使を行うことはできない（会社230条）。

　さらに，株券善意取得者は，喪失登録された日の翌日から起算して1年以内に限り喪失登録に対し登録抹消を申請でき，申請があったときには会社は株券喪失者に遅滞なく通知し，提出された株券を2週間後に株券善意取得者に返還

図表 2-2-1 株券喪失登録制度

① 株券善意取得者の登録抹消申請があった場合

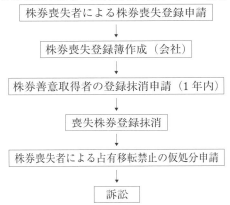

② 株券善意取得者の登録抹消申請がなかった場合

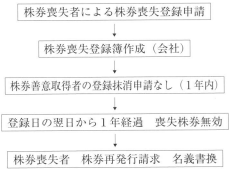

し喪失登録を抹消しなければならない（会社225条）。

また、登録抹消申請がなかった場合には、喪失登録された株券は登録日の翌日から1年後に無効となり、会社は株券喪失者に対し株券を再発行しなければならない（会社228条）。

## 3　株主名簿

### (1) 意義と効力
#### ① 意　義

　会社にとっては多数の株主が絶えず変動するのに，株主を確認して会社と株主の法律関係を処理しなければならない。そこで，株主および株式と株券に関する事項を明確にするために，会社法は株主名簿の作成を要請している。株主名簿には，株主の住所・氏名，株式の種類と数などの法定事項を記載または記録しなければならないが，電磁的記録をもって作成することもできる（会社121条・122条）。

#### ② 備置きと閲覧・謄写請求

　株主名簿は本店に備え置かなければならないが，株主名簿管理人の営業所に備え置くこともでき（会社125条1項），株主および会社債権者は営業時間内ならいつでも請求の理由を明らかにし閲覧・謄写することができる（会社125条2項）。

　ただし，正当な事由がなく権利濫用と認められる場合には，会社は拒絶することができる（最判平2・4・17判時1380号136頁）とする流れを受けて，株主名簿（下記の㋐から㋓まで該当），新株予約権原簿（下記の㋐から㋓まで該当），社債原簿（下記の㋐㋒㋓に該当）の閲覧・謄写の請求については，㋐請求者（株主または債権者）の権利の確保または行使に関する調査以外の目的で請求を行ったとき，㋑請求者がその株式会社の業務の遂行を妨げ，または株主の共同の利益を害する目的で請求を行ったとき，㋒請求者が株主名簿，新株予約権原簿および社債原簿の閲覧または謄写によって知り得た事実を，利益を得て第三者に通報するため請求を行ったとき，㋓請求者が，過去2年以内において，株主名簿，新株予約権原簿および社債原簿の閲覧または謄写によって知り得た事実を，利益を得て第三者に通報したことがあるものであるとき，のいずれかに該当する場合には拒絶することできるが（会社125条3項・252条3項・684条3項），これを拒絶する理由の立証責任は会社が負うものと解される。

### ③ 名義書換え

株式の譲渡は、株式の譲受人が氏名または名称および住所を株主名簿に記載または記録する名義書換えをしなければ、株式会社その他の第三者に対して対抗することはできない（会社130条1項）。さらに、株式会社が質権者の氏名または名称および住所を株主名簿に記載または記録したときは、登録質として特別の効力を有し（会社152条）、登録株式質権者は金銭の分配を受け、他の債権者より先に自己の債権の弁済に充てることができる（会社154条1項）。

### ④ 株主への通知・催告

株主に対する通知または催告は、株主名簿に記載または記録した株主の住所または会社に通知した宛先にすればよく（会社126条1項）、政令に従い株主の承諾を得て電磁的方法により行うこともできる（会社126条5項）。この通知または催告は到達しなかった場合でも到達したものとみなされるが（会社126条2項）、会社の過失による場合は、この規定の適用はない（東京高判昭11・8・31新聞4058号14頁）。

なお、継続して5年間この通知および催告が到達しなかったときはそれ以後行う必要はないが（会社196条1項）、株主および登録株式質権者に対する金銭等の支払などの会社の義務の履行場所は会社の住所地となる（会社196条2項・3項）。

## (2) 所在不明株主の株式売却制度

### ① 制度の趣旨

会社法196条は、所在不明株主について会社の株式事務の便宜を考慮した規定である。しかし、株主としての地位に変化はなく、株主権を行使しない株主がいつまでも存在することから、所在不明株主の株式売却制度により所在不明株主を整理し、株式事務の合理化に資することを目的としたのである。

### ② 制度の内容

株式売却制度とは、株主および登録株式質権者に対する通知・催告が継続して5年間未到達である場合、または、剰余金の配当を継続して5年間受領していない場合には、会社（取締役会設置会社は取締役会決議による）は、その株

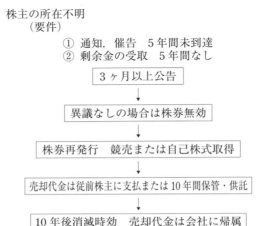

図表2-2-2 株式売却制度

式を競売または自己株式取得し，代金を従前の株主に交付することができるとする制度である（会社197条）。

③ 異議の申立て

株主その他の利害関係人に対し3か月を下回らない一定期間内に異議を申し述べる旨を公告し，株主および登録株式質権者の株主名簿に記載または記録した住所，会社に通知した宛先に対し催告しなければならない（会社198条1項・2項・3項）。この期間内に異議の申立てがなかったときにはこの株券は無効となる（会社198条5項）。

(3) 基準日の制度

① 制度の趣旨

株主名簿上の株主または登録株式質権者により権利行使が行われるが，株主名簿の記載事項は株主の移動により絶えず変動しているので，会社は株主または登録株式質権者を確定する必要がある。そこで，株主名簿の記載または記録は変更するが，一定の日（基準日）において，株主名簿に記載または記録のある株主もしくは登録株式質権者をもって権利行使者とみなす制度を基準日の制

度という（会社 124 条 1 項・5 項）。

なお，基準日において，名義書換えを失念している失念株については，譲渡当事者間の権利関係が問題となる。

② 基準日の制定

基準日は権利行使日の前 3 か月内に定めなければならない（会社 124 条 2 項）。したがって，この規定により株主総会は，決算日の翌日から起算して 3 か月以内に開催されなければならない。なお，会社は，基準日を 2 週間前に公告しなければならないが，定款で定めてある場合はその必要はない（会社 124 条 3 項）。

③ 基準日後の株式取得

株式会社の判断により，基準日株主の権利を害しないかぎり，基準日後に株式を取得した者の全部または一部を議決権の行使をできる者と定めることができる（会社 124 条 4 項）。これにより，第三者割当増資を行った場合に，増資が基準日後であっても，新株引受人は議決権を付与され，株主総会で議決権の行使を行うことができる。

④ 基準日株主の受取配当

事業年度の途中での新株発行に際し，新株に対しては投下資本の稼動期間に比例して日割りでの配当が行われていた。しかし，剰余金の配当額は，必ずしも 1 事業年度の利益を基準に決定されているわけでもないので，日割配当を行わなければならない必然性はないことから，基準日株主は，その有する株式の発行時期にかかわらず同一の配当を受けるものとした。

(4) 株式振替制度

株券保管振替制度とは，「株券等の保管および振替に関する法律」に基づき，株式の売買を株券の受け渡しなしで行い，株主の権利行使も円滑に行うことができる制度である。参加者（証券会社または銀行）が顧客から株券の預託を受けると，その株券を保管振替機関に集中預託し参加者ごとに参加者口座が設けられ，預託株式の譲渡は口座間の振替記帳により行われる。

発行会社の株主名簿には保管振替機関が株主として記載されるが，実質株主

名簿が発行会社に備え置かれ，株主に対する通知や配当の支払は実質株主名簿に基づいて行われる。このように株券を集中管理し保管の一元化を図り，口座間の振替記帳により株式の譲渡または質入れに伴う株券の受け渡しの合理化を図ることを目的とした制度である。

　しかし，平成16年改正により，「社債等の振替に関する法律」から「社債，株式等の振替に関する法律」に法律の名称が変更され，株券保管振替制度から新振替制度に移行された。ただし，新振替制度への移行は，改正法の公布日（平成16年6月9日）から5年以内の政令で定める日に施行され，株式は振替株式となり，株券の発行は禁止され，対象となる既発行株券は無効となる。振替株式については，その譲渡や質入れは，譲受人や質権者の口座に譲渡株式数や質入れ株式数の増加を記載または記録することで効力が生じる。また，悪意または重過失なく増額の記載または記録を受けた者は善意取得が認められる。

### (5) 株主名簿管理人

　株式の名義書換えその他の株主名簿に関する事務については，会社の住所地で行うのが原則であるが，定款で株主名簿管理人に委託することができる（会社123条）。株主名簿管理人とは，会社の手数と費用を省くために株式の名義書換え（電磁的記録を含む），質権登録，株主総会の招集通知，剰余金の支払業務，新株発行事務その他の株式事務を代行するものであり，信託銀行，証券代行会社が委託を受けて行っている。

## 第5節　株式の併合・分割・無償割当て

### 1　株式併合

#### (1) 意義と目的

　株式併合とは，3株を2株にするように数個の株式を併せてそれより少ない

数の株式に変更し，発行済株式総数を減少させることをいう。併合により，株主管理コストの節減，および1株当たりの利益や純資産額が増加し，合併の際には合併比率の調整を容易にすることができる。

### (2) 承認と効力の発生

株式併合は，少数株主が不利益となる可能性があるので株主総会の特別決議を必要とし，取締役は株主総会において，株式併合をすることを必要とする理由を開示しなければならない（会社180条）。さらに，株式併合の効力発生日の2週間前までに，株主（種類株主）および登録株式質権者に対し，株主総会の決議事項を通知または公告しなければならない（会社181条）。

株主は，株式併合の効力発生日に，その前日に有する株式（種類株式）の数に併合の割合を乗じて得た数の株式の株主となる（会社182条）。ただし，株式併合により発行済株式総数は減少するが，資本金の減少の場合を除き資産や資本金の額は変わらない。

### (3) 端株の処理

株式会社は，併合の結果1株に満たない端数が生じた場合には，原則として，端数の株式を競売して代金を交付しなければならない（会社234条1項）。ただし，市場価格のない株式については，取締役全員の同意により裁判所に許可の申立てを行い，裁判所の許可を得て競売以外の方法により売却することができる（会社234条2項）。この場合，売却する自己株式の全部または一部を買い取ることもできる（会社234条4項）。

## 2　株　式　分　割

### (1) 承認と効力の発生

株式分割とは，2株を3株にするように発行済株式を細分化して多数の株式にすることをいう。株式会社は，株式の分割をしようとするときは，その都度，株主総会の普通決議（取締役会設置会社においては，取締役会決議）によって

行い（会社183条），基準日において株主名簿に記載または記録されている株主（種類株主）は，株式分割の効力発生日に，基準日に有する株式（種類株式）の数に分割割合を乗じて得た数の株式を取得する（会社184条1項）。

なお，株式会社は，定款変更のための株主総会特別決議によらないで，効力発生日における発行可能株式総数を，その日の前日の発行可能株式総数に分割割合を乗じて得た数の範囲内で増加する定款変更をすることができる（会社184条2項）。

### (2) 目的と端株の処理

通常は株式分割の前後を通じて会社の資産や資本金にも変化はなく，単に発行済株式数が増加するだけで株主の割合的地位は変わらない。株価が高すぎる場合には，株式分割により株価を引き下げて株式の流通性を高めることができ，合併時には合併比率を調整し合併がスムーズに行われるようにすることができる。なお，分割により1株に満たない端数が生じた場合は，株式併合の場合と同様の処理を行う（会社234条）。

## 3 株式無償割当て

### (1) 意　義

株式会社は，株主（または種類株主）に対して新たに払込みをさせないで，株式の割当てをすることができる（会社185条）。その割当てる株式数は，株主（または種類株主）の有する株式数に応じて割り当てられ（会社186条2項），種類株主に異なる種類の株式を割り当てることもできる。

### (2) 承認と効力の発生

株式無償割当てに関する事項の決定は，定款に別段の定めがある場合を除き，株主総会の普通決議（取締役会設置会社においては，取締役会の決議）によらなければならない（会社186条3項）。

さらに，株式の無償割当てを受けた株主は，その効力発生日に，割り当てら

れた株式の株主となり（会社187条1項），株式会社は，割当ての効力発生日後遅滞なく，株主（または種類株主）およびその登録株式質権者に対し，株主が割当てを受けた株式数（種類株式発行会社においては，株式の種類および種類ごとの数）を通知しなければならない（会社187条2項）。

## 第6節　株式の譲渡・担保・取得

### 1　株式譲渡の自由

　株式譲渡とは，株式の売買，贈与，交換などの法律行為により，株主が第三者に株式を移転する行為をいう。株式会社では，株主の個性は重視されないので株式が自由に譲渡されて株主が変っても差し支えない。ただし，株主の有限責任により会社債権者にとっては会社財産が担保となることから，株主は会社から出資の払戻しを受けることはできない。しかし，会社の解散や資本金の減少など以外に，株主が投下資本を回収するためには株式譲渡しかないので，会社法は，原則として株式の自由譲渡性を認めている（会社127条）。

　また，株券発行会社の株式を譲渡するには譲受人に対し株券を交付する必要があり（会社128条1項），株券の交付により株主権は譲受人に移転し（移転的効力），株券の占有者は，悪意または重大な過失がない限り適法な所持人と推定される（資格授与的効力）（会社131条）。

### 2　株式譲渡の制限

#### （1）法律による株式譲渡の制限
　会社成立前または新株発行前における株式引受人の地位（権利株）の譲渡は，当事者間では有効であるが会社に対しては無効である（会社50条2項）。なお，会社の設立登記がなされるか新株が発行されると，権利株は株式となり株式引受人は株主となる。

また，会社成立後または新株発行後においても株券が発行されるまでは株式を譲渡しても，当事者間では有効であるが株券発行会社に対しては無効である（会社128条2項）。これは円滑な事務処理が滞るのを防止するための制限である。

### (2) 定款による株式譲渡の制限
#### ① 趣　旨
　わが国において大多数を占める同族会社，個人企業的会社などの閉鎖会社では，株主の個性が重要視され，好ましくない者が株主となっては困る会社が大部分である。そこで，会社の全部の株式について，譲渡制限をする定款変更を行う場合には，株主総会の特殊決議を要し（会社309条3項），種類株式を発行している株式会社が，特定の種類株式の内容として，譲渡によるその種類株式の取得のために，会社の承認を必要とする旨の定款の定めを設ける場合には，その種類株式の株主を構成員とする種類株主総会（その種類株主に係る株式の種類が2以上ある場合には，各種類株主総会）の特殊決議を経なければ効力は生じない（会社111条2項）。

#### ② 反対株主の株式買取請求
　譲渡制限をする定款変更に反対の株主は，会社に対し自己の有する株式を公正な価格で買い取ることを請求することができる（会社116条1項・1号・2号）。また，譲渡を制限されることになる種類の株式を目的とする新株予約権を有する新株予約権者も，会社に対し公正な価格での買い取りを請求することができる（会社118条1項）。

　なお，新株予約権の買取請求が，新株予約権付社債に付された新株予約権の買取請求であるときは，別段の定めがある場合を除き，その社債と併せて買い取ることを請求しなければならない（会社118条2項）。これらの請求手続については，会社が，定款変更の効力発生日の20日前までに，買取請求に係る株主および新株予約権者に対し，その旨を通知するか公告しなければならない（会社116条3項・4項・118条3項・4項）。

#### ③ 譲渡承認請求

譲渡制限株式の株主および譲渡制限新株予約権の新株予約権者は，その有する譲渡制限に係る株式および新株予約権を他人に譲渡しようとするときは，株式会社に対して譲渡についての承認を請求することができる（会社136条・262条）。

さらに，譲渡制限株式を取得した者は，株式会社に対し取得についての承認を請求することができる（会社137条1項）。この場合，会社が譲渡を承認しても，名義書換請求がなされない場合の不都合を避けるために，譲渡承認請求と名義書換請求を名義書換請求手続に一本化し，譲渡制限株式取得者は，その取得した株式の株主として株主名簿に記載もしくは記録された者，またはその相続人その他の一般承継人と共同して請求手続をしなければならない（会社137条2項）。

また，譲渡制限新株予約権を取得した新株予約権者についても，譲渡制限株式取得者と同様に，会社に対し，新株予約権者として新株予約権原簿に記載もしくは記録された者またはその相続人その他の一般承継人と共同して承認請求手続をしなければならない（会社263条）。

④ 譲渡承認決定機関

譲渡制限株式および譲渡制限新株予約権の譲渡または取得の承認を決定するには，株主総会（取締役会設置会社にあっては，取締役会）の決議によらなければならない（会社139条1項・265条1項）。ただし，ア）株主間の譲渡の承認不要，イ）特定者に対する譲渡については，承認権限を代表取締役に委任すること，ウ）取締役会設置会社において，承認機関を株主総会とすることなど，定款に別段の定めがある場合にはこの限りではない（会社139条1項但書・265条1項但書）。

⑤ 会社または指定買取人による株式買取り

譲渡制限株式の譲渡者または取得者は，承認請求の際に，株式会社に対し，その株式会社が承認をしない旨を決定する場合においては，その株式会社または指定買取人が譲渡制限株式を買い取ることを請求することができる（会社138条1号ハ・2号ハ）。

その株式会社が買取請求を受けた場合は，株主総会の特別決議により対象株式を買い取らなければならない（会社140条1項・2項）。または，指定買取人

を株主総会の特別決議（取締役会設置会社においては，取締役会の決議）により指定することができるが，定款であらかじめ定めておくことも可能である（会社140条4項・5項）。

⑥　株式買取りの通知

株式会社は，譲渡制限株式の買取りを決定したときは，譲渡等承認請求者に対し決定事項を通知しなければならない（会社141条1項）。また，指定買取人は，指定を受けたときは，譲渡等承認請求者に対し，その旨や対象株式の数および種類を通知しなければならない（会社142条1項）。

なお，株式会社は，請求の日から2週間以内に通知をしなかった場合，または譲渡等の承認の決定に係る通知の日から40日以内に，会社による買取りの通知をしなかった場合（指定買取人が決定の通知の日から10日以内に買取りの通知をした場合を除く），その他法務省令で定める場合には，譲渡等の承認をする旨を決定したものとみなす（会社145条，会社施規26条）。

⑦　株式売渡しの請求

相続その他の一般承継により取得した株式が譲渡制限株式であっても，その株式取得者は，株式会社に対し株主名簿の書換請求をすることができる（会社134条4号）。したがって，その株式会社は，相続や合併で，その株式会社にとって好ましくない者に株式が承継されたときの対策として，相続その他の一般承継により譲渡制限株式を取得した者に対し，その株式をその株式会社に売り渡すことを請求することができる旨を定款に定めることができる（会社174条）。

売渡しの請求をしようとするときは，その都度，株主総会の特別決議により対象株式の種類，数，その株式を有する者の氏名または名称を定めなければならない（会社175条1項）。ただし，その株式会社が相続その他の一般承継があったことを知った日から1年を経過したときは，この限りではない（会社176条1項但書）。なお，その株式の買取総額は，分配可能額を超えてはならない（会社461条1項5号）。

⑧　特別支配株主の株式売渡請求

株式会社の特別支配株主（株式会社の総株主の議決権の10分の9以上を有

する株主）は，その株式会社の株主の全員に対し，その有する株式会社の株式の全部を売り渡すことを請求することができる。ただし，特別支配株主完全子会社に対しては，その請求をしないことができる（会社179条1項）。

さらに，特別支配株主は，この株式売渡請求をするときは，併せて，新株予約権および新株予約権付社債の全部を売渡請求することもできる（会社179条2項・3項）。この規定により，特別支配株主は株主総会の特別決議を経ることなくキャッシュ・アウトすることができる。

## 3 株式担保

### (1) 株式の質入れ

株式の質入れの方法には略式質と登録質がある。

#### ① 略式質

略式質による株式の質入れは，その株式に係る株券を交付しなければその効力がなく，当事者間の合意により質権設定がなされ（会社146条），質権者は，継続してその株式に係る株券を占有しなければ，その質権をもって株券発行会社その他の第三者に対抗することはできない（会社147条2項）。この場合，株券発行会社には，その株式が質入れされているかどうかはわからない。

#### ② 登録質

登録質とは，株主名簿上の株主である質権設定者が，株券を引き渡すことなく株式会社その他の第三者に対抗するために，株式会社に対し，質権者の氏名・名称・住所を株主名簿に記載または記録することを請求することにより質権を設定することをいい（会社147条1項・148条），登録株式質権者は，剰余金の配当，残余財産の分配，株券の引渡しなどを受けることができ（会社151条・152条・153条），これらの金銭を受領し，他の債権者に先立って自己の債権の弁済に充てることができる（会社154条1項）。

### (2) 株式の譲渡担保

株式の譲渡担保は，株券を担保として担保権者に交付し占有させるが，債務

が弁済されれば株式は担保権設定者に返還されるので略式質と変わらない。しかし，譲渡担保の場合には，担保権の実行は担保権者の任意の売却でもよく，競売による必要がないので取り扱いが便利であるといえる。また，株式の譲渡担保には，略式譲渡担保と登録譲渡担保があり，担保権者の権利については，略式質や登録質と同様と解されている。

## 4 自己株式（金庫株）

### (1) 意 義

　自己株式とは，株式会社が有する自己の株式をいう（会社113条4項かっこ書）。自己株式の取得は，①出資の払戻しにより会社の財産的基礎を損なうおそれがあること，②特定の株主から買い取る場合には，取得方法や対価によっては株主平等の原則に反するおそれがあること，③相場操縦やインサイダー取引による不公正取引のおそれがあること，④自己株式には議決権がないため，一般株主の議決権の数を減らすことによる経営者の会社支配に利用されるおそれがあること，などの問題点が指摘されている。

　しかし，①株主への利益還元策，②株価引上効果，③ストックオプション制度（取締役や従業員に対し，報酬や給与の代わりに新株予約権を付与し，新株予約権の行使により株式を取得できる制度）や組織再編（合併や会社分割など）の対価としての自己株式の割当て，④経営比率の向上，⑤配当負担の軽減や管理コストの削減などのメリットがあることから，経済界の強い要望により，自己株式の取得および保有が原則として自由となった。なお，会社が保有した状態の自己株式を金庫株という。

### (2) 取得が許容される場合

　会社法は，株式会社が自己株式を取得できる場合を次のように限定列挙している。①取得条項付株式を取得する場合（会社155条1号），②譲渡制限株式の買取りの場合（同2号），③株主総会の決議により株主との合意に基づき自己株式を有償取得する場合（同3号），④取得請求権付株式の取得の場合（同4

号), ⑤株主総会の特別決議に基づく全部取得条項付種類株式の取得の場合（同5号), ⑥相続人等への売渡請求に基づく譲渡制限株式の取得の場合（同6号), ⑦単元未満株式の買取りの場合（同7号), ⑧所在不明株式の買取りの場合（同8号), ⑨端数株の買取りの場合（同9号), ⑩事業の全部を譲り受けるときに, 他の会社が有する株式の取得の場合（同10号), ⑪合併消滅会社からの株式承継の場合（同11号), ⑫吸収分割会社からの株式承継の場合（同12号), ⑬その他法務省令で定める場合（同13号，会社施規27条）。

しかし，③の株主総会の決議により株主との合意に基づき有償取得する場合は，実質的に自己株式を自由に取得できる場合ということができる。

### (3) 取得の手続

会社は，株主総会（定時総会，臨時総会いずれでも可）の普通決議により，会社が有償取得する自己株式の種類および数，取得対価（その会社の株式，社債，新株予約権を除く金銭等）の内容および総額，1年以内の取得可能期間を決定しなければならない（会社156条1項）。ただし，自己株式を取得する際には，取締役会（取締役会設置会社）または取締役が，株主総会の決議の範囲内で，その都度，具体的に決定する必要がある（会社157条1項・2項）。

なお，会社は，株主に対し決定内容を通知しなければならないが，公開会社においては公告でもよく（会社158条），通知を受けた株主は申込みを行う（会社159条1項）。ただし，申込総数が取得総数を超えるときは按分割合による（会社159条2項但書）。

また，自己株式を消却する場合，発行済株式総数は減少するが，資本金の額は減少しない。したがって，減資に際して株式消却をする場合には，減資の決議とは別に自己株式の取得手続をしなければならない。

### (4) 特定の株主からの取得

特定の株主に対して自己株式取得の決定内容を通知するには，株主総会の特別決議が必要となる（会社160条1項）。この場合，株式会社は，他の株主に対し，売主追加請求権を与えることを株主総会の議案とすることを請求できる旨

を通知しなければならない（会社160条2項・3項）。

ただし，取得する株式が市場価格のある株式で，特定の者から市場価格以下の価格で取得する場合，および全株式譲渡制限会社が，株主の相続人その他の一般承継人からその相続や合併等の一般承継により取得した自己株式を取得する場合，ならびに相続人その他の一般承継人が株主総会で議決権を行使しない場合については，他の株主による売主追加請求権は認められない（会社161条・162条）。

### (5) 子会社および市場取引等による取得

株式会社がその子会社から自己株式を取得する場合，および株式会社が市場取引または公開買付けの方法により自己株式を取得する場合には，取得価格等の決定（会社157条），株主に対する通知等（会社158条），譲渡しの申込み（会社159条），特定の株主からの取得（会社160条）の規定の適用はない（会社163条・165条1項）。さらに，取締役会設置会社は，市場取引または公開買付けにより自己株式を取得することを，取締役会決議により決定できる旨を定款で定めることができる（会社165条2項）。

### (6) 財源規制

自己株式取得により株主に対して交付する金銭等（その株式会社の株式を除く）の帳簿価額の総額は，自己株式取得の効力を生ずる日における分配可能額を超えてはならない（会社461条）。ただし，単元未満株式の買取請求，事業の全部の譲受け，合併，吸収分割による自己株式の取得・承継の場合，および組織再編行為の際の反対株主の株式買取請求権が認められている場合については，財源規制の適用はない。

### (7) 自己株式に対する制限

自己株式には，剰余金の配当受領権や残余財産の分配受領権などの自益権や，議決権（会社308条2項）その他の共益権は認められていない。しかし，会社は自己株式を期間の制限なく保有でき，取締役会決議により，いつでも消

却し（会社178条），または募集株式の割り当てに自己株式を処分することもできる（会社199条）。

## 5 親会社株式取得規制

### (1) 親子会社の定義
　子会社とは，他の株式会社がその総株主の議決権の過半数を有し，経営を支配している法人として法務省令で定めるものをいう（会社2条3号）。つまり，親子会社関係は，議決権の過半数基準と経営の支配という実質的基準により規定され，子会社には，親会社からの一定の支配権が及ぶ外国会社を含む。

### (2) 親会社株式の例外的取得許容
　子会社は，原則として，その親会社である株式会社の株式（親会社株式）を取得してはならない（会社135条1項）。しかし，①他の会社（外国会社を含む）の事業の全部を譲り受ける場合において，その会社の有する親会社株式を譲り受ける場合，②合併後消滅する会社から親会社株式を承継する場合，③吸収分割により他の会社から親会社株式を承継する場合，④新設分割により他の会社から親会社株式を承継する場合，⑤そのほか法務省令で定める場合には，例外的に取得禁止の適用をしないことを規定している（会社135条2項）。
　さらに，吸収合併，吸収分割，株式交換による消滅会社等もしくは消滅会社等の株主等に対して交付する金銭等の全部または一部が存続株式会社等の親会社株式である場合には，その交付を行うために親会社株式を取得することが認められている（会社800条1項）。いわゆる三角合併の場合は，子会社が自己の新株を交付した場合，完全親子会社関係を維持できなくなるので，対価として親会社株式の交付を許容するものである。
　しかし，公正な会社支配の観点から，子会社は，相当の時期にその有する親会社株式を処分しなければならない（会社135条3項）。ただし，存続株式会社等は，組織再編行為の効力発生日までの間は，親会社株式を保有することができる（会社800条2項）。

## 第7節　単元株制度

### 1　意　義

　株式会社は，その発行する株式について，法務省令で定める数（1,000）の範囲内における一定の数の株式をもって，株主が株主総会または種類株主総会において1個の議決権を行使することができる1単元の株式とする旨を定款で定めることができる（会社188条1項・2項，会社施規34条）。また，数種の株式を発行する場合は，株式の種類ごとに単元株式数を定めなければならない（会社188条3項）。この制度は，一定数に満たない株式の管理コストを削減するための制度であり，単元未満株主の権利を制限するものである。

### 2　単元未満株主の権利

　単元未満株主は，その有する単元未満株式について，株主総会および種類株主総会において議決権を行使することはできない（会社189条1項）。さらに，株式会社は，①全部取得条項付種類株式の取得対価の交付を受ける権利，②取得条項付株式の取得と引換えに金銭等の交付を受ける権利，③株式無償割当てを受ける権利，④単元未満株式の買取請求権，⑤残余財産の分配請求権に関する権利以外の権利の全部または一部について，単元未満株主が権利行使できない旨を定款で定めることができる（会社189条2項）。

　また，株券発行会社は，単元未満株式に係る株券を発行しないことができる旨を定款で定めることができる（会社189条3項）。しかし，単元未満株主は，議決権および議決権を前提とする少数株主権や総会決議取消請求権などの権利以外の他の権利は，単元株主同様にすべて有する。

### 3　単元株式数の変更

　株式会社は，株式の分割と同時に単元株式数の増加または単元株式数についての定款の定めを設ける場合，分割後に株主が有する単元数が，分割前の株式

数または単元数を下回らないとき，つまり，株主に不利益とならないように，各株主が有する議決権の数が減少しないときは，株主総会の決議によらないで，単元株式数を増加し，または単元株式数についての定款の定めを設ける定款の変更をすることができる（会社191条）。

したがって，株式会社は，取締役の決定（取締役会設置会社においては，取締役会の決議）により，定款を変更して単元株式数を減少し，または単元株式数について定款の定めを廃止することができる（会社195条1項）。この場合，会社は，定款の変更の効力が生じた日以後遅滞なく，その株主に対し，その旨を通知または公告しなければならない（会社195条2項・3項）。

### 4 単元未満株主の株式買取請求・株式売渡請求

単元未満株主は，株式会社に対して，自己の有する単元未満株式の買取請求権を有する（会社192条1項）。さらに，株式会社は，単元未満株主が，その有する単元未満株式数と併せて単元株式数となる単元未満株式の売渡請求をすることができる旨を定款で定めることができ（会社194条1項），この売渡請求を受けた株式会社は，相当する数の単元未満株式を有しない場合を除き，自己株式を売り渡さなければならない（会社194条3項）。

## 第8節 募集株式の発行

### 1 募集株式の発行手続

#### （1）募集事項の決定

株式会社は，会社成立後の株式による資金調達のために，その発行する株式またはその処分する自己株式を引き受ける者の募集をしようとするときは，その都度，募集株式について募集事項の決定をしなければならない（会社199条1項）。

募集事項の決定は，公開会社においては，有利発行の場合を除き取締役会決

議であり（会社201条1項），有利発行の場合には，取締役が有利な払込金で募集をすることを必要とする理由を説明し，株主総会の特別決議により行われるが（会社199条2項・3項），全株式譲渡制限会社では，有利発行か否かにかかわらず，株主総会の特別決議による（会社199条2項・4項）。

また，株主総会の特別決議により募集株式数の上限と払込金額の下限を決定した場合，その決議の日から1年以内に限り募集事項の決定を取締役（取締役会設置会社では，取締役会）に委任することができる（会社200条1項・3項）。この場合，払込金額の下限が特に有利な金額である場合には，取締役はその株主総会において，その募集を必要とする理由を説明しなければならない（会社200条2項）。

さらに，種類株式発行会社において，譲渡制限株式を募集するときの募集事項の決定または委任は，定款の定めがある場合を除き，その種類株主で構成される種類株主総会の特別決議を要する（会社199条4項・200条4項）。

### (2) 募集事項の公示

公開会社は，取締役会の決議により募集事項を定めたときは，払込み・給付の期日またはその期間の初日の2週間前までに，株主に対して募集事項を通知または公告しなければならない（会社201条1項・3項・4項）。ただし，金融商品取引法に規定された届出をしている場合，その他の株主の保護に欠けるおそれがない場合には，株主に対する通知または公告は必要ない（会社201条5項）。なお，全株式譲渡制限会社では，この通知または公告の必要はない。

### (3) 株主割当てによる募集

株式会社は，株主に募集株式の割当てを受ける権利を与えることができる（会社202条1項）。株主割当てについては，定款で募集事項等を取締役の決定または取締役会の決議で決定する旨の定めがある場合を除き，公開会社では取締役会の決議により，全株式譲渡制限会社においては株主総会の特別決議により決定される（会社202条3項）。

株主割当ての場合，株主の有する株式数に応じて募集株式の割当てを受ける

権利を有するが，1株に満たない端数があるときは切り捨てられる（会社202条2項）。なお，株式会社自身が，自己株式を保有していたとしても，募集株式を受ける権利は認められない。

また，株主割当てを決定した場合には，申込期日の2週間前までに株主に対し募集事項，募集株式数，引受けの申込期日を通知しなければならないが（会社202条4項），株主が申込期日までに申込みをしないときは，募集株式の割当てを受ける権利を失い（会社204条4項），再募集もできない。しかし，通常の募集株式の発行手続により募集することはできる。

### (4) 引受けの申込み

株式会社は，募集株式の引受けの申込みをしようとする者に対し募集事項等を通知しなければならない（会社203条1項）。ただし，金融商品取引法に規定する目論見書を交付している場合，その他募集株式の引受けの申込みをしようとする者の保護に欠けるおそれがない場合には，通知の必要はない（会社203条4項）。

この場合，募集株式の募集に応じて引受けの申込みをする者は，一定の事項を記載した書面を株式会社に交付しなければならないが（会社203条2項），この書面の交付に代えて，その会社の承諾を得て，電磁的方法により提供することもできる（会社203条3項）。

### (5) 株式の割当てと引受け

株式会社は，申込者の中から募集株式の割当てを受ける者およびその者の割当株式数を決定しなければならない（割当自由の原則）（会社204条1項）。申込者は，株式会社の割り当てた募集株式の数について，募集株式の引受人となる（会社206条）。

しかし，募集株式が譲渡制限株式である場合には，その割当ては，定款に別段の定めがある場合を除き，株主総会の特別決議（取締役会設置会社においては，取締役会）によらなければならない（会社204条2項）。この場合，その会社は，払込み・給付の期日またはその期間の初日の前日までに，申込者に対

し，割り当てる募集株式の数を通知しなければならない（会社204条3項）。

　なお，株主に募集株式の割当てを受ける権利を与えた場合，申込期日までに引受けの申込みをしなかったときは，その株主は，募集株式の割当てを受ける権利を失う（会社204条4項）。ただし，募集株式を引き受けようとする者が，その総数の引受けを行う契約を締結する場合には，情報開示による保護の必要性がないことから，募集株式の割当てに関する会社法上の規定の適用はない（会社205条）。

### (6) 公開会社における募集株式の割当て等の特則

　公開会社の募集株式の引受人がその子会社等とあわせて総株主の議決権の2分の1を超えることとなる場合には，払込期日の2週間前までに，株主に対し，その特定引受人の氏名または名称および住所や引受後の議決権数等を通知または公告しなければならない（会社206条の2第1項・2項）。

　ただし，株式会社が，払込期日の2週間前までに金融商品取引法4条1項から3項までの届出をしている場合，その他の株主の保護に欠けるおそれがないものとして法務省令で定めている場合は通知を要しない（会社206条の2第3項）。

　しかし，その通知または公告の日から2週間以内に，総株主の議決権の10分の1以上の議決権を有する株主が，その特定引受人による募集株主の引受けに反対する旨の通知をしたときは，払込期日の前日までに，その特定引受人に対する募集株式の割当て等について株主総会の普通決議を要する。ただし，その公開会社の財産の状況が著しく悪化している場合において，その公開会社の事業の継続のため緊急の資金調達の必要があるときは，株主総会の承認は要しない（会社206条の2第4項・5項）。

## 2　出資の履行

### (1) 出資の方法

　株式会社は，金銭出資を原則とするが，金銭以外の財産を出資の目的とする

現物出資に関する募集事項を定めたときは、遅滞なく、現物出資財産の価額を調査させるために、裁判所に対し検査役の選任の申立てをしなければならない（会社207条1項）。裁判所に選任された検査役は、必要な調査を行い、調査結果を記載または記録した書面、または電磁的記録を裁判所に提供して報告しなければならない（会社207条4項）。

(2) 検査役調査の省略

①募集株式の引受人に割り当てる株式の総数が、発行済株式総数の10分の1を超えない場合、②現物出資財産について、募集事項に定められた価額の総額が500万円を超えない場合、③現物出資財産のうち、市場価格のある有価証券について募集事項に定められた価額が、市場価格を超えない場合、④現物出資財産について募集事項に定められた価額が相当であることについて、弁護士、弁護士法人、公認会計士、監査法人、税理士または税理士法人の証明（現物出資財産が不動産である場合には、不動産鑑定士の鑑定評価も必要）を受けた場合、⑤現物出資財産が株式会社に対する金銭債権（弁済期が到来しているものに限る）であって、募集事項に定められた価額が、その金銭債権に係る負債の帳簿価額を超えない場合（DES：デット・エクイティ・スワップ）、これらの場合には、それぞれの現物出資財産の価額についての検査役の調査は必要ない（会社207条9項）。

(3) 出資に関する制限

募集株式の引受人は、募集事項に定められた払込み・給付の期日または期間内に、株式会社が定めた払込みの取扱いの場所に募集株式の払込金額の全額を払い込まなければならない（現物出資の場合には、現物出資財産を給付しなければならない）（会社208条1項・2項）。なお、引受人は、出資の履行をする債務と株式会社に対する債権とを相殺することはできないが（会社208条3項）、会社からの相殺を禁じるものではない。

さらに、募集株式の引受人は、募集事項に定められた日（出資の履行期日を定めている場合にはその期日、出資の履行期間を定めている場合には、その期

間内における出資の履行日）から募集株式の株主となるが（会社209条），出資の履行をしないときは，募集株式の株主となる権利を失う（会社208条5項）。

## 3 不公正な募集株式の発行

### (1) 募集株式発行差止請求

　株式の発行または自己株式の処分が，法令または定款に違反する場合，または著しく不公正な方法により行われる場合において，株主が不利益を受けるおそれがあるときには，株主は株式会社に対し募集に係る株式の発行または自己株式の処分をやめることを請求することができる（会社210条）。

　しかし，募集株式の引受人は，株主となった日から1年を経過した後またはその株式について権利を行使した後は，錯誤を理由として募集株式の引受けの無効を主張し，詐欺もしくは脅迫を理由として引受けの取消しをすることはできない（会社211条2項）。

### (2) 不公正な引受人の責任

　募集株式の引受人は，取締役（指名委員会等設置会社においては，取締役または執行役）と通謀して著しく不公正な払込金額で募集株式を引き受けた場合は，株式会社に対して公正な価額との差額に相当する金額を支払う義務を負う（会社212条1項1号）。

　さらに，募集株式の株主となったときに給付した現物出資財産の価額が，募集事項に定められた価額に著しく不足する場合の不足額を支払う義務を負うが（会社212条1項2号），不足することにつき善意でかつ重大な過失がないときは，募集株式の引受けの申込みまたは総数引受けの契約を取り消すことができる（会社212条2項）。

### (3) 出資財産の不足額に関する取締役等の責任

　現物出資された株式の募集に関する職務を行った業務執行取締役（指名委員

会等設置会社においては，執行役），および現物出資財産の価額の決定に関する株主総会または取締役会の決議があったときに，議案を提案した取締役（指名委員会等設置会社においては，執行役）は，現物出資財産額の不足額を支払う義務を負うが（会社213条1項），現物出資財産の価額について検査役の調査を経ている場合，または取締役（指名委員会等設置会社においては，執行役）が財産価格の調査について注意を怠らなかったことを証明した場合にはてん補責任を負わない（立証責任を伴う過失責任）（会社213条2項）。

なお，現物出資財産について，募集事項に定められた価額が相当であることを証明した者（弁護士，弁護士法人，公認会計士，監査法人，税理士，税理士法人）も，過失がないことを立証した場合を除き，不足額のてん補責任を負う（会社213条3項）。また，募集株式の引受人が給付した現物出資財産について，その不足額を支払う義務を負う場合，その取締役（指名委員会等設置会社においては，執行役）およびその証明者は連帯債務者となる（会社213条4項）。

### (4) 出資の履行を仮装した募集株式の引受人の責任

募集株式の引受人が，募集株式の払込金額の払込みを仮装した場合には，払込みを仮装した払込金額の全額の支払い，または現物出資財産の給付を仮装した場合には，その現物出資財産の給付をしなければならない（会社213条の2第1項）。さらに，この義務は，総株主の同意がなければ免除することはできない（会社213条の2第2項）。

### (5) 出資の履行を仮装した場合の取締役等の責任

出資の履行を仮装することに関与した取締役等（指名委員会等設置会社にあっては，執行役を含む）は，株式会社に対し，払込みを仮装した払込金額または給付を仮装した現物出資財産の金銭の全額に相当する金額を支払う義務を負う。ただし，その職務を行うについて注意を怠らなかったことを証明した場合は，この限りではない（会社213条の3第1項）。なお，仮装払込みを行った募集株式の引受人と仮装に関与した取締役等は連帯債務者となる（会社213条の3第2項）。

### (6) 出資の履行を仮装した募集株式の引受人および譲受人の権利行使

　募集株式の引受人は，出資履行の仮装があった場合には，引受人や取締役等の支払いもしくは給付がされた後でなければ，出資の履行を仮装した募集株式について株主の権利を行使することができない（会社209条2項）。これに対し，その募集株式の譲受人は，その募集株式について株主の権利を行使することができる。ただし，悪意または重過失があるときは，この限りではない（会社209条3項）。

### (7) 設立時に出資の履行を仮装した発起人等の責任および権利行使

　発起人が設立時発行株式についての出資の履行を仮装した場合（会社52条の2），設立時募集株式の引受人が払込金額の払込みを仮装した場合（会社102条・102条の2）ならびに募集新株予約権の払込金額の払込みが仮装された場合および新株予約権の行使に際してする金銭の払込みまたは金銭以外の財産の給付が仮装された場合（会社282条・286条の2・286条の3）についても，上記と同様に規定されている。

## 4　新株発行等の瑕疵を争う訴訟

### (1) 新株発行等の無効の訴え

　新株発行の効力が生じてもその効力を否定するような重大な瑕疵がある場合には，新株発行は無効とせざるを得ないことから，会社法は新株発行無効の訴えの制度を認めている。

#### ①　無 効 原 因

　新株発行の無効原因として，ア）定款所定の発行可能株式総数を超えて新株が発行された場合，イ）定款に定めのない種類の新株発行である場合，ウ）株主の募集株式の割当てを受ける権利を無視した新株発行である場合を挙げることができる。さらに，自己株式の処分，新株予約権（新株予約権付社債については社債を含む）の発行についても，新株発行と同様に扱うのが整合性があることから無効の訴えが規定されている。

② 提訴期間および提訴権者

　新株発行等（新株発行，自己株式の処分，新株予約権の発行）の無効の訴えは，その効力の生じた日から6か月以内（全株式譲渡制限会社においては，1年以内）に（会社828条1項2号・3号・4号），株主，取締役，監査役，執行役，清算人，新株予約権者に限り会社に対して提起できる（最判昭53・3・28判時886号89頁）（会社828条2項2号・3号・4号）。

　全株式譲渡制限会社の提訴期間が1年以内とされたのは，全株式譲渡制限会社においては，株主に対する新株発行等についての通知または公告は必要ないため，株主が新株発行等の事実を知ることができるのは定時株主総会（毎年1回開催）であることから，提訴期間を1年以内としたのである。さらに，裁判の迅速性の観点から，提訴期間内の口頭弁論の開始を認めている。

③ 無効判決の効果

　新株発行等の無効の訴えに係る請求を認容する確定判決は，第三者に対しても効力を有し，何びとといえどもその効力を争うことができない対世効を付与されている（会社838条）。さらに，その確定判決により無効とされた行為は，将来に向かってその効力を失う（会社839条）。

　なお，新株発行等の無効の判決が確定した場合，株式会社は，その株主または新株予約権者に対し，払込みを受けた金額または給付を受けた現物出資財産の給付時における価額に相当する金銭を支払わなければならない。また，返還すべき金銭が，判決が確定した時における会社財産の状況に照らして著しく不相当であるときは，裁判所は，会社または株主の申立てにより，その金額の増減を命ずることができる（会社840条・841条・842条）。

(2) 新株発行等の不存在確認の訴え

　新株発行の実体がないのに登記されている場合，もしくは，新株発行の手続を欠いた変更登記がされている場合には，新株発行等（株式会社の成立後における株式発行，自己株式の処分，新株予約権の発行）の行為が存在しないことの確認を，訴えをもって請求することができる（最判平9・1・28民集51巻1号40頁，最判平成15・3・27民集57巻3号312頁）（会社829条）。

その新株発行等の不存在確認の訴えに係る請求を認容する確定判決は，第三者に対しても効力を有する対世効を付与されている（会社838条）。なお，原告適格および提訴期間については，規定がないことから制限はない（最判平成15・3・27判時1820号145頁）。

# 3章 新株予約権

## 第1節 新株予約権の発行手続

### 1 意　義

　新株予約権とは，あらかじめ定められた行使期間内にあらかじめ定められた行使価額で，会社から株式を取得できる権利をいう（会社2条21号）。新株予約権者が会社に対してその権利を行使すると，会社は新株予約権者に対して新株を発行するか，会社保有の自己株式を移転しなければならない。

　新株予約権の募集事項については，公開会社においては取締役会の決議により決定され，株主に対し割当日の2週間前までに通知または公告しなければならないが，金融商品取引法に規定する届出をしている場合，その他の株主の保護に欠けるおそれがない場合には必要ない（会社240条）。

### 2 募集事項の決定

　全株式譲渡制限会社においては，新株予約権の募集事項の決定は，株主総会の特別決議によらなければならないが（会社238条2項），募集新株予約権の，①内容および数の上限，②無償発行とする旨，③払込金額の下限を株主総会の特別決議により定め，その他の募集事項の決定を取締役（取締役会設置会社においては，取締役会）に委任することができる（会社239条1項）。

　ただし，募集事項の決定手続と有利発行手続を一体化し手続の合理化を図るため，無償発行が特に有利な条件であるとき，または払込金額が特に有利な金額であるときは，株式会社の取締役は株主総会の特別決議に際し（公開会社においても，取締役会決議による決定は認められない），必要とする理由を説明

しなければならない（会社238条3項・239条2項）。

　株式会社は，新株予約権の募集において，株主に新株予約権の割当てを受ける権利を与えることができる（会社241条1項）。この場合，定款で募集事項等を取締役の決定または取締役会の決議により決定することができる旨の定めがある場合を除き，公開会社においては取締役会の決議により，全株式譲渡制限会社では株主総会の特別決議により決定される（会社241条3項）。

## 3　募集事項の通知

　新株予約権の募集事項が決定されると，株式会社は，募集新株予約権の引受けの申込みをしようとする者に通知をし（会社242条1項），その引受けの申込みをしようとする者は，必要事項を記載した書面をその会社に交付しなければならない（電磁的方法による提供も可）（会社242条2項・3項）。

　この場合，株式会社は，金融商品取引法に規定する目論見書をその申込みをしようとする者に対して交付している場合，その他その申込みをしようとする者の保護に欠けるおそれがない場合には通知は必要ない（会社242条4項）。

## 4　募集新株予約権の割当て

　株式会社は，その申込者の中から募集新株予約権の割当てを受ける者を定めなければならない（会社243条1項）。ただし，定款に別段の定めがある場合を除き，募集新株予約権の目的である株式の全部または一部が譲渡制限株式である場合，または募集新株予約権が譲渡制限新株予約権である場合には，募集新株予約権の割当てを受ける者の決定は，株主総会（取締役会設置会社においては，取締役会）の特別決議によらなければならない（会社243条2項）。

## 5　公開会社における募集新株予約権の割当て等の特則

　公開会社の募集新株予約権の割当て等に関して，引受人がその引き受けた募集新株予約権に係る交付株式の株主となった場合に有することとなる議決権の数のうち最も多い数とその引受人の子会社等が有する議決権の数との合計数が，総株主の議決権の数のうち最も多い数の2分の1を超える場合には，割当

日の2週間前までに，株主に対し，その特定引受人の氏名または名称および住所や募集新株予約権に係る交付株式の株主となった場合に有することとなる議決権の数のうち最も多い数を通知または公告しなければならない（会社244条の2第1項・3項）。

　ただし，株式会社が，割当日の2週間前までに金融商品取引法4条1項から3項までの届出をしている場合，その他の株主の保護に欠けるおそれがないものとして法務省令で定めている場合は通知を要しない（会社244条の2第4項）。

　しかし，その通知または公告の日から2週間以内に，総株主の議決権の10分の1以上の議決権を有する株主が，その特定引受人による募集新株予約権の引受けに反対する旨を公開会社に通知をしたときは，その公開会社は，割当日の前日までに，その特定引受人に対する募集新株予約権の割当て等について株主総会の普通決議を要する。ただし，その公開会社の財産の状況が著しく悪化している場合において，その公開会社の事業の承継のため緊急に必要があるときは，株主総会の承認は要しない（会社244条の2第5項）。

## 6　募集新株予約権の払込み

　募集新株予約権の割当てを受けることが決定した申込者または募集新株予約権の総数を引き受けた者は，割当日から新株予約権者となり（会社245条1項），払込期日までに，株式会社が定めた銀行等の払込取扱場所において，払込金額の全額を払い込まなければならない（会社246条1項）。

　なお，新株予約権者は，株式会社の承諾を得て，払込みに代えて払込金額に相当する金銭以外の財産を給付し，またはその株式会社に対する債権をもって相殺することができる（会社246条2項）。ただし，払込期日までに，払込金額の全額の払込み・給付・相殺をしないときは，その募集新株予約権を行使することができない（会社246条3項）。

## 7　募集新株予約権発行の瑕疵

　新株予約権の発行が法令または定款に違反する場合，または新株予約権の発行が著しく不公正な方法により行われる場合において，株主が不利益を受ける

おそれがあるときは，募集株式の発行の場合と同様に，株主は，株式会社に対し，事前の救済方法として，新株予約権の発行をやめることを請求することができる（募集新株予約権発行差止請求）（会社247条）。

さらに，事後の救済方法として，新株予約権発行無効の訴え（会社828条1項4号）および新株予約権発行不存在確認の訴え（会社829条3号）の制度が認められている。

## 8 新株予約権原簿の作成・備置き・閲覧謄写請求

株式会社は，新株予約権を発行した日以後遅滞なく，記載事項を記載または記録した新株予約権原簿を作成し（会社249条1項），その本店および株主名簿管理人の営業所に備え置かなければならない（会社252条1項）。

新株予約権者は，株式会社に対し，新株予約権原簿記載事項を記載した書面の交付または記録した電磁的記録の提供を請求することができ（会社250条1項），株主および債権者は，その会社の営業時間内は，いつでも閲覧または謄写の請求をすることができる。この場合，請求の理由を明らかにして行わなければならない（会社252条2項）。

また，株式会社は，①請求者（株主または債権者）がその権利の確保または行使に関する調査以外の目的で請求を行ったとき，②請求者がその会社の業務の遂行を妨げ，または株主の共同の利益を害する目的で請求を行ったとき，③請求者が新株予約権原簿の閲覧・謄写によって知り得た事実を，利益を得て第三者に通報するため請求を行ったとき，④請求者が，過去2年以内において，新株予約権原簿の閲覧または謄写によって知り得た事実を利益を得て第三者に通報したことがあるものであるとき，のいずれかに該当する場合は，これを拒否することができる（会社252条3項）。

## 9 新株予約権の無償割当て

株式会社は，株主（ある種類の種類株主）に対し，新株予約権の無償割当てをすることができる（会社277条）。その割当ては，株主（または種類株主）の有する株式数に応じて新株予約権および新株予約権付社債を割り当てること

を内容とするものでなければならない（会社278条2項）。

　新株予約権の無償割当てに関する事項の決定は，定款に別段の定めがある場合を除き，株主総会（取締役会設置会社においては，取締役会）の決議によらなければならない（会社278条3項）。また，株式会社は，新株予約権無償割当てが，その効力を生ずる日後遅滞なく，かつ，新株予約権の行使期間の末日の2週間前までに，株主（または種類株主）および登録株式質権者に対し，その株主が無償割当てを受けた新株予約権の内容および数を通知しなければならない（会社279条2項・3項）。

　新株予約権の無償割当てを株主全員に対して行い，増資に応じる株主は，新株予約権を行使して現金を払い込んで株式を取得する。このような方法により，会社が資金調達する方法をライツ・イシュー（ライツ・オファリング）という。なお，増資に応じない株主は，市場で新株予約権を売却して現金を取得することもできる。

## 第2節　新株予約権の譲渡・質入れ

### 1　新株予約権の譲渡

#### （1）意　　義

　新株予約権者は，その有する新株予約権を譲渡することができる（会社254条1項）。ただし，新株予約権付社債については，社債が消滅したときを除き，新株予約権のみを譲渡することはできない（会社254条2項）。さらに，新株予約権が消滅したときを除き，社債のみを譲渡することはできない（会社254条3項）。

#### （2）証券発行新株予約権の譲渡

　証券発行新株予約権の譲渡および証券発行新株予約権付社債に付された新株

予約権の譲渡については，新株予約権証券および新株予約権付社債券を交付しなければ譲渡の効力は生じない（会社255条1項・2項）。

さらに，株式会社が有する自己新株予約権または自己新株予約権付社債を処分する場合の証券発行新株予約権の譲渡については，株式会社は，その処分をした日以後遅滞なく，取得した者に対し，新株予約権証券または新株予約権付社債券を交付しなければならない（会社256条1項・3項）。ただし，取得した者から請求があるまでは，新株予約権証券を交付しないことができる（会社256条2項）。

### (3) 譲渡の対抗要件

新株予約権の譲渡については，新株予約権を取得した者は，その氏名または名称および住所を新株予約権原簿に記載または記録しなければ株式会社その他の第三者に対抗することはできない（会社257条1項）。なお，証券の占有者または交付を受けた者が，新株予約権についての権利を有する（会社258条）。

## 2　新株予約権の質入れ

### (1) 意　義

新株予約権者は，その有する新株予約権に質権を設定することができる（会社267条1項）。ただし，新株予約権付社債については，新株予約権と社債のどちらかが消滅したときを除き，どちらか一方のみに質権を設定することはできない（会社267条2項・3項）。

また，証券発行新株予約権の質入れまたは証券発行新株予約権付社債に付された新株予約権の質入れは，証券を交付しなければその効力を生じない（会社267条4項・5項）。

### (2) 質入れの対抗要件

新株予約権の質入れは，その質権者の氏名または名称および住所を新株予約権原簿に記載または記録しなければ，株式会社その他の第三者に対抗すること

はできない（会社268条1項）。ただし，証券発行新株予約権および証券発行新株予約権付社債に付された新株予約権の質権者は，継続して証券を占有しなければ対抗することはできない（会社268条2項・3項）。

なお，新株予約権原簿に記載または記録された登録新株予約権質権者は，株式会社に対し，その事項を記載した書面の交付または記録した電磁的記録の提供を請求することができる（会社270条1項）。

## 第3節　自己新株予約権の取得

### 1　取得条項付新株予約権

新株予約権の権利内容については，その設計の自由度が拡大し，株式会社に一定の事由が生じたことを条件に，新株予約権者から自己の新株予約権を取得することができる取得条項付新株予約権は，その取得対価として，株式，社債，他の新株予約権，新株予約権付社債，その他の財産を交付することができ（会社236条1項7号），敵対的買収に対するポイズン・ピル（毒薬条項）として効果的である。

原則として，一定の事由が生じた日に取得条項付新株予約権を取得することができるのであるが（会社275条1項），株式会社が別に定める日の到来を一定の事由とする場合や，一定の事由が生じた日に新株予約権の一部を取得する場合には，株主総会（取締役会設置会社においては，取締役会）の決議により決定しなければならない（会社273条1項・274条2項）。

さらに，株式会社は，取得条項付新株予約権の新株予約権者およびその登録新株予約権質権者に対し，その日の2週間前までに，その日を通知または公告しなければならない（会社273条2項・3項・274条3項・4項）。

### 2　自己新株予約権の処分

株式会社は，自己の新株予約権を取得し，取得した自己新株予約権を消却す

ることもできる（会社276条1項）。この場合，取締役会設置会社においては，消却する自己新株予約権の内容および数の決定は，取締役会の決議によらなければならない（会社276条2項）。

## 第4節　新株予約権の行使

### 1　証券発行新株予約権の行使

　証券発行新株予約権を行使しようとするときは，新株予約権者は，新株予約権証券を株式会社に提出しなければならない（会社280条2項）。また，証券発行新株予約権付社債に付された新株予約権を行使しようとするときは，新株予約権者は，新株予約権付社債券を株式会社に提示しなければならないが（会社280条3項），新株予約権の行使により社債が消滅するとき，または社債の償還後に新株予約権を行使しようとするときは，新株予約権付社債券を提出しなければならない（会社280条4項・5項）。さらに，株式会社は，自己新株予約権を行使することはできない（会社280条6項）。

### 2　行使による払込み・給付

　金銭を新株予約権の行使に際し出資の目的とするときは，新株予約権者は，新株予約権行使日に，株式会社が定めた銀行等の払込取扱場所において，全額を払い込まなければならない（会社281条1項）。さらに，現物出資財産を出資の目的とするときは，新株予約権行使日に財産を給付しなければならない（会社281条2項）。

　ただし，新株予約権者は，払込みまたは給付をする債務と株式会社に対する債権を相殺することができない（会社281条3項）。なお，新株予約権を行使した日に新株予約権者は，その新株予約権の目的である株式の株主となる（会社282条）。

## 3 端株の処理

新株予約権を行使した場合において，新株予約権者に交付する株式の数に1株に満たない端数があるときは，株式会社は，1株に満たない端数を切り捨てる旨を定めている場合を除き，端数に相当する額を金銭で交付しなければならない（会社283条）。

## 4 現物出資による行使

株式会社は，新株予約権が行使され，現物出資財産の給付があった場合，遅滞なく，その現物出資財産の価額を調査させるために，裁判所に対し検査役の選任の申立てをしなければならない（会社284条1項）。裁判所が選任した検査役は，必要な調査を行い，その調査の結果を記載した書面または記録した電磁的記録を裁判所に提供して報告しなければならない（会社284条4項）。

ただし，①行使された新株予約権の新株予約権者が交付を受ける株式の総数が，発行済株式総数の10分の1を超えない場合，②現物出資財産について，募集事項に定められた価額の総額が，500万円を超えない場合，③現物出資財産のうち，市場価格のある有価証券について，募集事項に定められた価額が，その有価証券の市場価額を超えない場合，④現物出資財産について定められた募集事項の価額が相当であることについて，弁護士，弁護士法人，公認会計士，監査法人，税理士，税理士法人の証明（その財産が不動産である場合には，不動産鑑定士の鑑定評価も必要）を受けた場合，⑤現物出資財産が株式会社に対する金銭債権（弁済期が到来しているものに限る）で，その金銭債権について，募集事項に定められた価額がその金銭債権に係る負債の帳簿価額を超えない場合（DES：デット・エクイティ・スワップ），これらの場合には，それぞれの現物出資財産の価額についての調査は必要ない（会社284条9項）。

## 5 不公正な行使による責任

### (1) 新株予約権者の責任

　新株予約権を行使した新株予約権者は，①募集新株予約権につき無償とすることが著しく不公正な条件であるときは（取締役と通謀して新株予約権を引き受けた場合に限る），その新株予約権の公正な価額，②取締役と通じて著しく不公正な払込金額で新株予約権を引き受けたときは，公正な価額との差額に相当する金額，③株主となったときにおけるその給付した現物出資財産の価額が，これについて定められた募集事項の価額に著しく不足する場合には，その不足額を，株式会社に対し支払う義務を負う（会社285条1項）。

### (2) 取締役等の責任

　新株予約権者が株主となったときに給付した現物出資財産の価額が，募集事項に定められた価額に著しく不足する場合には，①新株予約権者の募集に関する職務を行った業務執行取締役（指名委員会等設置会社においては，執行役）その他その業務執行取締役の行う業務の執行に職務上関与した者（以下，取締役等という），②現物出資財産の価額の決定に関する株主総会の決議があったとき，議案を提案した取締役，③現物出資財産の価額の決定に関する取締役会の決議があったときは，議案を提案した取締役（指名委員会等設置会社においては，取締役または執行役）は，株式会社に対して不足額を支払う義務を負う（会社286条1項）。ただし，現物出資財産の価額について，検査役の調査を経ている場合，または，取締役等が，その職務を行うについて注意を怠らなかったことを証明した場合には，取締役等の責任は不足額を支払う義務を負わない過失責任である（会社286条2項）。

### (3) 証明者の責任

　現物出資財産価額が相当であることを証明した者（弁護士，弁護士法人，公認会計士，監査法人，税理士，税理士法人）も，過失がないことを立証した場

合を除き，不足額のてん補責任を負う（会社286条3項）。また，新株予約権者が，その給付をした現物出資財産について，その不足額を支払う義務を負う場合，その取締役等およびその証明者は連帯債務者となる（会社286条4項）。

## 第5節　新株予約権の活用方法

　新株予約権の活用方法として，①取締役や従業員に対し，報酬や給与の代わりに新株予約権を付与し，新株予約権の行使により株式を取得できるインセンティブ報酬（ストックオプション）として利用する方法，したがって，株価を上昇させるための経営を行うことになる。②新株予約権付社債として資金調達のために発行する方法，③敵対的企業買収の防衛策として株主に交付する方法，などが挙げられる。

　新株予約権を利用した買収防衛策とは，買収者以外の新株予約権者に新株予約権を行使させて，会社が新株を発行または自己株式を移転することにより，買収者の持株比率を低下させ敵対的企業買収に対抗することをいう。なお，新株予約権による買収防衛策をライツ・プランという。新株予約権の行使条件については特に制限はないが，ライツ・プランの類型には次の2類型がある。①事前警告型ライツ・プランは，事前に有事の際のライツ・プラン導入の警告を行っておき，有事には新株予約権の発行を行う方法である。さらに，②信託型ライツ・プランは，既発行の新株予約権を信託銀行に預託しておき，有事に預託しておいた新株予約権を株主に対して交付する方法である。なお，新株予約権を特別目的会社（SPC）に発行し，特別目的会社から信託銀行に預託しておき，有事に預託した新株予約権を株主に交付する方法もある。

　しかし，新株予約権を用いた買収防衛策が，経営陣の支配権を維持することを目的としてなされた場合には，新株予約権の不公正発行が問題となる。敵対的企業買収防衛策が，企業価値を向上させ，株主全体の利益保護に役立ち，買収者が支配権を取得すると会社に回復しがたい損害を与えることを疎明・立証した場合には，買収防衛策の合理性，相当性が認められる。

# 第4章 機関

## 第1節 総　説

### 1　意　義

　株式会社は，法人格を取得することにより権利義務の主体となる営利社団法人である。しかし，自然人のように自ら意思を決定し行動することはできないので，自然人を通じて意思を決定し行動するほかない。会社の活動のため，会社の意思や行動を実現するために一定の権限を与えられた自然人の集合体または会議体を会社の機関という。

### 2　種　類

　すべての株式会社について，株主総会と取締役だけが絶対的必置機関である。株式会社は，1人または2人以上の取締役を置かなければならない（会社326条1項）。したがって，1人取締役も可能である。そのほかの機関については，定款の定めによって，取締役会，会計参与，監査役，監査役会，会計監査人または委員会を置くことができる（会社326条2項）。これらの機関は任意設置機関であり，機関設計の柔軟化が図られている。

### 3　機関設計

　公開会社，監査役会設置会社，監査等委員会設置会社，指名委員会等設置会社に対しては，取締役会の設置義務を課しているが（会社327条1項），全株式譲渡制限会社の取締役会の設置は任意である。なお，取締役会を設置しない場合は，監査役会または委員会を設置することはできない。しかし，全株式譲渡

制限会社であっても取締役会を設置した場合には，監査役会や委員会を設置することができる。

また，取締役会設置会社（監査等委員会設置会社および指名委員会等設置会社を除く）は，監査役を置かなければならない（会社327条2項本文）。したがって，取締役会を設置しない非公開中小株式会社の場合は，監査役の設置は任意であるが，取締役会設置会社は，監査役（監査役会を含む）または委員会のいずれかを設置しなければならない。ただし，大会社以外で取締役会設置の全株式譲渡制限会社において，会計参与を設置する場合には，監査役（監査役会を含む）または委員会の設置義務はない（会社327条2項但書）。

さらに，会計監査人設置会社（監査等委員会設置会社および指名委員会等設置会社を除く）は，監査役を置かなければならない（会社327条3項）。しかし，監査役を設置する場合には，会計監査人を設置することは任意である。また，監査等委員会設置会社および指名委員会等設置会社は，監査役を置いてはならないが（会社327条4項），会計監査人を置かなければならない（会社327条5項）。したがって，会計監査人を置かない会社は，委員会を設置できない。

株式会社

図表2-4-1　機関の組合せ

| | 公開会社 | | | | | | | 全株式譲渡制限会社 | | | | | | | | | | | | |
|---|---|---|---|---|---|---|---|---|---|---|---|---|---|---|---|---|---|---|---|---|
| | 大会社 | | 大会社以外の会社 | | | | | 大会社 | | | | 大会社以外の会社 | | | | | | | | |
| 株主総会 | ○ | ○ | ○ | ○ | ○ | ○ | ○ | ○ | ○ | ○ | ○ | ○ | ○ | ○ | ○ | ○ | ○ | ○ | ○ | ○ |
| 取締役 | ○ | ○ | ○ | ○ | ○ | ○ | ○ | ○ | ○ | ○ | ○ | ○ | ○ | ○ | ○ | ○ | ○ | ○ | ○ | ○ |
| 取締役会 | ○ | ○ | ○ | ○ | ○ | ○ | ○ | | ○ | ○ | ○ | | | | ○ | ○ | ○ | ○ | ○ | ○ |
| 委員会 | | ○ | | | | | ○ | | | | ○ | | | | | | | | | ○ |
| 監査役 | ○ | | ○ | ○ | ○ | ○ | | ○ | ○ | ○ | | | ○ | ○ | | ○ | ○ | ○ | ○ | |
| 監査役会 | ○ | | | | ○ | ○ | | | | ○ | | | | | | | ○ | | ○ | |
| 会計監査人 | ○ | ○ | | ○ | | ○ | ○ | ○ | ○ | ○ | ○ | | | ○ | | | | ○ | ○ | ○ |
| 会計参与 | ※ | ※ | ※ | ※ | ※ | ※ | ※ | ※ | ※ | ※ | ※ | ※ | ※ | ※ | ○ | ※ | ※ | ※ | ※ | ※ |

※会計参与の設置は任意

（注）日本経済新聞平成17年6月29日朝刊6面を基に作成。

つまり，会計監査人を置いた場合は，監査役または委員会のいずれかを設置しなければならない。ただし，大会社であって公開会社については，監査役会または委員会のいずれかの設置が義務づけられている。

また，大会社（全株式譲渡制限会社および監査等委員会設置会社・指名委員会等設置会社を除く）は，監査役会および会計監査人を置かなければならない（会社328条1項）。さらに，大会社であって全株式譲渡制限会社は，会計監査人を置かなければならない（会社328条2項）。なお，大会社以外の会社も任意に会計監査人を設置することができる。

前頁の表は，公開会社と全株式譲渡制限会社（非公開会社）の別，および大会社と大会社以外の会社（中小会社）の別に，採用しうる機関設計をまとめたものであり，自由にこれらの組合せから選択することができる。

## 第2節 株主総会

### 1 意義と権限

株主総会は，株式会社の所有者である株主全員により構成され，株主の総意により重要事項につき会社の意思を決定する意思決定機関であり，定時または臨時に招集される。なお，株主総会は，多様な株主で構成されていることから，会社が多様な社会的チェックを受ける場であるといえる。

また，株主総会の権限は，取締役会設置の有無により異なり，取締役会を設置しない会社の株主総会は，会社法に規定する事項および株式会社の組織，運営，管理その他株式会社に関する一切の事項について決議することができる（会社295条1項）。つまり，その権限に制限のない機関として位置づけられている。

他方，取締役会設置会社の株主総会は，会社法に規定する事項および定款で定めた事項に限り決議することができる（会社295条2項）。ただし，会社法の規定により株主総会の決議を必要とする事項について，取締役，執行役，取締

役会その他の株主総会以外の機関が決定することができることを内容とする定款の定めは，その効力を有しない（会社295条3項）。

## 2 招　　集

### (1) 招集権者

　株主総会の招集権者は，原則として取締役（取締役会設置会社は取締役会決議，取締役会非設置会社は取締役の過半数による決定に基づく）である（会社296条3項）。ただし，例外として，濫用目的で一時的に株式を取得しようとする者に対処するため，6か月前（全株式譲渡制限会社では，6か月の保有期間制限を課さない）から引き続き総株主の議決権の100分の3以上の株式を有する株主も，取締役に対して，招集の理由を示して，株主総会の招集を請求することができる（会社297条1項・2項）。

　しかし，株主の請求により取締役が遅滞なく総会招集の手続をとらない場合，および株主の請求があった日から8週間（これを下回る期間を定款で定めた場合には，その期間）以内の日を株主総会日とする招集通知が発せられない場合には，請求をした株主は，裁判所の許可を得て自ら株主総会を招集することができる（会社297条4項）。

　なお，株主全員の同意があるときは，招集の手続をしなくても総会を開くことができる。ただし，議決権行使に書面投票・電子投票を採用した場合は適用されない（会社300条）。

### (2) 開催時期と招集地

　株主総会は開催時期により，毎事業年度の終了後の一定の時期に開催する定時株主総会（会社296条1項）と，必要に応じて臨時に開催する臨時株主総会（会社296条2項）がある。

　株主総会の招集地については，定款の定めがある場合を除き，株主の交通の利便性を考慮して制限がない。ただし，特定の株主の議決権行使を妨害するために，定款で招集地を定めた場合は無効と解され，出席困難な場所を招集地と

した場合には，株主総会取消しの原因となる。

### (3) 招集通知

　株主総会の招集通知については，公開会社においては，取締役が，株主総会の日の2週間前までに，株主に対して発しなければならないが，全株式譲渡制限会社では，1週間（取締役会を設置しない株式会社で，これを下回る期間を定款で定めた場合には，その期間）前までに発すればよい。しかし，議決権行使に書面投票・電子投票を採用した全株式譲渡制限会社は，2週間前までに発しなければならない（会社299条1項）。この期間を欠くと総会決議取消原因となる。

　また，書面投票・電子投票を採用した会社と取締役会設置会社は，書面または電磁的方法により株主総会の招集通知を発しなければならず，総会の日時，場所，目的事項を記載または記録しなければならない（会社299条2項・3項・4項）。したがって，会議の目的として通知に記載されていない事項について決議した場合には総会決議取消原因となる。

　他方，書面投票・電子投票を採用しない会社で取締役会を設置しない会社は，招集通知を書面または電磁的方法よらないこともでき，総会の日時，場所，目的事項の記載または記録を要しない。

　なお，取締役会設置会社においては，取締役は，定時株主総会の招集の通知に際して，株主に対し，計算書類および事業報告（監査報告または会計監査報告を含む）を提供しなければならないが（会社437条），取締役会を設置しない株式会社では，計算書類および事業報告の添付は不要である。

## 3　運　営

### (1) 議題・議案

　株主総会の議案は取締役により決定されるが（会社298条1項），株主は，取締役に対し，一定の事項を株主総会の目的とすることを請求することができる（会社303条1項）。取締役会設置会社においては，議題は取締役会が決定する

が（会社298条4項），6か月（これを下回る期間を定款で定めた場合は，その期間）前から引き続き総株主の議決権の100分の1以上または300個以上の議決権（これを下回る割合または数を定款で定めた場合は，その割合または個数）を有する株主には，取締役に対する株主提案権（議題提案権・議案提出権）が認められている。

　この場合，株主総会の8週間（それを下回る期間を定款で定めた場合は，その期間）前までに書面で請求しなければならない（会社303条2項・305条1項）。なお，全株式譲渡制限会社で取締役会設置会社は，公開会社同様の株主提案権を有するが，6か月の株式保有期間の制限はない（会社303条3項・305条2項）。

### (2) 株主提案権

　株主提案権には議題提案権と議案提出権があり，議題提案権とは，会社が招集する株主総会で一定の事項を議題とすることを請求できる権利であり，議案提出権とは，その提出する議案の内容を招集通知に記載することを請求できる権利である。

　ただし，株主が提出した議案が，法令もしくは定款に違反する場合，または実質的に同一の議案につき，株主総会において総株主の議決権の10分の1（これを下回る割合を定款で定めた場合は，その割合）以上の賛成が得られなかった日から3年を経過していない場合には，議案提出権は認められない（会社304条ただし書・305条6項）。

　また，取締役会設置会社の株主が，株主総会において，その株主が提出しようとする議案の数が10を超えるときは，10を超える数に相当することとなる数の議案については適用しないものとする。この場合において，つぎに掲げる議案の数については，つぎに掲げる議案の区分に応じ定めるものとする（会社305条4項）。

　(a)　取締役，会計参与，監査役または会計監査人（以下において「役員等」という。）の選任に関する議案は，その議案の数にかかわらず，これを1の議案とみなす。

(b) 役員等の解任に関する議案は、その議案の数にかかわらず、これを1の議案とみなす。

(c) 会計監査人を再任しないことに関する議案は、その議案の数にかかわらず、これを1の議案とみなす。

(d) 定款の変更に関する2以上の議案は、その2以上の議案について異なる議決がされたとすれば、その議決の内容が相互に矛盾する可能性がある場合には、これらを1の議案とみなす。

ただし、取締役会設置会社の株主が株主総会において、その株主が提出しようとする議案の数が10を超えるときにおける10を超える数に相当することとなる数の議案は、取締役がこれを定めるものとする。ただし、その株主がその請求と併せて、その株主が提出しようとする2以上の議案の全部または一部につき議案相互間の優先順位を定めている場合には、取締役は、その優先順位に従い定めるものとする（会社305条5項）。

また、取締役会設置会社においては、株主総会の議題以外は決議することはできない（会社309条5項）。ところが、反対解釈として、取締役会非設置会社では、株主総会において、招集の際に定められた議題以外の、株主が単独で提案した事項を決議することができる。したがって、取締役の解任や選任などの経営権に関する予定外の提案がされる危険性がある。

(3) 総会検査役

株式会社または総株主の議決権の100分の1（これを下回る割合を定款で定めた場合は、その割合）以上の議決権を有する株主（公開会社においては、6か月前から引き続き有する株主）は、株主総会に係る招集手続および決議の方法を調査させるため、株主総会に先立ち、裁判所に対し、検査役の選任を申し立てることができる（会社306条1項・2項）。

検査役は、必要な調査を行い、調査結果を記載した書面または記録した電磁的記録を、裁判所に提供して報告しなければならない（会社306条5項）。裁判所は、検査役の報告があった場合、必要があると認めるときは、取締役に対し、一定の期間内に株主総会を招集すること、および検査役の調査の結果を株

主に通知することを命じなければならない（会社 307 条 1 項）。

(4) 議　決　権

　株主は，株主総会に出席して質問し意見を述べ決議に加わる議決権を有し，議決権の数は，1 株につき 1 個（1 株 1 議決権の原則）であるが，単元株制度を採用している会社では，1 単元につき 1 個の議決権である（会社 308 条 1 項）。

　しかし，つぎの場合には議決権は認められていない。①議決権制限株式（会社 115 条），②自己株式（会社 308 条 2 項），③ 2 社以上での相互保有株式で，1 社が他社の総株主の議決権の 4 分の 1 以上を所有することその他の事由を通じて，その経営を実質的に支配することが可能な関係にある場合（会社 308 条 1 項かっこ内），④単元未満株式（会社 189 条 1 項），⑤特別利害関係を有する株主（特別利害関係人）が所有する株式，⑥株主名簿の基準日後に発行された株式（株式会社の判断により，基準日後に取得した株式でも，議決権を認められる場合を除く）（会社 124 条）などである。

(5) 書面投票制度

　書面投票制度とは，株主総会に出席しない株主が書面をもって議決権を行使できる制度をいう（会社 298 条 1 項 3 号・4 項）。

　取締役は，議決権を有する株主の数が 1,000 人以上である場合には，書面投票制度を採用しなければならない（会社 298 条 2 項）。ただし，上場会社については，委任状による議決権代理行使の勧誘制度を選択する場合には，書面投票制度を採用しなくてもよい（会社 298 条 2 項但書）。

　また，取締役は，書面投票制度を採用した場合には，株主総会の招集通知に際し，株主に対し，議決権の行使について参考となるべき事項を記載した株主総会参考書類（議案の説明書類）および株主が議決権を行使するための議決権行使書面（投票用紙）を交付しなければならない（会社 301 条 1 項）。

(6) 電子投票制度

　電子投票制度とは，株主総会に出席しない株主が電磁的方法をもって議決権

を行使できる制度をいう（会社298条1項4号・4項）。株主の権利行使の機会が拡充されるとともに，郵送料および印刷費等のコストが削減できるというメリットがある。

　株主総会の招集通知を，書面による通知に代えて電磁的方法によることを承諾した株主に対し，電磁的方法による通知を発するときは，株主総会参考書類および議決権行使書面の交付に代えて，これらの書類に記載すべき事項を電磁的方法により提供することができる。ただし，株主の請求があったときは，これらの書類を交付しなければならない（会社301条2項）。

　また，取締役は，電子投票制度を採用した場合でも，株主総会招集通知に際して，株主に対して，株主総会参考書類を交付しなければならないが（会社302条1項），電磁的方法によることを承諾した株主に対し電磁的方法により通知を発するときは，株主総会参考書類の交付に代えて，電磁的方法により提供することができる。ただし，株主の請求があったときは，株主総会参考書類を交付しなければならない（会社302条2項）。

　さらに，取締役は，電磁的方法によることを承諾した株主に対し，議決権行使書面に記載すべき事項について電磁的方法により提供しなければならないが（会社302条3項），電磁的方法によることを承諾していない株主から，株主総会の1週間前までに，議決権行使書面に記載すべき事項の電磁的方法による提供の請求があったときは，直ちに電磁的方法により提供しなければならない（会社302条4項）。

　書面投票による議決権の行使は，法務省令で定めるときまでに，議決権行使書面を株式会社に提出して行い（会社311条1項），電子投票による議決権の行使は，法務省令に定めるときまでに，電磁的方法により株式会社に提供して行う（会社312条1項）。

　また，会社は，株主総会の日から3か月間，議決権行使書面および電磁的記録を本店に備え置かなければならず（会社311条3項・312条4項），株主は，会社の営業時間内ならいつでも，その理由を明らかにし，閲覧・謄写の請求をすることができる（会社311条4項・312条5項）。ただし，この請求があったときは，会社は，①その請求を行う株主（請求者）が，その権利の確保または

行使に関する調査以外の目的で請求を行ったとき，②請求者が，その会社の業務遂行を妨げ，株主の共同の利益を害する目的で請求を行ったとき，③請求者が，議決権行使書面または電磁的記録の閲覧または謄写により知り得た事実を，利益を得て第三者に通報するため請求を行ったとき，④請求者が，過去2年以内において，議決権行使書面または電磁的記録の閲覧または謄写により知り得た事実を，利益を得て第三者に通報したことがあるときのいずれかに該当すると認められる場合には，その請求を拒否することができる（会社311条5項・312条6項）。

### (7) 議決権の代理行使

株主自身が議決権を行使できない場合には代理人による行使が認められている。この場合，代理権を証明する書面を会社に提出しなければならないが（会社310条1項），会社の承諾を得て，その書面に代えて電磁的方法により提供することもできる（会社310条3項）。

なお，代理権の授与は総会ごとに行うことを要し（会社310条2項），会社は，株主総会に出席できる代理人の人数を制限することができる（会社310条5項）。さらに，株主総会から3か月間，代理権証明書面および電磁的記録は本店に備え置かなければならず（会社310条6項），株主は，会社の営業時間内ならいつでも，その請求の理由を明らかにし，閲覧・謄写の請求をすることができる（会社310条7項）。

ただし，この請求があったときは，会社は，①その請求を行う株主（請求者）が，その権利の確保または行使に関する調査以外の目的で請求を行ったとき，②請求者が，その会社の業務遂行を妨げ，株主の共同の利益を害する目的で請求を行ったとき，③請求者が，代理権証明書面または電磁的記録の閲覧または謄写により知り得た事実を，利益を得て第三者に通報するため請求を行ったとき，④請求者が，過去2年以内において，代理権証明書面または電磁的記録の閲覧または謄写により知り得た事実を，利益を得て第三者に通報したことがあるときのいずれかに該当すると認められる場合には，その請求を拒否することができる（会社310条8項）。

## (8) 議決権の不統一行使

信託会社に株式が信託されている場合や，預託証券が発行されている場合，従業員持株制度を採用している場合には，株主名簿上の1人の株主が実質上の複数の株主のために株式を有し，実質上の株主の意向を総会に反映させる目的で，議決権の一部を賛成に他を反対に行使することができる（会社313条1項）。

ただし，取締役会設置会社においては，総会日の3日前までに会社に対しその旨と理由を通知しなければならない（会社313条2項）。会社は，株主が他人のために株式を有する者でないときは，議決権の不統一行使を拒否できる（会社313条3項）。なお，取締役会を設置しない会社においては，事前通知を要しない。

## (9) 議事運営

株主総会の議事運営には議長があたり，総会の議事を円滑に進めるために，総会の秩序を維持し議事を整理する権限を有する（会社315条1項）。それゆえ，命令に従わない者や総会の秩序を乱す者を退場させることができる（会社315条2項）。

## (10) 取締役等の説明義務

取締役，会計参与，監査役および執行役は，株主総会において株主が説明を求めた特定の事項について説明義務を負う（会社314条本文）。したがって，拒絶理由もないのに説明を拒否すると総会決議取消しの原因となる。ただし，つぎの場合には説明を拒絶することができる（会社314条但書）。①株主総会の目的たる事項と無関係な場合，②説明することにより株主共同の利益を著しく害する場合，③その他正当な事由がある場合として法務省令で定める場合などである。

## (11) 議 事 録

株主総会の議事の経過と結果を記載した議事録を作成しなければならない（会社318条1項）。議事録の原本は10年間本店に備え置き，謄本は5年間支店

に備え置かなければならない。ただし，電磁的記録で作成され，閲覧・謄写の請求に応ずることができるときは，この限りでない（会社318条2項・3項）。

また，株主および債権者は，会社の営業時間内ならいつでも，議事録の閲覧・謄写の請求をすることができ（会社318条4項），親会社の社員も，その権利を行使するために必要があるときは，裁判所の許可を得て，議事録について閲覧・謄写の請求をすることができる（会社318条5項）。

## 4　決議方法

株主総会の決議方法は決議事項により異なっており，普通決議，特別決議，特殊決議に分類される。ただし，総会の決議事項について，議決権を行使できるすべての株主が，取締役または株主の提案内容とその提案に同意する旨を記載または記録した書面または電磁的記録により同意した場合には，その提案を可決した総会決議があったものとみなし，総会を省略できるものとしている（みなし決議）（会社319条1項）。

### (1) 普通決議
① 決議要件

普通決議とは，議決権を行使できる株主の議決権の過半数を有する株主が出席し（定足数），出席した株主の議決権の過半数をもって行う決議をいう（会社309条1項）。この定足数は定款で変更することができるが，多くの会社では定足数の定めを排除し，出席株主の議決権の過半数で決議を行うとしている。

ただし，役員（取締役・監査役・会計参与）の選任決議または解任決議については，多くの株主の意思を決議に反映させるため，定足数を総株主の議決権の3分の1未満にすることはできない。さらに，決議要件については，出席株主の議決権の過半数を上回る割合を定款で定めた場合には，その割合以上に引き上げることができる（会社341条）。

② 決議事項

普通決議による決議事項には，役員の選任・解任（会社329条1項・339条1

項），取締役・監査役の報酬（会社361条・387条1項），計算書類の承認（会社438条2項），資本金の額の増加（会社450条2項）などがある。

### (2) 特別決議
#### ① 決議要件
　特別決議とは，議決権を行使できる株主の議決権の過半数（3分の1以上の割合を定款で定めた場合には，その割合以上）を有する株主が出席し（定足数），出席した株主の議決権の3分の2（これを上回る割合を定款で定めた場合には，その割合）以上の多数決をもって行う決議をいう。この場合，その決議要件に加えて，一定数以上の株主の賛成を要する旨その他の要件を定款で定めることができる（会社309条2項）。

#### ② 決議事項
　特別決議による決議事項には，譲渡制限株式の譲渡不承認の場合に，会社による買取りおよび指定買取人の指定（会社140条2項・5項），特定人からの自己株式取得（会社156条1項・160条1項），全部取得条項付種類株式の取得および相続人等に対する売渡請求（会社171条1項・175条1項），株式の併合（会社180条2項），募集事項の決定（会社199条2項），非公開会社の募集株式の発行事項の決定の委任（会社200条1項），非公開会社の株主割当発行事項の決定（会社202条3項4号），譲渡制限株式の割当決定（会社204条2項），新株予約権の募集事項の決定（会社238条2項），非公開会社の新株予約権の募集事項の決定の委任（会社239条1項），非公開会社における株主割当による新株予約権の募集事項の決定（会社241条3項4号），譲渡制限のある募集新株予約権の割当ての決定（会社243条2項），監査役と累積投票選任取締役の解任（会社339条1項・342条3項・4項・5項），役員等の責任の一部免除（会社425条1項），資本金の額の減少の決定（会社447条1項），株主に金銭分配請求権を与えない現物配当（会社454条4項），定款変更，事業譲渡，解散，組織変更，組織再編などがある。

### (3) 特殊決議

　特殊決議とは，会社にとってきわめて重要性が高い事項を決定するときに行われる決議方法であり，つぎのものがある。

　①その発行する全部の株式の内容として譲渡によるその株式の取得について会社の承認を要する旨（譲渡制限）の定款の定めを設ける定款変更，および②公開会社が消滅会社（吸収合併・新設合併）または完全子会社（株式交換・株式移転）となる場合において，その対価として株主に譲渡制限株式を交付する場合の合併契約または株式交換契約・株式移転契約の承認については，株主総会（種類株主総会を除く）の決議は，その株主総会において議決権を行使できる株主の半数以上（これを上回る割合を定款で定めた場合には，その割合以上）であって，その株主の議決権の3分の2（これを上回る割合を定款で定めた場合には，その割合）以上の賛成が必要である（会社309条3項）。

　③全株式譲渡制限会社が，剰余金の配当受領権・残余財産分配受領権・株主総会における議決権（会社105条1項）に関して株主ごとに異なる取扱いをする旨の定款の定めについての定款変更（定款の定めを廃止するものを除く）を行う株主総会の決議は，総株主の半数以上（これを上回る割合を定款で定めた場合にあっては，その割合以上）であって，総株主の議決権の4分の3（これを上回る割合を定款で定めた場合には，その割合）以上の多数をもって行わなければならない（会社309条4項）。

### (4) 株式買取請求権

　株主総会の決議は多数決によりなされ決定事項には株主が従う義務が生じるが，つぎのような決議があった場合には決議に反対した株主の保護の観点から，投下資本回収により救済するために，公正な価格で株式を買い取るよう会社に請求できる株式買取請求権が認められている。①事業の譲渡等の決議（会社469条），ただし，事業の譲渡等と同時に解散の決議がなされたときは認められない（会社469条1項但書），②株式譲渡制限を定める定款変更決議（会社116条1項），③合併等の決議（会社785条1項・797条1項・806条1項），この場合，株主総会に先立って反対する旨を会社に通知し，かつ株主総会におい

て反対した場合において認められる。また，議決権のない株主についても，組織再編その他の場合には，株主に株式買取請求権が認められている。

### (5) 株式買取請求に係る株式等の価格決定前の支払制度

　反対株主の株式買取をする株式会社，全部取得条項付種類株式を取得する株式会社，株式売渡請求をする特別支配株主，株式の併合をする株式会社，事業譲渡等をする株式会社，消滅株式会社等または存続株式会社等は，株式買取請求または価格決定の申立てをした株主に対し，株式の価格の決定前に公正な価格と認める額を支払うことができる（会社116条1項・117条5項・172条5項・179条の8第3項・182条の5第5項・470条5項・786条5項・798条5項）。なお，新株予約権買取請求等についても，同様に規定されている（会社119条5項・778条5項・788条5項・809条5項）。

　これにより，株主と会社の間で株式の対価をめぐる争いが生じ，株主が対価の受領を拒んだ場合でも，会社は自らが公正な価格と認める額を供託して，利息の発生を止めることができるようになる。

## 5　種類株主総会

### (1) 権　　限

　種類株主総会は，会社法に規定する事項，および定款で定めた事項に限り決議することができる（会社321条）。ある種類の株式の種類株主に損害を及ぼすおそれがあるときは，種類株主総会（その種類株主に係る株式の種類が2以上ある場合にあっては，各種類株主総会の決議が必要である）の特別決議がなければ効力は生じない（会社322条1項・324条2項）。

### (2) 決議が必要な行為

　種類株主総会決議が必要な行為とは，定款変更（株式の種類の追加，株式の内容の変更，発行可能株式総数または発行可能種類株式総数の増加），株式併合または株式分割，株式の無償割当て，募集株式の株主割当て，募集新株予約

権の株主割当て、新株予約権の無償割当て、合併、分割、株式交換、株式移転である（会社322条1項各号）。

　なお、ある種類株式につき、種類株主総会の決議を要しない旨を定款で定めることができる（会社322条2項）。ただし、種類株主総会の特別決議が要求される定款変更を行う場合（単元株式数についての定款変更を除く）には適用されない（会社322条3項）。また、ある種類の株式発行後に定款を変更して、種類株主総会の決議を要しない旨の定めを設けようとするときは、その種類株主全員の同意を得なければならない（会社322条4項）。

　さらに、種類株式発行会社において、株主総会（取締役会設置会社においては株主総会または取締役会、清算人会設置会社にあっては株主総会または清算人会）において決議すべき事項について、その決議のほか種類株主総会の決議があることを必要とする旨の定款の定めがあるときは、その定めに従い、株主総会、取締役会または清算人会の決議のほか、種類株主総会の決議がなければ効力は生じない（会社323条）。

### (3) 決議方法

　種類株主総会の決議方法には、普通決議、特別決議、特殊決議がある。

　①普通決議は、定款に別段の定めがある場合を除き、その種類株式の総株主の議決権の過半数を有する株主が出席し、出席した株主の議決権の過半数をもって行う（会社324条1項）。

　②特別決議は、議決権を行使できる株主の議決権の過半数（3分の1以上の割合を定款で定めた場合は、その割合以上）を有する株主が出席し、出席した株主の議決権の3分の2（これを上回る割合を定款で定めた場合には、その割合）以上の多数をもって行わなければならない。この場合、その決議要件に加えて、一定の数以上の株主の賛成を要する旨その他の要件を定款で定め加重することができる（会社324条2項）。

　③特殊決議は、その種類株主総会において議決権を行使できる株主の半数以上（これを上回る割合を定款で定めた場合は、その割合以上）であって、その株主の議決権の3分の2（これを上回る割合を定款で定めた場合は、その割合）

以上の多数をもって行わなければならない（会社324条3項）。なお，株主総会に関する規定（会社法295条1項および2項，296条1項および2項ならびに309条を除く）は，種類株主総会に準用する（会社325条）。

## 6　電子提供制度

### (1) 電子提供措置

　株式会社は，株主総会資料の交付または提供に代えて，株主総会資料の情報をインターネット上のウェブサイトに掲載して，株主が提供を受けることができる状態に置く「電子提供措置」をとる旨を定款で定めることができる（会社325条の2）。

　電子提供措置をとる旨の定款の定めがある株式会社の取締役は，会社法299条2項各号に規定する場合（株主総会に出席しない株主に書面投票や電子投票による旨を定めている場合，または取締役会設置会社である場合）には，株主総会の日の3週間前の日または株主総会の招集の通知を発した日のいずれか早い日（以下，電子提供措置開始日という）から株主総会の日以後3か月を経過する日までの間（以下，電子提供措置期間という），電子提供措置事項に係る情報について継続して電子提供措置を採らなければならない（会社325条の3第1項）。

　ただし，株主総会招集通知に際して，株主に対し議決権行使書面を交付するときは，議決権行使書面に記載すべき事項に係る情報については電子提供措置をとる必要はない（会社325条の3第2項）。これは，議決権行使書面と電子提供措置により同じ情報を重複して提供する必要はないからである。

　また，有価証券報告書を内閣総理大臣に提出しなければならない株式会社が，電子提供措置開始日までに，定時株主総会に係る事項が記載された有価証券報告書の提出の手続を，開示用電子情報処理組織（EDINET）を使用して行う場合には，電子提供措置をとる必要はない（会社325条の3第3項）。

　なお，社債，株式等の振替に関する法律（振替法）128条1項に規定する振替株式を発行する会社は，電子提供措置をとる旨を定款で定めなければならない（振替法159条の2第1項）。

### (2) 株主総会の招集の通知等の特則

電子提供措置をとる旨の定款の定めがある公開会社でない株式会社において，株主総会の招集の通知の発送期限は，株主総会の日の2週間前までとする（会社325条の4第1項）。

また，電子提供措置をとる旨の定款の定めがある株式会社においては，書面または電磁的方法による株主総会の招集の通知には，(a) 株主総会の日時および場所，(b) 株主総会の目的事項，(c) 株主総会に出席しない株主が書面によって議決権を行使することができることとする旨，(d) 株主総会に出席しない株主が電磁的方法によって議決権を行使することができることとする旨，(e) 電子提供措置をとっている旨，(f) 開示用電子情報処理組織を使用している旨，(g) (e) および (f) に掲げるものほか法務省令で定める事項，を記載または記録しなければならない（会社325条の4第2項）。

### (3) 書面交付請求

インターネットを利用することが困難な株主の利益に配慮する必要があることから，電子提供措置をとる旨の定款の定めがある株式会社の株主は，その株式会社に対して，電子提供措置事項を記載した書面の交付を請求することができる（以下，書面交付請求という）（会社325条の5第1項）。

この場合，取締役は，株主総会の議決権を行使することができる者を定めるための基準日を定めたときは，その基準日までに書面交付請求をした株主に対してのみ書面を交付しなければならない（会社325条の5第2項）。

なお，書面交付請求をした株主がある場合において，その書面交付請求の日（その株主が異議を述べた場合にあっては，その異議を述べた日）から1年を経過したときは，株式会社は，その株主に対し，書面の交付を終了する旨を通知し，かつ，これに異議のある場合には一定の期間（催告期間）内に異議を述べるべき旨を催告することができる。ただし，催告期間は1か月を下ることができない（会社325条の5第4項）。この通知および催告を受けた株主がした書面交付請求は，催告期間を経過した時にその効力を失う。ただし，その株主が催告期間内に異議を述べたときは，この限りでない（会社325条の5第5項）。

### (4) 電子提供措置の中断

電子提供措置期間中に，電子提供措置の中断（株主が提供を受けることができる状態に置かれた情報がその状態に置かれないこととなったこと，またはその情報がその状態に置かれた後改変されたことをいう）が生じた場合において，(a) 電子提供措置の中断が生ずることにつき株式会社が善意でかつ重大な過失がないこと，または株式会社に正当な事由があること，(b) 電子提供措置の中断が生じた時間の合計が電子提供措置期間の10分の1を超えないこと，(c) 電子提供措置開始日から株主総会の日までの期間中に電子提供措置の中断が生じたときは，その期間中に電子提供措置の中断が生じた時間の合計がその期間の10分の1を超えないこと，(d) 株式会社が電子提供措置の中断が生じたことを知った後，速やかにその旨，電子提供措置の中断が生じた時間および電子提供措置の中断の内容である情報について，その電子提供措置に付して電子提供措置をとったこと，のいずれにも該当するときは，その電子提供措置の中断は，その電子提供措置の効力に影響を及ぼさない（会社325条の6）。

## 7 決議の瑕疵を争う訴訟

株主総会等（株主総会，種類株主総会，創立総会，種類創立総会）の決議成立までの手続や決議内容に瑕疵がある場合，株主総会等の決議瑕疵の訴訟を提起することができる。会社法は，つぎの三種類の訴訟方法を定めている。

### (1) 決議不存在確認の訴え（会社830条1項）

株主総会等の決議が法律上または事実上存在しえないときには，誰でも，いつでも，決議不存在確認の訴えを起こすことができる。具体的には，株主総会等の招集手続や決議方法に著しい瑕疵があり，株主総会等の存在を認めることができない場合や，株主総会等を開催して決議した事実がないにもかかわらず，決議があったかのように議事録が作成されている場合などがある。

### (2) 決議無効確認の訴え（会社830条2項）

株主総会等の決議内容が法令に違反する場合には，誰でも，いつでも，決議

無効確認の訴えを提起することができる。決議内容が法令に違反する場合とは，公序良俗に違反する定款変更決議，株主有限責任の原則違反の決議，株主平等の原則違反の決議，株主総会の権限外の決議などをいう。

### (3) 決議取消しの訴え（会社831条）

つぎに掲げる場合には，株主，取締役，監査役，清算人は決議の日から3か月以内であれば，決議取消しの訴えを提起することができる。①株主総会等の招集の手続または決議の方法が法令もしくは定款に違反しまたは著しく不公正である場合，②株主総会等の決議内容が定款に違反する場合，③株主総会等の決議につき特別の利害関係を有する株主が議決権の行使をしたことにより著しく不当な決議がなされた場合（会社831条1項）。

なお，株主総会の決議によってキャッシュ・アウトされた株主にも，決議取消し事由に該当する場合には，その株主総会の決議取消しの訴えの原告適格（提訴権）が認められている。

### (4) 裁判所の裁量棄却

株主総会等の招集の手続または決議の方法が法令または定款に違反するときであっても，裁判所は，その違反する事実が重大でなく，かつ，決議に影響を及ぼさないものであると認めるときは，決議取消しの請求を棄却することができる（会社831条2項）。

### (5) 訴えの類型

決議取消しの訴えは形成訴訟（権利関係の変更または新たな権利関係の発生を宣言する判決を求める訴え）であり，決議不存在確認の訴えと決議無効確認の訴えは確認訴訟（一定の権利または法律関係が存在するかどうかについて判決を求める訴え）であるので，判例・通説においても，決議無効確認の訴えの原因とされた事実が決議取消原因に該当し，決議取消しの訴えの提訴期間内に提起されたものである場合には，決議無効確認の訴えから決議取消しの訴えに転換できる（最判昭54・11・16民集33巻7号709頁）。

## 第3節　取締役と取締役会

### 1　取　締　役

(1) 選　　任

　取締役は，株主総会の決議により選任される（会社329条1項）。この場合，法務省令で定めるところにより，取締役が欠けた場合，またはこの法律もしくは定款で定めた取締役の員数を欠くことになるときに備えて，補欠の取締役を選任することができる（会社329条3項）。

(2) 業務執行と代表

　取締役は，定款に別段の定めがある場合を除き，株式会社（取締役会設置会社を除く）の業務を執行し（会社348条1項），株式会社を代表するが，取締役が2人以上いる場合には，各自会社を代表する（会社349条1項本文・2項）。

　ただし，定款，定款の定めに基づく取締役の互選または株主総会の決議によって，取締役の中から代表取締役を定めることができ（会社349条3項），代表取締役その他代表者を定めた場合には，他の取締役には代表権はない（会社349条1項但書）。他方，取締役会設置会社においては，取締役会は，取締役の中から代表取締役を選任しなければならない（会社362条3項）。

(3) 資　　格

　法人，中間法人法・金融商品取引法・民事再生法・外国倒産処理手続の承認援助に関する法律・会社更生法・破産法上の罰を犯し，その執行を終わり，またはその執行を受けることがなくなった日から2年を経過しない者などの欠格者は，取締役になることはできないが（会社331条1項），制限能力者である未成年者は，法定代理人（親権者または後見人）の同意があれば，成年者と同一の能力を有する（民6条・823条・857条）と認められることから取締役になる

ことができる。

　また，成年被後見人が取締役に就任するには，その成年後見人が，成年被後見人の同意（後見監督人がある場合にあっては，成年被後見人および後見監督人の同意）を得た上で，成年被後見人に代わって就任の承諾をしなければならない（会社331条の2第1項）。さらに，被保佐人が取締役に就任するには，その保佐人の同意を得なければならない（会社331条の2第2項）。なお，成年被後見人または被保佐人がした取締役の資格に基づく行為は，行為能力の制限によっては取り消すことができない（会社331条の2第4項）。

　一方，債務者や会社に個人債務保証をして破産に追い込まれた経営者に対し，経済的再生の機会を与える必要性を考慮して，破産手続開始の決定を受け復権していない破産者でも，株主総会の決議により取締役になることができる。さらに，公開会社では，取締役が株主でなければならない旨を定款で定めることはできないが，全株式譲渡制限会社においては，定款に定めることにより，取締役を株主に限定することができる（会社331条2項）。

### (4) 員数および任期

　取締役会設置会社においては，取締役は3人以上でなければならないが（会社331条5項），取締役会を設置しない株式会社では1人でもよい。さらに，監査等委員会設置会社および指名委員会等設置会社以外の株式会社の取締役の任期については，選任後2年以内に終了する事業年度のうち最終のものに関する定時株主総会の終結の時までとする。ただし，定款または株主総会の決議で短縮することができる（会社332条1項）。

　なお，全株式譲渡制限会社（監査等委員会設置会社および指名委員会等設置会社を除く）においては，所有と経営が一致していることが多いので，定款により，任期を選任後10年以内に終了する事業年度のうち最終のものに関する定時株主総会の終結の時まで伸長することができる（会社332条2項）。

　監査等委員会設置会社および指名委員会等設置会社の取締役については，選任後1年以内に終了する事業年度のうち最終のものに関する定時株主総会の終結の時までとする（会社332条3項・6項）。ただし，監査等委員会設置会社の

監査等委員である取締役の任期は2年である（会社332条4項）。しかし，監査等委員会設置会社または指名委員会等設置会社になったり，廃止したり，公開会社になったりする定款変更をした場合には，取締役の任期はその定款変更の効力が生じた時に満了する（会社332条7項）。

### (5) 役員選解任の株主総会の決議要件

役員（取締役，会計参与，監査役）を選任または解任する株主総会の決議は普通決議をもって行わなければならない。ただし，その定足数は，議決権を行使できる株主の議決権の過半数とし，3分の1以上の割合を定款で定めた場合には，その割合以上でなければならない（会社341条）。

この定足数の規定は，緩和には限度を設けているが，加重には限度がない。なお，累積投票により選任された取締役および監査役の解任は特別決議によらなければならない（会社342条6項・343条4項・309条2項7号）。

### (6) 累積投票制度

累積投票制度とは（会社342条），株主総会で複数の取締役を選任する場合に採用することができる一種の比例代表制であり，少数株主にも取締役を送り込める可能性を与えるものである。

各株主は1株につき選任される取締役と同数の議決権を与えられ，その議決権の全部を1人に投票してもよいし数人に分散してもよいが，累積投票を定款で排除する会社が多い。

### (7) 内部統制システムの整備

健全な会社経営を行うためには，リスクの状況を正確に把握し適切に制御するために，リスク管理体制（内部統制システム）を整備することを要することから（大阪地判平成12・9・20判時1721号32頁），取締役の職務の執行が法令および定款に適合することを確保するための体制，その他株式会社の業務ならびにその株式会社およびその子会社から成る企業集団の業務の適正を確保するために必要なものとして法務省令で定める体制の整備として（会社348条3項

4号・362条4項6号），監査等委員会設置会社および指名委員会等設置会社の取締役会は内部統制システムならびに企業グループ内部統制システムの整備を決定しなければならないが（会社399条の13第1項1号ハ・416条1項1号ホ・2項），監査役会設置会社の大会社においても，取締役（取締役会設置会社においては，取締役会）の決定により，内部統制システムならびに企業グループ内部統制システムの整備が義務づけられている（会社348条4項・362条5項）。

(8) 社外取締役
① 社外取締役の設置義務

　社外取締役とは，資本や取引と関係のない社外からの取締役のことをいう。その会社の業務執行には従事せず，株主の視点も踏まえた経営全体の監督が期待されている。社外取締役の採用により，業務執行と監督の機能を分離し，社内のしがらみや利害関係にとらわれず，外部の目によるチェックで独立性と透明性の高いモニタリング機能が強化されることから，コーポレートガバナンスを強化する目的で導入された。

　海外では，社外取締役の選任が義務化されている国が多く，アメリカでは取締役の過半数が社外取締役である。日本でも，企業の不祥事が続くなか，中立的立場から，経営の透明性や株主を重視した経営の必要性が高まり，「監査役会設置会社（公開会社であり，かつ，大会社であるものに限る）であって金融商品取引法第24条第1項の規定によりその発行する株式について有価証券報告書を内閣総理大臣に提出しなければならないものは，社外取締役を置かなければならないものとする」（会社327条の2）と改正され，監査役会設置の公開大会社であれば，上場・非上場を問わず，社外取締役の設置が義務化された。

② 社外取締役の要件

　社外取締役とは，イ）株式会社の取締役であって，その株式会社または子会社の業務執行取締役（代表取締役および業務担当取締役）もしくは執行役または支配人その他の使用人（以下「業務執行取締役等」という）でなく，かつ，就任の前10年間その株式会社またはその子会社の業務執行取締役等であったことがないこと，ロ）その就任の前10年間のいずれかの時において，その株

式会社または子会社の取締役，会計参与または監査役であったことがある者（業務執行取締役等であったことがあるものを除く）にあっては，その取締役，会計参与または監査役への就任の前10年間その株式会社またはその子会社の業務執行取締役等であったことがないこと，ハ）その株式会社の親会社等（会社の経営を支配している自然人であるものに限る）または親会社等の取締役もしくは執行役または支配人その他の使用人でないこと，ニ）その株式会社の親会社等の子会社等（その株式会社またはその子会社を除く兄弟会社）の業務執行取締役等でないこと，ホ）その株式会社の取締役もしくは執行役または支配人その他の重要な使用人または親会社等（会社の経営を支配している自然人であるものに限る）の配偶者または2親等内の親族でないこと，のいずれの要件にも該当するものをいう（会社2条15号）。

　なお，重要な取引先の関係者については，「重要な取引先」の要件を明確に基準設定することが困難であることから，重要な取引先関係者でないことを社外取締役等の要件として追加しないこととされた。

　③　業務執行の社外取締役への委任

　株式会社が社外取締役を置いている場合において，その株式会社と取締役（指名委員会等設置会社にあっては，執行役）との利益が相反する状況にあるとき，その他取締役（指名委員会等設置会社にあっては，執行役）がその株式会社の業務を執行することにより株主の利益を損なうおそれがあるときは，その株式会社は，その都度，取締役の決定（または，取締役会の決議）によって，その株式会社の業務を執行することを社外取締役に委託することができる（会社348条の2第1項・2項）。ただし，社外取締役が業務執行取締役（指名委員会等設置会社にあっては，執行役）の指揮命令により委託された業務を執行したときは，この限りでない（会社348条の2第3項）。

　④　登　　記

　株主総会で選任された取締役，監査役の氏名は登記事項であるが，社外取締役は，会社との間で責任限度額をあらかじめ定める契約を締結することができる旨を定款で定めた場合，その定めは登記事項となるので，社外取締役も登記事項となる（会社427条1項・911条3項25号）。さらに，監査等委員会設置会

社または指名委員会等設置会社のいずれかを選択した場合，または特別取締役制度を採用する場合には，社外取締役は登記事項となる（会社911条3項21号・22号・23号）。

(9) 報　酬　等

　取締役の報酬，賞与，その他の職務遂行の対価として株式会社から受ける財産上の利益（以下，報酬等）について，(a) 報酬等の額，(b) 報酬等の額が確定していないものについては，その具体的な算定方法，(c) 報酬等のうち，その株式会社の募集株式または募集新株予約権については，その数の上限その他法務省令で定める事項，(d) 報酬等のうち，その株式会社の募集株式または募集新株予約権と引換えにする払込みに充てるための金銭については，取締役が引き受ける募集株式または募集新株予約権の数の上限その他法務省令で定める事項，(e) 報酬等のうち金銭でないもの（その株式会社の募集株式および募集新株予約権を除く）については，その具体的な内容を，定款にその事項を定めていないときは，株主総会の普通決議により定められる（会社361条1項）。

　なお，報酬等に関する事項を定め，これを改定する議案を株主総会に提出した取締役は，株主総会において，その事項を相当とする理由を説明しなければならない（会社361条4項）。

　また，監査役会設置会社（公開会社であり，かつ，大会社であるものに限る）であって，金融商品取引法第24条第1項の規定によりその発行する株式について有価証券報告書を内閣総理大臣に提出しなければならないものおよび監査等委員会設置会社の取締役会は，取締役（監査等委員である取締役を除く）の報酬等の内容として，定款または株主総会決議による定めがある場合には，その定めに基づく取締役の個人別の報酬等の内容についての決定に関する方針として法務省令に定める事項を決定しなければならない。ただし，取締役の個人別の報酬等の内容が，定款または株主総会決議により定められているときは，この限りではない（会社361条7項）。

## 2　取締役会

### (1) 権　限　等

　取締役会は，すべての取締役で組織され（会社362条1項），取締役の中から代表取締役を選定しまたは解職する（会社362条2項3号・3項）。取締役会は，①重要な財産の処分および譲受け，②多額の借財，③支配人その他の重要な使用人の選任および解任，④支店その他の重要な組織の設置，変更および廃止，⑤募集社債の重要な募集事項，⑥内部統制システムならびに企業グループの内部統制システムの整備，⑦定款の定めに基づく役員の責任免除，その他の重要な業務執行の決定を取締役に委任することができない（会社362条4項）。さらに，監査役会設置会社の大会社である取締役会設置会社においては，取締役会は，内部統制システムならびに企業グループの内部統制システムの構築に関する事項を決定しなければならない（会社362条5項）。

　取締役会は，業務執行に関する意思決定を行う機関であり（会社362条2項1号），その決定に基づいて，業務執行取締役（代表取締役および業務担当取締役）は，取締役会設置会社の業務を執行する（会社363条1項）。さらに，取締役会が，取締役の職務の執行の監督を行うため（会社362条2項2号），業務執行取締役は，3か月に1回以上，自己の職務の執行状況を取締役会に報告しなければならない（会社363条2項）。また，取締役会設置会社と取締役との間の訴えにおける会社の代表は，株主総会の定めがある場合を除き，取締役会が定めることができる（会社364条）。

### (2) 招 集 権 者

　取締役会の招集権者は各取締役であるが，定款または取締役会の決議をもって特定の取締役に限定することはできる（会社366条1項）。ただし，限定外の取締役でも，招集権者に対し，取締役会の目的である事項を示して，取締役会の招集を請求することはでき（会社366条2項），請求があった日から5日以内に，その請求があった日から2週間以内の日を取締役会の日とする取締役会の

招集の通知を発せられない場合は，その請求をした取締役は，取締役会を招集することができる（会社366条3項）。なお，監査役にも取締役に対する招集請求権が認められている（会社383条2項）。

(3) 株主による招集請求

　取締役会設置会社（監査役設置会社および監査等委員会設置会社・指名委員会等設置会社を除く）の株主は，取締役がその会社の目的の範囲外の行為その他法令もしくは定款に違反する行為をし，またはこれらの行為をするおそれがあると認めるときは，取締役会の招集を請求することができ（会社367条1項），請求があった日から5日以内に，その請求があった日から2週間以内の日を取締役会の日とする取締役会の招集の通知を発せられない場合は，その請求をした株主は，取締役会を招集することができる（会社367条3項）。さらに，請求を行った株主は，取締役会に出席し意見を述べることができる（会社367条4項）。

(4) 招集手続

　取締役会を招集するには，会日から1週間前に各取締役および各監査役に対して通知を発しなければならないが，定款をもってこの期間を短縮することができる（会社368条1項）。さらに，通知の方法は書面でも口頭でもよいが，招集通知なしに開かれた取締役会決議は無効である。しかし，定例日開催のように取締役や監査役の全員の同意があれば招集手続を省略することはできる（会社368条2項）。

(5) 決　　議

　取締役会の決議は，議決に加わることができる取締役の過半数（これを上回る割合を定款で定めた場合は，その割合以上）が出席し，出席取締役の過半数（これを上回る割合を定款で定めた場合は，その割合以上）の賛成により決せられるが，定款でこの要件を加重することはできる（会社369条1項）。ただし，取締役会における取締役の議決権は各自1個である。

なお，取締役は会社に対して忠実義務を負い（会社355条），取締役会で自己の利益のために議決権を行使することはできない。したがって，取締役会の決議において，取締役が特別利害関係人である場合には議決権を行使することは認められず，その取締役の数は定足数にも議決権にも算入されない（会社369条2項）。さらに，決議に参加した取締役で議事録に異議をとどめなかった者は，その決議に賛成したものと推定され連帯して責任を負うことになる（会社369条5項）。

また，取締役会の決議を書面決議（持ち回り決議）で行うことができ，テレビ会議方式や電話会議方式については，一定の要件を満たしたものは認められる。ただし，監査役会および監査等委員会設置会社・指名委員会等設置会社の各委員会については，書面決議は認められない。

(6) 決議の省略

取締役会設置会社は，取締役が取締役会の決議の目的である事項について提案をした場合，その提案につき取締役（その事項について議決に加わることができるものに限る）の全員が書面または電磁的記録により同意の意思表示をしたとき（監査役設置会社においては，監査役が提案について異議を述べたときを除く）は，その提案を可決する旨の取締役会の決議があったものとみなす旨を定款で定めることができる（会社370条）。

(7) 議　事　録

取締役会の議事については，法務省令で定めるところにより，議事録を作成し，議事録が書面をもって作成されているときは，出席した取締役および監査役は，これに署名または記名押印しなければならない（会社369条3項）。議事録が電磁的記録をもって作成されている場合には，法務省令で定める署名または記名押印に代わる措置をとらなければならない（会社369条4項）。

(8) 議事録等の備置きと閲覧・謄写請求

取締役会の議事の経過要領と結果を記載した議事録，または取締役全員の意

思表示を記載もしくは記録した書面または電磁的記録（以下，議事録等）を，取締役会の日から10年間本店に備え置かなければならない（会社371条1項）。株主は，その権利を行使するために必要なときは，会社の営業時間内は，いつでも議事録等の閲覧・謄写の請求をすることができる（会社371条2項）。ただし，監査役設置会社または監査等委員会設置会社・指名委員会等設置会社の株主は，裁判所の許可を得て請求することができる（会社371条3項）。

さらに，会社債権者または親会社社員は，役員または執行役の責任を追及するため必要があるときは，裁判所の許可を得て，議事録等について閲覧・謄写の請求をすることができる（会社371条4項・5項）。しかし，裁判所は，請求に係る閲覧・謄写をすることにより，その会社またはその親会社もしくは子会社に著しい損害を及ぼすおそれがあるときは，その許可をしてはならない（会社371条6項）。

### (9) 取締役会への報告

取締役，会計参与，監査役（指名委員会等設置会社においては，執行役）または会計監査人が，取締役（監査役設置会社においては，取締役および監査役）の全員に対して取締役会に報告すべき事項を通知したときは，その事項を取締役会へ報告する必要はない（会社372条1項・3項）。ただし，業務執行取締役（指名委員会等設置会社においては，執行役）の職務執行の定期的な状況報告については適用しない（会社372条2項・3項）。

### (10) 特別取締役

取締役会設置会社（指名委員会等設置会社を除く）において，取締役の数が6人以上であり，取締役のうち1人以上が社外取締役である場合には，取締役会は，重要な財産の処分および譲受け，多額の借財に関する取締役会の決議については，あらかじめ選定した3人以上の取締役（以下，特別取締役）のうち，議決に加わることができるものの過半数（これを上回る割合を取締役会で定めた場合においては，その割合以上）が出席し，その過半数（これを上回る割合を取締役会で定めた場合においては，その割合以上）をもって行うことが

できる旨を定めることができる（会社373条1項）。

この場合，招集権者は各特別取締役であり，招集通知は各特別取締役（および各監査役）に発すればよい。また，特別取締役（および監査役）の全員の同意があるときは，招集手続を省略して開催することができ，特別取締役以外の取締役は，これらの事項を決定する取締役会に出席する必要はない（会社373条2項）。

また，特別取締役の互選によって定められた者は，取締役会の決議後，遅滞なく，その決議内容を特別取締役以外の取締役に報告しなければならない（会社373条3項）。なお，監査役が2人以上いる場合，監査役の互選により，監査役の中から特別取締役による取締役会に出席する監査役を定めることができる（会社383条1項）。

## 3　代表取締役

### (1) 意　義

代表取締役とは，指名委員会等設置会社以外の会社において，対外的には会社を代表し，対内的には業務執行を行い，取締役会設置会社においては，株式会社を代表する代表権を有する常設の機関である。取締役会は，代表取締役の選定権や解職権（会社362条2項3号）のほか取締役の監督権も有し（会社362条2項2号），取締役の中から代表取締役を選定しなければならない（会社362条3項）。取締役会を設置していない会社では，代表取締役の選定は任意であり，選定しない場合には，各取締役が会社を代表する（会社349条1項・2項・3項）。

### (2) 員数・任期・資格

代表取締役の員数については，法律上の規定はなく1人以上であればよく数人でもよい。任期は取締役の資格を前提としているので，取締役の任期を超えることはできない。つまり，取締役の地位を喪失すれば，代表取締役の資格を維持することはできない。なお，代表取締役の氏名および住所は登記事項であ

る（会社911条3項14号）。

### (3) 権　　限

代表取締役は，会社の事業に関する一切の裁判上および裁判外の行為を行う権限を有し（会社349条4項），内部的に制限しても善意の第三者に対抗することはできない（会社349条5項）。しかし，会社は，代表取締役その他の代表者がその職務を行うについて，第三者に加えた損害を賠償する責任を負う（会社350条）。

なお，会社と取締役の間の訴訟については代表権はなく，会社が取締役（取締役であった者を含む）に対し，または取締役が会社に対して訴えを提起する場合には，株主総会は，その訴えについて会社を代表する者を定めることができる（会社353条）。ただし，監査役設置会社においては，監査役が会社を代表する（会社386条1項）。

### (4) 代表取締役が欠けた場合

代表取締役が欠けた場合，または定款で定めた代表取締役の員数が欠けた場合には，任期の満了または辞任により退任した代表取締役は，新たに選任された代表取締役（一時代表取締役の職務を行うべき者を含む）が就任するまで，代表取締役としての権利義務を有する（会社351条1項）。この場合において，裁判所は，必要があると認めるときは，利害関係人の申立てにより，一時代表取締役の職務を行うべき者を選任することができる（会社351条2項）。

### (5) 表見代表取締役

外観的に代表取締役と認められるような名称（社長・副社長・頭取・理事長など）であるが，代表権のない取締役の行った行為は，外観を信じた善意の第三者を保護する必要から，会社が善意の第三者に対して責任を負う（会社354条）。このような取締役を表見代表取締役という。

## 4　取締役と会社の関係

### (1) 取締役の義務
#### ①　善管注意義務・忠実義務
　取締役と会社の関係は委任の規定が適用され（会社330条），取締役は，善良な管理者の注意をもって委任事務を処理すべき善管注意義務を負う（民644条）。また，取締役は，法令および定款の定めならびに株主総会の決議を守り，会社のために忠実に職務を遂行する忠実義務を負う（会社355条）。
#### ②　競業取引および利益相反取引の規制
　取締役は，ア）会社の利益を犠牲にして自己または第三者の利益を図るおそれがあるため，取締役が自己または第三者のために株式会社の事業の部類に属する取引をする場合（競業取引），イ）取締役が自己または第三者のために株式会社と取引をしようとする場合（利益相反直接取引），ウ）株式会社が取締役の債務を保証すること，その他取締役以外の者との間において株式会社と取締役との利益が相反する取引をしようとする場合（利益相反間接取引）は，株主総会において，その取引につき重要な事実を開示し，普通決議による承認を受けなければならない（会社356条1項）。ただし，取締役会設置会社においては，取締役会の決議を要し，その取引をした取締役は，遅滞なくその取引についての重要な事実を取締役会に報告しなければならない（会社365条1項・2項）。
　このように取締役の地位を利用して会社の利益を害するおそれのある取引について，株主総会または取締役会の承認のないものは無効であるが，承認がないことを知らなかった善意の第三者には無効を主張できない。しかし，第三者の悪意を立証すれば，会社が第三者に対し無効を主張できるものと解される（最大判昭43・12・25民集22巻13号3511頁）。
　この場合，株式会社は，承認を受けずに取引をなした取締役を，義務違反を理由として，株主総会の普通決議により解任し（会社339条1項），さらに，損害賠償を請求することができる（会社423条）。

③　報告義務

　取締役は，会社に著しい損害を及ぼすおそれのある事実があることを発見したときは，直ちに，その事実を株主（監査役設置会社においては監査役，監査役会設置会社においては監査役会，監査等委員会設置会社においては監査等委員会）に報告しなければならない（会社357条）。

(2) 検査役の調査

　株式会社の業務の執行に関し，不正の行為または法令・定款に反する重大な事実があることを疑うに足りる事由があるときは，総株主（株主総会において決議することができる事項の全部につき，議決権を行使することができない株主を除く）の議決権の100分の3（これを下回る割合を定款で定めた場合においては，その割合）以上の議決権を有する株主，または発行済株式（自己株式を除く）の100分の3（これを下回る割合を定款で定めた場合においては，その割合）以上の数の株式を有する株主は，その会社の業務および財産の状況を調査させるために，裁判所に対し，検査役の選任の申立てをすることができる（会社358条1項）。

　裁判所に選任された検査役は，必要な調査を行い，その調査の結果を記録または記載した書面または電磁的記録を，裁判所に提供して報告をしなければならない（会社358条5項）。また，検査役は，会社および検査役選任の申立てをした株主に対し，調査の結果を記載した書面の写しを交付し，または調査結果を記録した電磁的記録を提供しなければならない（会社358条7項）。

　さらに，裁判所は，検査役の報告により必要があると認めるときは，取締役に対し，一定の期間内に株主総会を招集すること，または検査役の調査の結果を株主に通知することの全部または一部を命じなければならない（会社359条1項）。また，裁判所が株主総会の招集を命じた場合には，取締役は，検査役の報告の内容を調査し，株主総会において報告し開示しなければならない（会社359条2項・3項）。

### (3) 違法行為差止請求権

　6か月（これを下回る期間を定款で定めた場合においては，その期間）前から引き続き株式を有する株主（全株式譲渡制限会社については，6か月の保有期間制限はない）は，取締役が会社の目的の範囲外の行為その他法令・定款の具体的規定に違反する行為をし，またはこれらの行為をするおそれがある場合，その行為によって会社に著しい損害（監査役設置会社または監査等委員会設置会社および指名委員会等設置会社においては，「回復することができない損害」とし，要件を限定している）が生ずるおそれがあるときは，その取締役に対し，その行為をやめることを請求することができる（会社360条1項・2項）。

　このように取締役が会社に対し損害を与えるおそれがある場合，事前にこれを防止するために株主に取締役の違法行為の差止請求権を認めたものであるが，株主代表訴訟と同じく会社に存する権利であり，差止請求権は監査役にも認められている（会社385条）。しかし，会社が権利を行使しない場合には，株主が会社に代わって取締役に請求するものである。

## 第4節　会　計　参　与

### 1　意　　義

#### (1) 選　解　任

　最低資本金制度が廃止され，株主有限責任制度のもとで会社債権者保護を図るには，会社の適正な財務情報の開示が重要となる。そのため，計算書類の信頼性および適正性を担保することを目的とする制度として，会計参与制度が導入された。

　会計参与は，株式会社の機関であり，取締役（指名委員会等設置会社においては，執行役）と共同して計算書類等を作成する業務執行機関であり，その規

模や機関設計にかかわらず，定款により任意に会計参与を置くことができる（会社326条2項）。しかし，特例有限会社および持分会社は，会計参与を設置することができない。

会計参与の選任は，株主総会の普通決議により行われ，補欠の会計参与を選任することもできるが（会社329条1項・3項・341条），設立の際には，発起人または創立総会により選任される（会社38条3項1号・88条）。

また，いつでも株主総会の普通決議で会計参与を解任することができ（会社339条1項・341条），会計参与は，株主総会において，会計参与の選任もしくは解任または辞任について意見を述べることができる（会社345条1項）。

### (2) 資　　格

会計参与は，公認会計士もしくは監査法人または税理士もしくは税理士法人でなければならないが（会社333条1項），①株式会社またはその子会社の取締役，監査役もしくは執行役または支配人その他の使用人，②業務の停止の処分を受け，その停止期間を経過しない者，③税理士法の規定により税理士業務を行えない者は，会計参与になることはできない（会社333条3項）。

なお，顧問税理士は委任契約であり，会計参与の独立性が害されることはないので，欠格事由に該当しない限り，顧問税理士のまま会計参与になることができる。また，会計監査人と会計参与とは性質が異なるので，両方を併設することもできるが，同一人が兼務することはできない（会社337条3項2号）。

### (3) 任　　期

会計参与の任期は，原則として2年であるが，定款または株主総会の決議により短縮できる。ただし，全株式譲渡制限会社においては，定款により10年まで伸長することができ，監査等委員会設置会社および指名委員会等設置会社では，原則1年である（会社334条1項）。なお，会計参与設置会社が，会計参与を置く旨の定款の定めを廃止する定款の変更をした場合には，会計参与の任期は，その定款の変更の効力が生じた時に満了する（会社334条2項）。

### (4) 報　酬　等

　会計参与の報酬等は，定款にその額を定めていないときは，株主総会の決議によって定める（会社379条1項）。また，会計参与を設置した場合には，その旨ならびに会計参与の氏名または名称，および計算書類等の備置場所を登記しなければならない（会社911条3項16号）。

## 2　職務と権限

### (1) 権　　限

　会計参与は，取締役（指名委員会等設置会社においては，執行役）と共同して，計算書類等（計算書類およびその附属明細書，臨時計算書類，連結計算書類）および会計参与報告を作成しなければならない（会社374条1項・6項）。また，いつでも，会計帳簿またはこれに関する資料（書面または電磁的記録）の閲覧または謄写をし，または取締役（指名委員会等設置会社においては，執行役および取締役）および支配人その他の使用人に対して，会計に関する報告を求めることができる（会社374条2項・6項）。

　このほか，その職務を行うために必要があるときは，会計参与設置会社の子会社に対して会計に関する報告を求め，または会計参与設置会社もしくはその子会社の業務および財産の状況の調査をすることができる（会社374条3項）。

### (2) 株主総会での意見陳述

　会計参与が，取締役（指名委員会等設置会社においては，執行役）と意見を異にし，計算書類等を作成することができない場合には，辞任をして，株主総会においてその旨および理由を述べるか（会社345条2項），辞任せずに，株主総会において意見を述べることができる（会社377条1項）。

### (3) 報　告　義　務

　会計参与は，その職務を行うに際して取締役（指名委員会等設置会社においては，執行役または取締役）の職務の執行に関し，不正の行為または法令もし

くは定款に違反する重大な事実があることを発見したときは，遅滞なく，株主（監査役設置会社においては監査役，監査役会設置会社にあっては監査役会，監査等委員会設置会社または指名委員会等設置会社では監査等委員会または監査委員会）に報告しなければならない（会社375条）。したがって，会計参与は，報告義務を怠り会社に損害が生じた場合には損害賠償責任を負う。

### (4) 取締役会への出席

取締役会設置会社の会計参与は，計算書類等の承認に係る取締役会に出席し，必要があると認めるときは意見を述べなければならない（会社376条1項）。また，取締役会の招集権者は，取締役会の日の1週間前までに，各会計参与に対して招集通知を発しなければならない（会社376条2項）。さらに，取締役（監査役会設置会社においては，取締役および監査役）の全員の同意により，招集の手続を経ることなく取締役会を開催するときは，会計参与全員の同意を得なければならない（会社376条3項）。

### (5) 株主総会での説明義務

会計参与は，取締役，監査役ならびに執行役同様，株主総会において，株主から特定の事項について説明を求められた場合には，正当な事由がある場合を除き，その事項について必要な説明をしなければならない（会社314条）。

### (6) 計算書類の備置き

会計参与は，各事業年度の計算書類およびその附属明細書ならびに会計参与報告については定時株主総会の日の1週間（取締役会設置会社においては，2週間）前の日から5年間，法務省令に定める臨時決算日における臨時計算書類および会計参与報告については作成日から5年間，会計参与が定めた場所（公認会計士または税理士の事務所等）に備え置かなければならない（会社378条1項，会社施規103条）。

### (7) 計算書類の閲覧等

会計参与設置会社の株主および債権者は，その会社の営業時間内はいつでも，会計参与に対し，計算書類およびその附属明細書ならびに会計参与報告の書面または電磁的記録の閲覧・交付の請求をすることができる（会社378条2項，会社施規104条）。

また，会計参与設置会社の親会社社員は，その権利を行使するために必要があるときは，裁判所の許可を得て，計算書類の閲覧等の請求をすることができる（会社378条3項）。

## 第5節　監査役と監査役会

### 1　監　査　役

図表2-4-2　監査役設置会社

### (1) 意　　義

監査役は，取締役の職務の執行について業務監査および会計監査を行い，各自が独立して監査権限を行使することができる独任制の常設の機関である。株主が取締役を監督するだけでは十分ではないので，株主総会で監査役を選任して，監査役に取締役の職務執行の監査権限を付与したのである。

株式会社は，定款の定めによって，任意に監査役を設置することができる（会社326条2項）。しかし，取締役会設置会社および会計監査人設置会社（監

査等委員会設置会社および指名委員会等設置会社を除く）では，監査役を置かなければならない。ただし，全株式譲渡制限会社である会計参与設置会社については，監査役を設置しなくてもよい（会社327条2項・3項）。

(2) 選任・終任
① 選任
　監査役は取締役同様，株主総会の普通決議により選任される（会社329条1項）。この場合，法務省令で定めるところにより，監査役が欠けた場合，またはこの法律もしくは定款で定めた監査役の員数を欠くこととなるときに備えて，補欠の監査役を選任することができる（会社329条3項）。ただし，会社設立時の監査役は，発起人または創立総会の普通決議により選任されるが（会社38条2項2号・88条），定款の定めによっても，議決権を行使することができる株主の議決権の3分の1未満の定足数とすることはできない（会社341条）。
　監査役の選任については，取締役の場合と異なり累積投票制度（会社342条）は認められていないが，監査役は株主総会において選任につき意見を述べることができる（会社345条4項・1項）。なお，取締役の場合と同様，監査役の選任および変更は登記事項である（会社911条3項17号）。

② 選任議案の同意権と総会提出請求権
　取締役は，監査役選任議案を株主総会に提出するには，監査役（監査役が2人以上の場合においてはその過半数，監査役会設置会社の場合においては監査役会）の同意を得なければならない（会社343条1項・3項）。さらに，監査役（監査役会設置会社の場合においては，監査役会）は，取締役に対し，監査役の選任を株主総会の会議の目的とすること，または監査役の選任に関する議案を株主総会に提出することを請求することができる（会社343条2項・3項）。

③ 資格と兼任
　監査役の資格は特別に要求されないが，監査役の資格および欠格事由については，取締役の規定が準用される（会社335条1項）。また，従属関係があると公正な任務遂行の妨げになるので，監査役は，株式会社もしくはその子会社の取締役または支配人その他の使用人または子会社の会計参与もしくは執行役を

兼任することはできない（会社335条2項）。ただし，親会社の監査役・取締役・使用人が子会社の監査役を兼ねることは禁止されていないが，監査役は会計監査人になることはできない。

④ 員　　数

監査役の員数については1人でも複数でもよいが，監査役会設置会社においては，監査役の人数は3人以上でなければならず，監査役の互選により常勤監査役を定め，監査役のうち半数以上は，過去にその会社またはその子会社の取締役，会計参与，執行役，支配人，その他の使用人になったことがない社外監査役でなければならない（会社335条3項・390条3項）。

⑤ 任　　期

監査役の任期は，選任後4年以内に終了する事業年度のうち最終のものに関する定時株主総会の終結の時までである（会社336条1項）。ただし，全株式譲渡制限会社においては，定款により，任期を選任後10年以内に終了する事業年度のうち最終のものに関する定時株主総会の終結の時まで伸長することができる（会社336条2項）。

なお，任期満了前に退任した監査役の補欠として選任された監査役の任期は，一般の監査役の任期と同じであるが，定款により退任監査役の任期満了までとすることはできる（会社336条3項）。

さらに，ア）監査役設置の定款の定めを廃止する定款変更，イ）監査等委員会または指名委員会等設置の定款変更，ウ）監査役監査の範囲を会計監査に限定する定款の定めを廃止する定款変更，エ）全株式譲渡制限会社から公開会社に移行する定款変更をした場合には，監査役の任期は，定款変更の効力が生じた時に満了する（会社336条4項）。

⑥ 終　　任

監査役は，任期満了をもって終任となるが，いつでも，株主総会の特別決議により解任することができる（会社339条1項・309条2項7号）。なお，解任された監査役は，その解任について正当な理由がある場合を除き，解任により生じた損害賠償を請求することができる（会社339条2項）。

さらに，監査役解任の株主総会特別決議が否決された場合でも，少数株主

は，不正または違法な行為をした監査役の解任を請求できる（会社854条）。なお，監査役は選任のときと同様，株主総会において解任につき意見を述べることができる（会社345条4項・1項）。また，監査役を辞任した者は，辞任後最初に招集される株主総会に出席して，辞任した旨およびその理由を述べることができる（会社345条4項・2項）。

### (3) 職務と権限

#### ① 権 限

監査役は，取締役（会計参与設置会社においては，取締役および会計参与）の職務の執行を監査する。この場合，監査役は，監査報告を作成しなければならない（会社381条1項）。つまり，監査役は，監査役設置会社の規模や機関設計を問わず，業務監査と会計監査の権限を有するので，監査役は，いつでも，取締役および会計参与ならびに支配人その他の使用人に対して事業の報告を求め（事業報告徴収権），または監査役設置会社の業務および財産の状況を調査することができる（業務財産状況調査権）（会社381条2項）。しかし，監査役の業務監査が，違法性監査に限定されるのか，妥当性監査にも及ぶのかについては見解が分かれている。

また，監査役は，その職務を行うために必要があるときは，監査役設置会社の子会社に対して事業の報告を求め，またはその子会社の業務および財産の状況の調査をすることができる（子会社調査権）（会社381条3項）。しかし，子会社は，正当な理由があるときは，その報告または調査を拒むことができる（会社381条4項）。

#### ② 報告義務

監査役は，取締役が不正の行為をし，もしくはその行為をするおそれがあると認めるとき，または法令もしくは定款に違反する事実もしくは著しく不当な事実があると認めるときは，遅滞なく，その旨を取締役（取締役会設置会社においては，取締役会）に報告しなければならない（会社382条）。また，取締役は，会社に対し著しい損害を与えるおそれのある事実を発見したときは，直ちに監査役に報告しなければならない（会社357条1項）。

さらに，監査役は，取締役の株主総会提出議案・書類を調査しなければならない。この場合，法令・定款に違反し，または著しく不当な事項があると認められるときには，その調査結果を株主総会に報告しなければならない（会社384条）。

③ 取締役会への出席義務等

監査役は，取締役の違法な業務執行を事前に防止するために取締役会に出席し，必要があると認めるときは意見陳述義務を負う。ただし，監査役が複数いる場合には，特別取締役による取締役会に出席する監査役を，監査役の互選により定めることができる（会社383条1項）。

また，監査役は，必要があれば，取締役（招集権者）に対し取締役会の招集の請求をすることができ（会社383条2項），請求のあった日から5日以内に，その請求のあった日から2週間以内の日を取締役会の日とする取締役会の招集通知が発せられない場合には，監査役自ら取締役会を招集することができる（会社383条3項）。

④ 違法行為差止請求権

監査役は，取締役が会社の目的の範囲外の行為その他法令・定款に違反する行為をし，またはこれらの行為をするおそれがある場合，その行為により会社に著しい損害が生ずるおそれがあるときは，取締役に対し，その行為をやめることを請求することができる（会社385条1項）。しかし，裁判所が仮処分により取締役に対し，その行為の差止めを命ずるときは，担保を立てる必要はない（会社385条2項）。

⑤ 会社の訴訟代表

監査役設置会社が取締役に対し，または取締役が監査役設置会社に対して訴えを提起する場合には，監査役が監査役設置会社を代表する（会社386条1項）。さらに，株主が会社に対し取締役の責任を追及する訴訟の提起を請求する場合にも，監査役が監査役設置会社を代表する（会社386条2項）。

⑥ 会計監査限定監査役

全株式譲渡制限会社（監査役会設置会社および会計監査人設置会社を除く）は，その監査役の監査の範囲を会計に関するものに限定する旨を定款に定める

ことができ（会社389条1項），この定款の定めがある株式会社の監査役は，監査報告を作成しなければならない（会社389条2項）。また，監査役は，取締役が株主総会に提出しようとする会計に関する議案，書類その他の法務省令で定めるものを調査し，その調査の結果を株主総会に報告しなければならない（会社389条3項）。

さらに，監査役は，いつでも，会計帳簿またはこれに関する資料の閲覧・謄写をし，取締役および会計参与ならびに支配人その他の使用人に対して，会計に関する報告を求めることができ（会社389条4項），その職務を行うに必要があるときは，子会社に会計に関する報告を求め，その子会社の業務および財産の状況を調査することができる（会社389条5項）。しかし，子会社は，正当な理由があるときは，報告または調査を拒むことができる（会社389条6項）。

⑦ 株主の監督権限の強化

会計監査限定監査役は，業務監査の権限を有しないので，取締役への報告義務（会社382条），取締役会への出席義務等（会社383条），株主総会に対する報告義務（会社384条），取締役の違法行為差止請求権（会社385条），訴訟における会社の代表権（会社386条）のいずれも認められない（会社389条7項）。

したがって，会計監査限定監査役設置会社および監査役非設置会社においては，取締役の株主への報告義務（会社357条1項），株主による取締役の違法行為差止請求権（会社360条），株主による取締役会の招集請求権・出席権・意見陳述権（会社367条），株主による裁判所の許可なしでの取締役会議事録の閲覧・謄写請求権（会社371条2項），会計参与の株主への報告義務（会社375条1項），定款による役員等の損害賠償責任の一部免除の株主による不適用（会社426条7項）等による株主の監督権限の強化が図られている。

## 2 監査役会

### (1) 意　義

大会社（全株式譲渡制限会社または監査等委員会設置会社および指名委員会等設置会社を除く）においては，監査役全員で監査役会を組織しなければなら

ないが（会社328条1項・390条1項），それ以外の会社（監査等委員会設置会社および指名委員会等設置会社を除く）では監査役会を設けるか否かは任意である。また，監査役会設置会社においては，監査役は3人以上で，そのうち半数以上は社外監査役でなければならない（会社335条3項）。

そして，監査役の互選により，常勤監査役を選定しなければならない（会社390条3項）。ただし，常勤・非常勤を問わず，監査役としての職務権限は同じである。なお，監査役会設置会社であるときは，その旨および監査役の氏名，社外監査役である旨を登記しなければならない（会社911条3項17号・18号）。

(2) 社外監査役

社外監査役とは，株式会社の監査役であって，イ）その就任の前10年間その株式会社または子会社の取締役，会計参与もしくは執行役または支配人その他の使用人であったことがないこと，ロ）その就任の前10年間のいずれかの時において，その株式会社または子会社の監査役であったことがある者にあっては，その監査役への就任の前10年間その株式会社またはその子会社の取締役，会計参与もしくは執行役または支配人その他の使用人であったことがないこと，ハ）その株式会社の親会社等（会社の経営を支配している自然人であるものに限る）または親会社等の取締役，監査役もしくは執行役または支配人その他の使用人でないこと，ニ）その株式会社の親会社等の子会社等（その株式会社またはその子会社を除く兄弟会社）の業務執行取締役等でないこと，ホ）その株式会社の取締役もしくは支配人その他の重要な使用人または親会社等（会社の経営を支配している自然人であるものに限る）の配偶者または2親等内の親族でないこと，のいずれの要件にも該当するものをいう（会社2条16号）。

(3) 職　　務

監査役会の職務は，①監査報告の作成，②常勤監査役の選定および解任，③監査の方針，会社業務および財産状況の調査方法，その他の監査役の職務の執行に関する事項の決定である（会社390条2項本文）。なお，各監査役は独立し

た監査権限を有する独任制の機関であるが，監査役会において監査方法の決定や役割分担を協議することはできる。

ただし，③に関する監査役会の決定は，各監査役の権限行使を妨げることはできない（会社390条2項但書）。しかし，監査役は，監査役会の求めがあるときは，いつでも，その職務の執行の状況を監査役会に報告しなければならない（会社390条4項）。

### (4) 監査報告

監査報告は，監査役会の多数決で作成するが，各監査役は監査報告に意見を付記することができ，計算書類等が法令または定款に適合するかどうかについて，会計監査人が監査役と意見を異にするときは，会計監査人は，定時株主総会に出席して意見を述べることができる（会社398条1項・3項）。

さらに，監査役が，監査報告に記載または記録すべき重要な事項に虚偽の記載または記録をしたときは，第三者に対して連帯して損害賠償責任を負う。ただし，注意を怠らなかったことを立証したときは責任を免れる過失責任である（会社429条2項3号）。

### (5) 招集手続

監査役会は，各監査役が招集し（会社391条），招集する監査役は，監査役会の日の1週間（これを下回る期間を定款で定めた場合においては，その期間）前までに，各監査役に対して通知をしなければならない（会社392条1項）。ただし，監査役全員の同意があるときは，招集手続を省略して開催することができる（会社392条2項）。

### (6) 決　議

監査役会の決議は，全監査役の過半数が出席して，全監査役の過半数の賛成をもってなされるものであり（会社393条1項），出席監査役の過半数の賛成ではなく，取締役会決議の場合と異なっている。ただし，会計監査人の解任決議は，監査役全員の同意によって行わなければならない（会社340条1項・2項）。

なお，取締役会の決議とは異なり，書面決議（持ち回り決議）は認められない。

(7) 議事録

監査役会議事録を作成し，議事録が書面で作成されているときは，出席した監査役はこれに署名または記名押印しなければならない（会社393条2項）。ただし，議事録が電磁的記録で作成されているときは，法務省令で定める措置（電子署名）をとらなければならない（会社393条3項）。なお，決議に参加した監査役であって議事録に異議をとどめなかった監査役は，その決議に賛成したものと推定される（会社393条4項）。

また，監査役会の日から10年間，議事録をその本店に備え置かなければならない（会社394条1項）。株主および親会社社員が権利行使のために必要があるとき，および会社債権者が役員の責任を追及する必要があるときには，裁判所の許可を得て監査役会議事録（書面または電磁的記録）の閲覧または謄写を請求することができる（会社394条2項・3項）。しかし，それにより会社またはその親会社もしくは子会社に著しい損害を及ぼすおそれがあるときには，裁判所は許可することはできない（会社394条4項）。

(8) 報告の省略

取締役，会計参与，監査役または会計監査人が，監査役全員に対して監査役会に報告すべき事項を通知したときは，その事項を監査役会へ報告しなくてもよい（会社395条）。

## 3 監査役と会社の関係

(1) 監査役の義務と責任

監査役は，会社から監査を委任（会社330条）されているのであるから善管注意義務を負うが（民644条），取締役と異なり，忠実義務を定める規定はない。また，監査役の会社に対する責任については，任務懈怠による損害賠償責

任を連帯して負う旨が規定されているが（会社423条1項），総株主の同意がない限り免除されない（会社424条）。さらに，監査役は，悪意または重過失によって第三者に生じた損害賠償の責任を負う（会社429条1項）。監査役が損害賠償責任を負う場合，他の役員等も連帯債務者となる（会社430条）。

また，株主総会の特別決議または定款規定に基づく取締役会決議による取締役の責任軽減は監査役に準用され（会社425条1項・426条1項），責任の限度額は報酬等の2年分相当額である（会社425条1項1号ハ）。なお，監査役に対する株主代表訴訟も認められている（会社847条）。

### (2) 報　酬　等

監査役の報酬等は，定款または株主総会決議および監査役の協議で取締役とは別個に決定され（会社387条1項・2項），監査役は，株主総会において，その報酬等について意見を述べることができる（会社387条3項）。

また，監査役が，その職務の執行について会社に対し費用および利息の償還，負担した債務の弁済の請求をしたときは，会社は，その請求に係る費用または債務が，その職務の執行に必要ないことを証明しない限り，支払を拒むことはできない（会社388条）。

## 第6節　会計監査人

### 1　意　義

#### (1) 設置義務

株式会社の会計監査を任務とする外部の独立した機関を会計監査人という。監査役会設置会社の大会社は会計監査人を置かなければならない（会社328条）。ただし，監査役会設置会社の大会社以外の株式会社でも，定款の定めにより任意に会計監査人を置くことができる（会社327条2項）。また，監査等委

員会設置会社および指名委員会等設置会社は，大会社であるか否かを問わず会計監査人の設置が義務づけられている（会社327条5項）。

なお，会計監査人を設置して会計監査人設置会社（監査等委員会設置会社および指名委員会等設置会社を除く）となった場合には，監査役の設置が強制され（会社327条3項），会計監査人を設置した旨およびその氏名または名称を登記しなければならない（会社911条3項19号）。

(2) 資　　格

会計監査人は，公認会計士または監査法人でなければならない（会社337条1項）。ただし，①公認会計士法の規定により，計算書類について監査することができない者，②子会社もしくはその取締役，会計参与，監査役および執行役から公認会計士・監査法人の業務以外の業務により継続的に報酬を受けている者またはその配偶者（親会社の役員等との関係については，公認会計士法により同様の欠格事由が定められている），③監査法人でその社員の半数以上が②にあたる者は，会計監査人になることはできない（会社337条3項）。

(3) 選　　任

会計監査人は株主総会の普通決議により選任されるが（会社329条1項），会計監査人の任期は，選任後1年以内に終了する事業年度のうち最終のものに関する定時株主総会の終結の時までとする（会社338条1項）。ただし，任期が終了する定時株主総会において別段の決議がなされなかったときは，その総会において再任されたものとみなす（会社338条2項）。また，会計監査人設置会社が会計監査人設置の定款の定めを廃止する定款変更をした場合には，会計監査人の任期は，その定款変更の効力が生じた時に満了する（会社338条3項）。

(4) 解　　任

株主総会は，いつでも普通決議をもって会計監査人を解任することができるが（会社339条1項），会計監査人は，解任について正当な理由がある場合を除き，会社に対して解任により生じた損害賠償を請求することができる（会社

339条2項)。

　さらに，監査役(監査役会設置会社においては監査役会，監査等委員会または監査委員会)は，会計監査人が，①職務上の義務に違反しまたは職務を怠ったとき，②会計監査人としてふさわしくない非行があったとき，③心身の故障のため，職務の執行に支障がありまたはこれに堪えないときは，その会計監査人を解任することができる(会社340条1項・4項・5項・6項)。この場合，監査役(監査等委員，監査委員)全員の同意が必要であり(会社340条2項・4項・5項・6項)，選定された監査役(監査等委員または監査委員)は，その旨および解任の理由を解任後最初に招集された株主総会に報告しなければならない(会社340条3項・5項・6項)。

### (5) 選解任等に関する議案の内容の決定

　監査を受ける立場にある取締役が，会計監査人の選解任等に関する議案等および報酬等を決定するのは，「インセンティブのねじれ」があることから，監査役(会)・監査等委員会・監査委員会が，株主総会に提出する会計監査人の選任および解任ならびに再任しないことに関する議案の内容を決定する(会社344条・399条の2第3項2号・404条2項2号)。なお，会計監査人の報酬等の決定は，財務に関わる経営判断と密接に関連することから，取締役(会)が行う。

## 2　職務と権限

### (1) 計算書類等の監査

　会計監査人は，株式会社の計算書類等(計算書類およびその附属明細書，臨時計算書類，連結計算書類)を監査する。この場合，会計監査人は，会計監査報告を作成しなければならない(会社396条1項)。また，会計監査人は，いつでも，会計帳簿またはこれに関する資料(書面または電磁的記録)の閲覧および謄写をし，取締役，会計参与，支配人，その他の使用人に対し，会計に関する報告を求めることができる(会社396条2項)。

なお，会計監査人は，その職務遂行において必要があるときは，子会社に対して会計に関する報告を求め，または会計監査人設置会社もしくはその子会社の業務および財産の状況の調査をすることができる（会社396条3項）。ただし，子会社は，正当な理由があるときは，その報告または調査を拒むことができる（会社396条4項）。

### (2) 報 告 義 務

会計監査人は，その職務を行うに際して，取締役（指名委員会等設置会社においては，執行役または取締役）の職務の執行に関し不正行為または法令・定款に反する重大な事実があることを発見したときは，遅滞なく，監査役（監査役会設置会社においては監査役会，監査等委員会または監査委員会）に報告しなければならない（会社397条1項・3項・4項）。

また，監査役（監査等委員または監査委員）は，会計監査人に対して，職務を行うために必要があるときは，その監査に関する報告を求めることができる（会社397条2項・4項）。

### (3) 株主総会での意見陳述

計算書類等が法令または定款に適合するかどうかについて，会計監査人が監査役（監査役会設置会社においては監査役会または監査役，監査等委員会またはその監査等委員，監査委員会またはその監査委員）と意見が異なるときは，定時株主総会で意見を述べることができ（会社398条1項・3項・4項），株主総会から求められたときには意見を述べなければならない（会社398条2項）。

### (4) 報 酬 等

取締役は，会計監査人の報酬等を定める場合，監査役（監査役が2人以上の場合には，その過半数）または監査役会（監査役会設置会社）もしくは監査等委員会または監査委員会の同意を得なければならない（会社399条）。

## 第7節　監査等委員会設置会社

### 1　監査等委員会設置会社の概要

　監査等委員会設置会社とは，定款の定めによって，監査等委員会を置く株式会社である（会社2条11号の2・326条2項）。監査等委員会設置会社には，取締役会および会計監査人を置かなければならず（会社327条1項3号・5項），監査役を置いてはならない（会社327条4項）。なお，指名委員会等設置会社には，監査等委員会を置いてはならない（会社327条6項）。また，代表取締役等の取締役が監査等委員会設置会社の業務を執行し，監査等委員会の委員である取締役は，それ以外の取締役と区別して，株主総会の普通決議により選任され（会社329条2項），解任は株主総会の特別決議による（会社344条の2第3項・309条2項7号）。

　監査等委員会は，監査等委員である取締役3人以上で組織され，その過半数は，社外取締役でなければならず（会社331条6項），監査等委員会が選定する

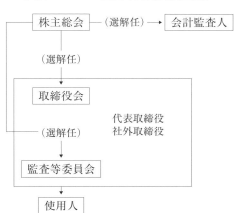

図表2-4-3　監査等委員会設置会社

監査等委員は，株主総会において，監査等委員である取締役以外の取締役の選任もしくは解任または辞任および報酬等について監査等委員会の意見を述べることができる（会社342条の2第4項・361条6項）。また，監査等委員会の決議は，議決に加わることができる監査等委員の過半数が出席し，その過半数をもって行う（会社399条の10第1項）。

監査等委員会設置会社においては，監査等委員会を設置するのみで，指名委員会や報酬委員会の設置は必要なく，常勤の監査等委員を選任する必要もない。また，取締役の過半数が社外取締役である場合や取締役会の決議により定款で定めた場合には，重要な業務執行の決定を個々の取締役に委任することができ，取締役会の機能は監督が中心となり，監督に当たる取締役が業務執行の決定に関与しなくてもよいことから，業務執行と監督の分離が図られることになる。

なお，監査等委員会設置会社の選択は任意であることから，大会社である公開会社においては，監査役会設置会社，監査等委員会設置会社，指名委員会等設置会社の3つの機関設計のいずれかを選択することができる。

## 2 監査等委員である取締役

### (1) 選解任

監査等委員会設置会社においては，独立性を確保するため，監査等委員である取締役とそれ以外の取締役とを区別して，株主総会において選任しなければならない（会社329条2項）。この場合，監査等委員である取締役は，監査等委員会設置会社もしくはその子会社の業務執行取締役もしくは支配人その他の使用人またはその子会社の会計参与もしくは執行役を兼ねることはできない（会社331条3項）。なお，監査等委員である取締役は，3人以上で，その過半数は社外取締役でなければならない（会社331条6項）。

また，取締役は，監査等委員である取締役の選任議案を株主総会に提出するには，監査等委員会の同意を得なければならない（会社344条の2第1項）。さらに，監査等委員会は，取締役に対し，監査等委員である取締役の選任を株主

総会の目的とすること，または監査等委員である取締役の選任議案を株主総会に提出することを請求することができる（会社 344 条の 2 第 2 項）。

なお，監査等委員である取締役の解任は，株主総会特別決議によらなければならず，監査等委員以外の取締役の解任は株主総会普通決議による（会社 344 条の 2 第 3 項）。また，監査等委員である取締役は，株主総会において，監査等委員である取締役およびそれ以外の取締役の選任もしくは解任または辞任について意見を述べることができる（会社 342 条の 2 第 1 項・4 項）。

### (2) 任　　期

任期は，監査等委員である取締役については 2 年である。ただし，定款または株主総会の決議によっても，その任期を短縮することはできない。なお，監査等委員以外の取締役の任期は 1 年である（会社 332 条 1 項・3 項・4 項）。

### (3) 報　　酬

報酬については，監査等委員である取締役とそれ以外の取締役を区別して定めなければならず（会社 361 条 2 項），監査等委員である取締役は，株主総会において，監査等委員である取締役およびそれ以外の取締役の報酬について意見を述べることができる（会社 361 条 5 項・6 項）。

## 3　監査等委員会

### (1) 権　　限

監査等委員会は，監査等委員である取締役 3 人以上で組織され，その過半数は，社外取締役でなければない（会社 331 条 6 項）。監査等委員会の職務は，ア）取締役および会計参与の職務の執行の監査および監査報告の作成，イ）株主総会に提出する会計監査人の選解任ならびに会計監査人を再任しないことに関する議案の内容の決定，ウ）株主総会において，監査等委員である取締役以外の取締役の選解任または辞任についての監査等委員会の意見（会社 342 条の 2 第 4 項），および株主総会において，監査等委員である取締役以外の取締役の

報酬等についての監査等委員会の意見（会社361条6項）の決定である（会社399条の2第3項）。したがって，監査等委員会は，監査役(会)設置会社の監査役(会)および指名委員会等設置会社の監査委員会と同様の権限を有し，指名委員会等設置会社の指名委員会と報酬委員会に準じた権限も有する。

### (2) 監査等委員の職務
#### ① 調査権
監査等委員会が選定する監査等委員は，取締役および会計参与ならびに支配人その他の使用人に対し，その職務の執行に関する事項の報告を求め，監査等委員会設置会社の業務及び財産の状況を調査することができる（会社399条の3第1項）。さらに，子会社に対して事業の報告を求め，またはその子会社の業務及び財産の状況を調査することができる（会社399条の3第2項）。

#### ② 報告義務
監査等委員は，取締役が不正の行為をし，もしくはその行為をするおそれがあると認めるとき，または法令もしくは定款に違反する事実もしくは著しく不当な事実があると認めるときは，遅滞なく，その旨を取締役会に報告しなければならない（会社399条の4）。

また，監査等委員は，取締役が株主総会に提出しようとする議案，書類等について法令もしくは定款に違反し，または著しく不当な事項があると認めるときは，その旨を株主総会に報告しなければならない（会社399条の5）。

#### ③ 違法行為差止請求権
監査等委員は，取締役が監査等委員会設置会社の目的の範囲外の行為その他法令もしくは定款に違反する行為をし，またはこれらの行為をするおそれがある場合において，その行為によってその会社に著しい損害が生ずるおそれがあるときは，その取締役に対し，その行為をやめることを請求することができる（会社399条の6第1項）。

### (3) 会社の訴訟代表
監査等委員会設置会社が取締役（取締役であった者を含む）に対し，または

取締役が監査等委員会設置会社に対して訴えを提起する場合には，その訴えについては，監査等委員がその訴えに係る訴訟の当事者である場合には，取締役会が定める者（株主総会が会社を代表する者を定めた場合は，その者），または監査等委員がその訴えに係る訴訟の当事者でない場合には，監査等委員会が選定する監査等委員が，監査等委員会設置会社を代表する（会社399条の7第1項）。

(4) 運　営
① 招　集

監査等委員会は各監査等委員が招集し（会社399条の8），監査等委員会の日の1週間前までに，各監査等委員に対してその通知を発しなければならない（会社399条の9第1項）。しかし，監査等委員の全員の同意があるときは，招集手続を経ることなく開催することができる（会社399条の9第2項）。

なお，取締役および会計参与は，監査等委員会の要求があったときは，監査等委員会に出席し，監査等委員会が求めた事項について説明をしなければならない（会社399条の9第3項）。

② 決　議

監査等委員会の決議は，議決に加わることができる監査等委員の過半数が出席し，その過半数をもって行う（会社399条の10第1項）。ただし，特別の利害関係を有する監査等委員は，議決に加わることはできない（会社399条の10第2項）。

③ 議事録

監査等委員会の議事については，議事録を作成し，監査等委員は署名または記名押印をしなければならない（会社399条の10第3項・4項）。また，議事録に異議をとどめない監査等委員は，その決議に賛成したものと推定される（会社399条の10第5項）。

なお，監査等委員会の日から10年間，その議事録を本店に備え置かなければならず（会社399条の11第1項），監査等委員会設置会社の株主は，その権利を行使するために必要があるときは，裁判所の許可を得て，議事録の閲覧ま

たは謄写の請求をすることができる（会社399条の11第2項）。ただし，裁判所は，閲覧または謄写により，その会社またはその親会社もしくは子会社に，著しい損害を及ぼすおそれがあると認めるときは，閲覧または謄写の許可をすることはできない（会社399条の11第4項）。

### (5) 利益相反取引と任務懈怠の推定の排除

監査等委員会設置会社においては，監査等委員以外の取締役がする利益相反取引について，事前に監査等委員会の承認を受けたときは，任務懈怠の推定規定は適用されない（会社423条4項）。しかし，推定はされなくても，取締役の責任の有無は任務懈怠があるかどうかであることから，訴訟により利益相反取引について任務懈怠が認定されることは十分あり得る。

## 4 取締役会

### (1) 職務権限

監査等委員会設置会社の取締役会の職務は，ア）経営の基本方針，監査等委員会の職務の遂行のために必要な事項，内部統制システムおよび企業グループ内部統制システムの構築・整備，その他監査等委員会設置会社の業務執行の決定，イ）取締役の職務執行の監督，ウ）代表取締役の選定および解職である（会社399条の13第1項）。

### (2) 重要な業務執行の決定の委任の禁止

監査等委員会設置会社の取締役会は，次に掲げる事項その他の重要な業務執行の決定を取締役に委任することはできない（会社399条の13第4項）。
　イ）重要な財産の処分および譲受け
　ロ）多額の借財
　ハ）支配人その他の重要な使用人の選任および解任
　ニ）支店その他の重要な組織の設置，変更および廃止
　ホ）募集社債に関する重要な事項

ヘ）定款の定めに基づく役員等の会社に対する損害賠償責任の免除

　ただし，取締役の過半数が社外取締役である場合には，取締役会の決議により，法定の重要事項を除く重要な業務執行の決定を取締役に委任することができる（会社399条の13第5項）。また，取締役会の決議によって法定の重要事項を除く重要な業務執行の決定の全部または一部を取締役に委任することができる旨を定款で定めることができる（会社399条の13第6項）。

　取締役に委任することができない法定の重要事項とは，譲渡制限株式・譲渡制限新株予約権の譲渡承認，株主との合意による自己株式取得に関する事項，株主総会の招集や提出する議案の決定，競業取引や利益相反取引の承認，取締役会の招集権者の決定，会社・取締役間の訴えにおいての会社代表者の決定，定款の定めに基づく役員等の会社に対する損害賠償責任の免除，計算書類等の承認，業務執行の社外取締役への委託，取締役の報酬等の内容の決定，補償契約の内容の決定，役員等賠償責任保険契約の内容の決定，組織再編等に関する契約・計画の内容の決定，株式交付計画の内容の決定などである（会社399条の13第5項但書各号）。

　なお，取締役会の招集については，招集権者の定めがある場合であっても，監査等委員会が選定する監査等委員は取締役会を招集することができる（会社399条の14）。

# 第8節　指名委員会等設置会社

## 1　指名委員会等設置会社の概要

　指名委員会等設置会社とは，定款の定めにより，指名委員会，監査委員会および報酬委員会を置く株式会社であり（会社2条12号・326条2項），取締役会と会計監査人を必ず置かなければならないが（会社327条1項4号・5項），監査役および監査等委員会を置くことはできない（会社327条4項・6項）。また，指名委員会等設置会社になるための会社規模の要件は設定されていない。

取締役会は，基本事項の決定と各委員会（指名委員会・監査委員会・報酬委員会）の委員および執行役の選任・解任・監督などが役割の中心となり，取締役の職務遂行も取締役会の監査対象となる。この制度は，業務執行を執行役が担当し代表執行役が会社を代表するなど，執行役の業務執行の決定権限を取締役会から大幅に委譲し，迅速な業務執行と取締役会の監督機能を強化するものである。

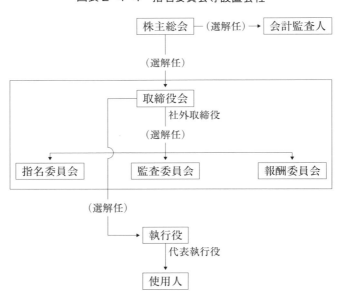

図表2-4-4　指名委員会等設置会社

## 2　取　締　役

### (1) 意　義

指名委員会等設置会社の取締役は，会社法の別段の定めがある場合を除き，指名委員会等設置会社の業務を執行することができないが（会社415条），取締役が業務執行を行う執行役を兼ねることはできる（会社402条6項）。しかし，取締役は，執行役の監督を職務とするのに，執行役の指揮を受ける使用人

の兼務を許容したのでは命令系統に混乱をきたすので，使用人兼務取締役は認められない（会社331条3項）。

## (2) 任　期

取締役の任期は，選任後1年以内に終了する事業年度のうち最終のものに関する定時株主総会の終結時までであるとしたのは（会社332条1項・3項），剰余金の配当の決定権限が株主総会から取締役会に移行したので，取締役は毎年の定時株主総会で信任を問われるべきであるとする趣旨による。

## 3　取締役会

### (1) 権　限

指名委員会等設置会社の取締役会は，①経営の基本方針，②監査委員会の職務の執行のため必要なものとして法務省令で定める事項，③執行役が2人以上ある場合における執行役の職務の分掌および指揮命令の関係その他の執行役相互の関係に関する事項，④執行役から取締役会招集の請求を受ける取締役，⑤内部統制システムならびに企業グループ内部統制システムの整備，これらの事項その他の業務執行の決定および執行役等の職務の執行を監督する（会社416条1項・2項）。

しかし，取締役会は，これらの職務の執行を取締役に委任することはできない（会社416条3項）。他方，取締役会の決議により，業務執行の決定を執行役に委任することができる。ただし，譲渡制限株式の譲渡の承認，自己株式取得に関する事項の決定，執行役の選任・解任，業務執行の社外取締役への委託，補償契約の内容の決定，役員等賠償責任保険契約の内容の決定，組織再編等の決定，株式交付計画の決定については，執行役に委任することはできない（会社416条4項）。

### (2) 招　集

取締役会の招集権者の定めがある場合であっても，委員会がその委員の中か

ら選定する者は，取締役会を招集することができる（会社417条1項）。さらに，執行役も取締役に対し，取締役会の目的である事項を示して，取締役会の招集を請求することができる。この場合，その請求があった日から5日以内に，その請求があった日から2週間以内の日を取締役会の日とする取締役会の招集の通知が発せられないときは，その執行役は，取締役会を招集することができる（会社417条2項）。

(3) 取締役会への報告義務と説明義務

委員会がその委員の中から選定する者は，遅滞なく，その委員会の職務の執行の状況を取締役会に報告しなければならない（会社417条3項）。また，執行役は，3か月に1回以上，自己の職務の執行の状況を取締役会に報告しなければならない。この場合，執行役は，代理人として他の執行役によりその報告をすることができる（会社417条4項）。

さらに，執行役は，取締役会の要求があったときは，取締役会に出席して，取締役会が求めた事項について説明をしなければならない（会社417条5項）。

## 4 委員会

(1) 権限

指名委員会等設置会社に設けられた委員会の権限はつぎのとおりである。

① 指名委員会（会社404条1項）　株主総会に提出する取締役および会計参与の選任および解任に関する議案の内容を決定する権限を有する。

② 監査委員会（会社404条2項）　取締役，執行役および会計参与の職務の執行の監査および監査報告の作成，株主総会に提出する会計監査人の選任および解任ならびに不再任に関する議案の内容を決定する権限を有する。

③ 報酬委員会（会社404条3項）　取締役，執行役および会計参与が受ける個人別の報酬等の内容を決定する権限を有する。なお，執行役が支配人その他の使用人を兼ねているときは，その支配人その他の使用人の報酬等の内容についても決定する。

## (2) 委員の選定と解職

　各委員会は，取締役の中から，取締役会の決議により選定した取締役3名以上で組織され（会社400条1項・2項），各委員会の委員の過半数は社外取締役でなければならない（会社400条3項）。各取締役は他の委員会の委員を兼ねることはできるが，監査委員会の監査委員は自己監査となるので，その会社もしくは子会社の執行役もしくは業務執行取締役または子会社の会計参与もしくは支配人その他の使用人を兼務することはできない（会社400条4項）。なお，各委員会の委員は，いつでも，取締役会の決議により解職することができる（会社401条1項）。

## (3) 監査委員の職務

### ① 調　　査

　監査委員会の選定する監査委員は，いつでも，執行役等および支配人その他の使用人に対し，その職務の執行に関する事項の報告を求め，またはその会社の業務および財産の状況の調査をすることができる（会社405条1項）。

　さらに，監査委員は，監査委員会の職務を執行するため必要があるときは，その子会社に対して事業の報告を求め，その子会社の業務および財産の状況の調査をすることができる（会社405条2項）。その子会社は，正当な理由があるときは，その報告または調査を拒否することができる（会社405条3項）。

### ② 報告義務

　監査委員は，執行役または取締役が不正の行為をし，もしくはその行為をするおそれがあると認めるとき，または法令・定款に違反する事実もしくは著しく不当な事実があると認めるときは，遅滞なく，その旨を取締役会に報告しなければならない（会社406条）。

### ③ 違法行為差止請求権

　監査委員は，執行役または取締役が会社の目的の範囲外の行為その他法令もしくは定款に違反する行為をし，またはこれらの行為をするおそれがある場合，その行為により会社に著しい損害が生ずるおそれがあるときは，その執行役または取締役に対し，その行為の差止請求権が認められている（会社407条

1項)。

### (4) 会社の訴訟代表

指名委員会等設置会社と執行役または取締役の間の訴えについては、①監査委員が訴訟の当事者である場合には取締役会が定める者、②それ以外の場合には監査委員会が選定する監査委員が指名委員会等設置会社を代表する（会社408条1項）。

### (5) 報酬等の決定

報酬委員会は、執行役等の個人別の報酬等の内容に係る決定に関する方針を定め、それに従い個人別の額、具体的な算定方法および募集株式・募集新株予約権など金銭でない場合の個人別の具体的な内容を決定しなければならない（会社409条）。

### (6) 招　集

委員会は、その委員会の各委員が招集し（会社410条）、その委員は、委員会の日の1週間（これを下回る期間を取締役会で定めた場合においては、その期間）前までに、その委員会の各委員に対してその通知を発しなければならない（会社411条1項）。ただし、その委員会の委員全員の同意があるときは、招集手続を省略して開催することができる（会社411条2項）。

なお、取締役および執行役は、委員会の要求があったときは、その委員会に出席し、その委員会が求めた事項について説明しなければならない（会社411条3項）。

### (7) 決　議

委員会の決議は、議決に加わることができる委員の過半数（これを上回る割合を取締役会で定めた場合においては、その割合以上）が出席し、その過半数（これを上回る割合を取締役会で定めた場合においては、その割合以上）をもって行う（会社412条1項）。なお、この決議について特別の利害関係を有す

る委員は，議決に加わることはできない（会社412条2項）。

#### (8) 議　事　録

委員会の議事については，議事録を作成しなければならないが，書面をもって作成されたときは，出席した委員の署名または記名押印が必要である（会社412条3項）。ただし，電磁的記録をもって議事録が作成されているときは，署名または記名押印に代わる措置をとらなければならない（会社412条4項）。なお，委員会の決議に参加した委員で，議事録に異議をとどめなかった者は，その決議に賛成したものと推定される（会社412条5項）。

#### (9) 議事録の備置きと閲覧・謄写

委員会の日から10年間，委員会の議事録をその本店に備え置かなければならない（会社413条1項）。取締役，株主，債権者，親会社社員は，権利を行使するためまたは委員の責任を追及するため必要があるときは，議事録（書面または電磁的記録）を閲覧または謄写することができる（会社413条2項・3項・4項）。

ただし，裁判所は，閲覧または謄写により，その会社またはその親会社もしくは子会社に，著しい損害を及ぼすおそれがあると認めるときは，閲覧または謄写の許可をすることはできない（会社413条5項）。

### 5　執行役と代表執行役

#### (1) 執行役の選解任

指名委員会等設置会社は，執行役を置かねばならず（会社402条1項），指名委員会等設置会社と執行役の関係は，委任に関する規定に従う（会社402条3項）。執行役の選任および解任は取締役会決議で行い（会社402条2項・403条1項），執行役の資格等（資格および欠格事由）については，取締役の資格等の規定（会社331条1項）が準用される（会社402条4項）。

指名委員会等設置会社（全株式譲渡制限会社を除く）は，執行役が株主でな

ければならない旨を定款で定めることはできないが（会社402条5項），執行役が，取締役を兼ねることはできる（会社402条6項）。また，執行役の任期は，定款により短縮することはできるが，選任後1年以内に終了する事業年度のうち最終のものに関する定時株主総会の終結後最初に招集される取締役会の終結時までである。（会社402条7項）。

### (2) 執行役の義務

執行役は，取締役会決議により委任された業務執行の決定および業務執行を行い（会社418条），会社に著しい損害を及ぼすおそれのある事実を発見したときは，直ちに，その事実を監査委員に報告しなければならない（会社419条1項）。また，執行役は，指名委員会等設置会社に対し善管注意義務および忠実義務を負い，会社との競業取引および利益相反取引につき取締役と同様の規制を受ける（会社419条2項）。

なお，執行役員とは，業務執行に関しては裁量権を持っているが，会社の機関ではなく，重要な使用人であり（会社362条4項3号），執行役とはまったく別の存在である。

### (3) 代表執行役

指名委員会等設置会社は，取締役会の決議により，執行役の中から代表執行役を定めなければならないが，執行役が1人のときにはその者が代表執行役になる（会社420条1項）。さらに，代表執行役は，いつでも，取締役会の決議により解職することができる（会社420条2項）。

代表執行役については，一般の株式会社の代表取締役の規定が準用され（会社420条3項），代表執行役以外の執行役に社長，副社長その他代表権を有するものと認められる名称を付した場合には，その執行役がした行為について，善意の第三者に対してその責任を負うとする表見代表執行役（会社421条）の規定がある。

### (4) 株主の違法行為差止請求権

6か月（これを下回る期間を定款で定めた場合においては，その期間）前から引き続き株式を有する株主（全株式譲渡制限会社においては，6か月の保有期間制限はない）は，執行役が会社の目的の範囲外の行為その他法令もしくは定款に違反する行為をし，またはこれらの行為をするおそれがある場合において，その行為によりその会社に回復できない損害を生ずるおそれがあるときは，その執行役に対し行為をやめることを請求することができる（会社422条）。

## 第9節　役員等の損害賠償責任

### 1　役員等の株式会社に対する損害賠償責任

#### (1) 意　義

役員等（取締役，会計参与，監査役，執行役，会計監査人）は，その任務を怠ったときは，株式会社に対し，これによって生じた損害の賠償責任を負う（会社423条1項）。さらに，取締役または執行役が取締役会または株主総会の承認手続に違反して競業取引を行ったときは，その取引によって取締役，執行役または第三者が得た利益の額は，その損害額と推定される（会社423条2項）。

また，利益相反取引により株式会社に損害が生じたときは，行為をしまたはその取引を決定した取締役・執行役，およびその取引に関する取締役会の承認の決議に賛成した取締役は，その任務を怠ったものと推定されるが（会社423条3項），取締役会の承認の有無にかかわらず，立証責任が転換される。

#### (2) 責任の免除

役員等の損害賠償責任は，原則としてすべての株主が同意しなければ免除することができない（会社424条）。

(3) 責任の軽減

① 株主総会決議による責任軽減の規定

　役員等が，職務を行うにつき善意でかつ重大な過失がないときは，賠償責任を負う額から最低責任限度額を控除して得た額（免除額）を限度として，株主総会の特別決議により免除することができる（会社425条1項）。最低責任限度額とは，ア）代表取締役または代表執行役の年の報酬等の6年分，イ）代表取締役以外の取締役（業務執行取締役等であるものに限る）または代表執行役以外の執行役の年の報酬等の4年分，ウ）取締役（ア）およびイ）に掲げるものを除く），会計参与，監査役または会計監査人の年の報酬等の2年分，エ）役員等が会社から新株予約権を引き受けた場合の利益相当額の合計額である。

　この場合，取締役は，この株主総会において，責任の原因となった事実および賠償の責任を負う額，免除することができる額の限度およびその算定の根拠，責任を免除すべき理由および免除額を開示しなければならない（会社425条2項）。ただし，監査役設置会社または監査等委員会設置会社・指名委員会等設置会社においては，監査等委員または監査委員以外の取締役および執行役の責任の一部免除については，各監査役または各監査等委員・各監査委員の同意を得なければならない（会社425条3項・426条2項）。

　なお，免除の株主総会決議後にその役員等に，退職慰労金その他の財産上の利益を与えるときや新株予約権を行使または譲渡するときには，株主総会の承認が必要である（会社425条4項）。

② 取締役（会）による責任軽減に関する定款の定めの規定

　監査役設置会社（取締役が2人以上いる場合に限る）または監査等委員会設置会社・指名委員会等設置会社は，役員等の損害賠償責任について，その役員等が職務を行うにつき善意でかつ重大な過失がない場合において，責任の原因となった事実の内容，その役員等の職務の執行の状況その他の事情を勘案して特に必要と認めるときは，免除することができる額を限度として取締役（その責任を負う取締役を除く）の過半数の同意（取締役会設置会社においては，取締役会の決議）によって免除することができる旨を定款で定めることができる（会社426条1項）。

定款の定めに基づいて役員等の責任を免除する旨の同意（取締役会設置会社の場合は、取締役会の決議）を行ったときは、取締役は、遅滞なく、株主総会における開示事項および責任を免除することに異議がある場合には、1か月を下回らない一定の期間内に異議を述べるべき旨を公告し、または株主に通知しなければならない（会社426条3項）。

ただし、総株主の議決権の100分の3（これを下回る割合を定款で定めた場合においては、その割合）以上の議決権を有する株主が、一定の期間内に異議を述べたときは、株式会社は、定款の定めに基づく免除をしてはならない（会社426条7項）。

③ 責任限定契約による責任軽減に関する定款の定めの規定

株式会社は、業務執行取締役等を除く取締役、会計参与、監査役、会計監査人（以下、非業務執行取締役等という）の損害賠償責任について、その非業務執行取締役等が職務を行うにつき善意でかつ重大な過失がないときは、定款で定めた額の範囲内で、あらかじめ株式会社が定めた額と最低責任限度額とのいずれか高い額を限度とする旨の契約を、非業務執行取締役等と締結することができる旨を定款で定めることができる（会社427条1項）。

この責任限定契約を締結した非業務執行取締役等が、その株式会社の業務執行取締役等に就任したときは、この契約は将来に向かってその効力を失う（会社427条2項）。

(4) 利益相反取引に対する責任

利益相反取引のうち、取締役または執行役が自己のために株式会社と直接取引をした場合の損害賠償責任は、任務を怠ったことがその取締役または執行役の責めに帰することができない事由によるものであったとしても免れることはできない（会社428条1項）。しかも、責任の一部免除の適用は認められない（会社428条2項）。

つまり、利益相反取引は、原則として過失責任であるが、自己のために株式会社と直接に利益相反取引をした取締役・執行役ついては、例外的に無過失責任である。

### (5) 利益供与に対する責任

株式会社は，何人に対しても，株主の権利行使に関し，財産上の利益の供与（その株式会社またはその子会社の計算においてするものに限る）をしてはならない（会社120条1項）。株式会社が，この規定に違反して財産上の利益を供与したときは，その利益の供与を受けた者は，これをその株式会社またはその子会社に返還しなければならない（会社120条3項）。

また，財産上の利益を供与することに関与した取締役・執行役は，その株式会社に対して，連帯して，供与した利益の価額に相当する額を支払う義務を負う。ただし，その者（その利益の供与をした取締役を除く）が，その職務を行うについて注意を怠らなかったことを証明した場合は，支払う義務を負わなくてよい（会社120条4項）。その義務は，総株主の同意がなければ免除することはできない（会社120条5項）。

つまり，利益供与に係る取締役・執行役の責任についても，利益供与に関与しただけの取締役・執行役については過失責任であるが，利益供与を直接した取締役・執行役は無過失責任を負う。

## 2　役員等の第三者に対する損害賠償責任

### (1) 意　義

役員等がその職務を行うにつき悪意または重大な過失があったときは，その役員等は，これにより第三者に生じた損害を賠償する責任を負う（会社429条1項）。また，次に掲げる者が，所定の行為をしたときも，同様に，第三者に対し損害賠償の過失責任を負い（会社429条2項），100万円以下の過料が科される（会社976条7号）。

① 取締役および執行役の行為

　イ）株式，新株予約権，社債もしくは新株予約権付社債を引き受ける者の募集をする際に，通知しなければならない重要な事項についての虚偽の通知，またはその募集のためのその株式会社の事業その他の事項に関する説明に用いた資料についての虚偽の記載もしくは記録

ロ）計算書類および事業報告ならびにこれらの附属明細書ならびに臨時計算書類に記載または記録すべき重要な事項についての虚偽の記載または記録
ハ）虚偽の登記
ニ）虚偽の公告
② 会計参与の行為

計算書類およびその附属明細書，臨時計算書類ならびに会計参与報告に記載または記録すべき重要な事項についての虚偽の記載または記録
③ 監査役および監査委員の行為

監査報告に記載または記録すべき重要な事項についての虚偽の記載または記録
④ 会計監査人の行為

会計監査報告に記載または記録すべき重要な事項についての虚偽の記載または記録

(2) 第三者に生じた損害

役員等が，株式会社または第三者に生じた損害を賠償する責任を負う場合において，他の役員等もその損害を賠償する責任を負うときは連帯債務者となる（会社430条）。この場合，第三者とは，取締役の行為により直接または間接に損害を受けた株主を含むすべての第三者を意味する（通説・判例）。

しかし，株主の間接損害は，株主代表訴訟による会社に対する損害賠償履行により会社の損害がてん補されるなら，株主の損害もてん補されることになり，株主が直接損害を受けた場合だけを含ませるべきであるとする説も有力である。

## 3 補償契約と役員等賠償責任保険契約

(1) 補償契約

株式会社が，役員等に対してつぎに掲げる費用等の全部または一部をその株

式会社が補償することを約する契約（以下，「補償契約」という）の内容の決定をするには，株主総会（取締役会設置会社にあっては，取締役会）の決議によらなければならない（会社430条の2第1項）。

(a) その役員等が，その職務の執行に関し，法令の規定に違反したことが疑われ，または責任の追及に係る請求を受けたことに対処するために支出する費用

(b) その役員等が，その職務の執行に関し，第三者に生じた損害を賠償する責任を負う場合におけるつぎに掲げる損失

イ　その損害をその役員等が賠償することにより生ずる損失

ロ　その損害の賠償に関する紛争について当事者間に和解が成立したときは，その役員等がその和解に基づく金銭を支払うことにより生ずる損失

　また，株式会社は，補償契約を締結している場合であっても，その補償契約に基づき，つぎに掲げる費用等を補償することができない（会社430条の2第2項）。

(a) その役員等が，請求を受けたことに対処するために支出する費用のうち通常要する費用の額を超える部分

(b) その株式会社が損害を賠償するとすればその役員等がその株式会社に対して損害賠償責任を負う場合には，損失のうちその責任に係る部分

(c) 役員等がその職務を行うにつき悪意または重大な過失があったことにより損害賠償責任を負う場合には，損失の全部

　さらに，補償契約に基づきその役員等が，請求を受けたことに対処するために支出する費用を補償した株式会社が，その役員等が自己もしくは第三者の不正な利益を図り，またはその株式会社に損害を加える目的で職務を執行したことを知ったときは，その役員等に対し，補償した金額に相当する金銭を返還することを請求することができる（会社430条の2第3項）。

　なお，取締役会設置会社においては，補償契約に基づく補償をした取締役およびその補償を受けた取締役は，遅滞なく，その補償についての重要な事実を取締役会に報告しなければならない（会社430条の2第4項）。

　ただし，競業取引や利益相反取引規制の規定は，株式会社と取締役または執

行役との間の補償契約については適用しない（会社430条の2第6項）。さらに，自己契約および双方代理の規定は，株主総会（取締役会設置会社にあっては，取締役会）の決議によってその内容が定められた補償契約の締結については適用しない（会社430条の2第7項）。

### (2) 役員等賠償責任保険契約（D＆O保険）

株式会社が，保険者との間で締結する保険契約のうち，役員等がその職務の執行に関し責任を負うこと，またはその責任の追及に係る請求を受けることによって生ずる損害を保険者が塡補することを約するものであって，役員等を被保険者とするもの（その保険契約を締結することにより被保険者である役員等の職務の執行の適正性が著しく損なわれるおそれがないものとして法務省令で定めるものを除く。以下，「役員等賠償責任保険契約」という）の内容の決定をするには，株主総会（取締役会設置会社にあっては，取締役会）の決議によらなければならない（会社430条の3第1項）。

また，競業取引や利益相反取引規制の規定は，株式会社が保険者との間で締結する保険契約のうち役員等がその職務の執行に関し責任を負うこと，またはその責任の追及に係る請求を受けることによって生ずることのある損害を保険者が塡補することを約するものであって，取締役または執行役を被保険者とするものの締結については適用しない（会社430条の3第2項）。

なお，自己契約および双方代理の規定は，保険契約の締結については適用しない。ただし，その契約が役員等賠償責任保険契約である場合には，株主総会（取締役会設置会社にあっては，取締役会）の決議によってその内容が定められたときに限る（会社430条の3第3項）。

## 4　株主代表訴訟（責任追及等の訴え）

### (1) 意　義

本来，会社に対する役員等の損害賠償責任は会社自身が追及すべきものであるが，会社と役員等との関係から責任追及はあまり期待できない。しかし，会

社の利益が害され，その結果，株主の利益も害されることになるので，株主が会社に代わり，会社のために責任追及の訴訟を提起できる株主代表訴訟の制度が認められている。

(2) 訴訟手続
① 会社に対する請求
　株主代表訴訟は，6か月（これを下回る期間を定款で定めた場合においては，その期間）前から引き続き株式を有する株主（全株式譲渡制限会社においては，6か月の株式保有期間制限はない）が，発起人，設立時取締役，設立時監査役，役員等もしくは清算人の責任を追及する訴訟の提起を，株式会社に対して書面その他の法務省令で定める方法により請求することができる。
　ただし，責任追及の訴えが，その株主もしくは第三者の不正な利益を図り，または株式会社に損害を加えることを目的とする場合（提訴禁止事由）には，訴訟の却下事由とされ訴訟の提起をすることはできない（会社847条1項・2項）。

② 株主による訴訟の提起
　株式会社が，訴訟提起の請求の日から60日以内に責任追及の訴えを提起しないときは，その請求をした株主は，株式会社のために訴訟を提起できる（会社847条3項）。この場合，株式会社は，訴えの提起の請求をした株主または発起人，設立時取締役，設立時監査役，役員等もしくは清算人から請求を受けたときは，その請求をした者に対し，遅滞なく，責任追及の訴えを提起しない理由を，書面その他の法務省令で定める方法により通知しなければならない（会社847条4項）。
　しかし，60日の期間の経過により株式会社に回復することができない損害が生ずるおそれがある場合には，訴えの提起を請求した株主は，株式会社のために，提訴請求を経ずに直ちに責任追及の訴訟を提起することができる。ただし，却下事由に該当する場合は，この限りではない（会社847条5項）。なお，被告がその訴えの提起が悪意であることを疎明したときは，濫用防止のため，裁判所は，被告の申立てにより，その株主に対し相当の担保を提供すべきこと

を命ずることができる（担保提供命令）（会社847条の4第2項・3項）。

### (3) 補助参加

　責任追及の訴えは，株式会社の本店の所在地を管轄する地方裁判所の管轄に専属し（会社848条），株主または株式会社は，共同訴訟人または当事者の一方を補助するため，責任追及訴訟に参加することができる。ただし，不当に訴訟手続を遅延させることになるとき，または裁判所に対し過大な事務負担を及ぼすことになるときは，この限りでない（会社849条1項）。

　株式会社は，取締役（監査等委員および監査委員を除く），執行役および清算人ならびにこれらの者であった者を補助するため，責任追及訴訟に参加するには，監査役設置会社の場合には，監査役（監査役が2人以上の場合には，各監査役），監査等委員会設置会社または指名委員会等設置会社の場合には，各監査等委員または各監査委員の同意を得なければならない（会社849条3項）。

### (4) 訴訟告知

　株主は，責任追及の訴えを提起したときは，遅滞なく，株式会社に対し，訴訟告知をしなければならない（会社849条3項）。株式会社は，責任追及の訴えを提起したとき，または訴訟告知を受けたときは，遅滞なく，その旨を公告しまたは株主に通知しなければならない（会社849条4項）。

### (5) 和　解

　株式会社が，その株式会社の取締役（監査等委員および監査委員を除く），執行役および清算人ならびにこれらの者であった者の責任を追及する訴えに係る訴訟において和解をするには，その株式会社の区分に応じ，(a) 監査役設置会社の監査役（監査役が2人以上ある場合にあっては，各監査役），(b) 監査等委員会設置会社の各監査等委員，(c) 指名委員会等設置会社の各監査委員，の同意を得なければならない（会社849条の2）。

　責任追及訴訟における和解の手続については，株式会社が和解の当事者でない場合には，その会社の承認がある場合を除き，和解に訴訟の判決と同じ効力

を与えず（会社850条1項），裁判所は，その会社に対し和解の内容を通知し，かつ，その和解に異議があるときは，2週間以内に異議を述べるべき旨を催告しなければならない（会社850条2項）。その会社が，期間内に書面により異議を述べなかったときは，裁判所からの通知の内容をもって，株主が和解することを承認したものとみなす（会社850条3項）。

### (6) 原告適格の継続

　責任追及訴訟を提起した株主，または共同訴訟人として訴訟に参加した株主が，株式交換または株式移転により完全親会社の株主となった場合や，合併により消滅会社の株主であった者が，新設会社または存続会社もしくはその完全親会社の株主となった場合のように，その訴訟の係属中に株主でなくなった場合であっても，原告適格を喪失せず，訴訟を追行することができる（会社851条）。

　さらに，株主は，株式会社の株主でなくなった場合でも，株式交換完全子会社もしくは株式移転完全子会社または吸収合併存続株式会社に対して，その株式会社の株式交換または株式移転によりその株式会社の完全親会社の株式を取得し，引き続きその株式を有するとき，または，その株式会社が吸収合併により消滅する会社となる吸収合併により，吸収合併後存続する株式会社の完全親会社の株式を取得し，引き続きその株式を有するときは，責任追及等の訴えの提起を請求することができる（会社847条の2）。

　つまり，株式交換等の前に責任追及訴訟の提起がなされていなくても，その原因となる事実が生じていれば，株式交換等による完全親会社や吸収合併後存続する株式会社の完全親会社の株主となる者が，株式交換等の後でも株主代表訴訟を提起できるのである。

### (7) 費用負担

　代表訴訟は，非財産的請求とみなされ（会社847条6項），民事訴訟費用等に関する法律4条2項により，原告である株主の申立手数料は一律13,000円となり，その金額の収入印紙を貼付すれば代表訴訟を提起できる。

第4章 機 関 175

ただし，代表訴訟は，株主が株式会社のために行い，その会社に勝訴判決の利益が帰属するものであるが，株主は，訴訟費用以外の支出費用（旅費，調査費用など）と弁護士もしくは弁護士法人の報酬の範囲内で相当額の支払を会社に対し請求することができる（会社852条1項）。

(8) 株主敗訴の場合の責任

責任追及の訴えをした株主等が敗訴した場合であっても，悪意である場合を除き，その株主等はその会社等に対し，これによって生じた損害を賠償する義務を負わない（会社852条2項）。この規定は，訴訟参加した株主についても準用する（会社852条3項）。

(9) 再審の訴え

責任追及の訴えが提起された場合において，原告および被告が共謀して，その会社の権利を害する目的をもって判決をさせたときは，その会社または株主は，確定終局判決に対し，再審の訴えをもって不服を申し立てることができる（会社853条）。

## 5 多重代表訴訟（特定責任追及の訴え）

(1) 意 義

多重代表訴訟とは，親会社株主保護の観点から，親会社の株主が子会社に代わり，子会社の取締役等のその子会社に対する損害賠償責任（特定責任）を追及する訴訟である。なお，親会社取締役が，子会社取締役の職務執行を監督する旨の明文規定を設けることが掲げられていたが，親会社取締役に加重な義務を課すこととなり，子会社に対する管理を萎縮させることになるので明文規定の導入はされなかった。

(2) 原告適格

株式会社（子会社）の最終完全親会社（子会社の完全親法人である株式会社で，その完全親法人がないもの）の総株主の議決権の100分の1以上の議決権

または発行済株式の100分の1以上の数の株式を有する株主（公開会社の場合には6か月前からの株主に限る）は，その子会社に対し，発起人，設立時取締役，設立時監査役，取締役，会計参与，監査役，執行役，会計監査人または清算人（以下，取締役等という）の責任を追及する訴えの提起を請求することができる（会社847条の3第1項）。

ただし，その訴えが株主もしくは第三者の不正の利益を図りまたはその子会社もしくはその最終完全親会社に損害を与えることを目的としている場合や，その訴えに係る責任の原因となった事実によってその最終完全親会社に損害が生じていない場合には，この限りでない（会社847条の3第1項但書）。

(3) 特定責任

子会社の取締役等の特定責任は，その原因となった事実が生じた日において，その子会社の最終完全親会社が有するその子会社の株式の帳簿価額（その最終完全親会社の完全子法人が有するその子会社の株式の帳簿価額を含む）が，その最終完全親会社の総資産額の5分の1を超える場合に限り，この請求の対象とすることができる（会社847条の3第4項）。

なお，子会社が，この請求の日から60日以内に訴えを提起しないときは，その請求をした最終完全親会社の株主は，その子会社のために訴えを提起することができ（会社847条の3第7項），その子会社の取締役等の責任は，子会社の総株主および最終完全親会社の総株主の同意がなければ免除することはできない（会社847条の3第10項）。

また，特定責任の一部免除は，子会社の株主総会の特別決議に加え，最終完全親会社の株主総会の特別決議が必要である（会社425条1項）。

(4) 補助参加

最終完全親会社の株主は，共同訴訟人として，または当事者の一方を補助するため，多重代表訴訟に係る訴訟に参加することができ，この最終完全親会社も，当事者の一方を補助するため，その訴訟に参加することができる（会社849条1項）。

(5) 敗訴した株主等の損害賠償責任

　責任追及の訴えをした株主等が敗訴した場合であっても，悪意である場合を除き，その株主等はその会社等に対し，これによって生じた損害を賠償する義務を負わない（会社852条2項）。この規定は，訴訟参加した株主についても準用する（会社852条3項）。

# 5章 計算

## 第1節 総　説

　株式会社が財産および損益の状況を明らかにすることにより，その支払能力や信用能力を明らかにし，会社の合理的経営を図り会社を維持することは社会的な要請でもある。会計帳簿や計算書類等の整備により会社の財産および損益の状況が適正に表示されることは，債権者保護ばかりでなく，株主・従業員等の利益が保護され，国や地方公共団体に対する租税にとっても意味がある。そのため，会社法は，会計帳簿と計算書類等の作成を法律上の義務として法規制の対象としている。

　さらに，株式会社の所有と経営の分離により，株主に経営を委託された取締役は，会社財産の管理運用の状況とその結果を株主に報告しなければならない。また，株主は間接有限責任を負うのみであるから，会社債権者は，債権回収のために会社財産の状況を重視せざるを得ない。したがって，会計帳簿や計算書類等を作成し，閲覧できるようにする必要がある。

　そのため，株式会社の会計は，一般に公正妥当と認められる企業会計の慣行に従うものとし（会社431条），法務省の定めるところにより，適時に，正確な会計帳簿を作成しなければならない（会社432条1項）。さらに，計算書類（貸借対照表，損益計算書その他株式会社の財産および損益の状況を示すために必要かつ適当なものとして法務省令で定めるものをいう）および事業報告ならびにこれらの附属明細書を作成しなければならない（会社435条2項）。また，株式会社は，計算書類を決算公告し（会社440条），計算書類等をその本店・支店に備え置き，株主および債権者等は閲覧することができる（会社442条）。

## 第2節　会計帳簿と計算書類等

### 1　会計帳簿

#### (1) 作　　成

　株式会社の事業上のすべての取引その他事業上の財産に影響を及ぼすべき事項を継続的・組織的に記載または記録する帳簿を会計帳簿という。この帳簿は，事業上の財産および損益の状態を示すものであり，計算書類を作成する基礎となる。

　会計帳簿の記載方法は，整然かつ明瞭に記載することが要求され，通常は複式簿記の技術が採用され公正な会計慣行により，日々の取引を発生順に日記帳に記載し，その取引を借方と貸方に振り分けて仕訳帳に記載し，勘定科目ごとに転記し元帳を各別に作成する。

　会計帳簿には日記帳，仕訳帳またはこれに代わって使用される伝票類および元帳などの主要簿と，これらの補助簿である現金出納帳，仕入帳，売上帳，手形記入帳，商品有高帳などが該当する。

#### (2) 保存および閲覧・謄写請求

　株式会社は，会計帳簿の閉鎖のときから10年間，その会計帳簿およびその事業に関する重要な資料を保存しなければならない（会社432条2項）。また，総株主（株主総会決議事項の全部につき議決権を行使できない株主を除く）の議決権の100分の3（これを下回る割合を定款で定めた場合にあっては，その割合）以上の議決権を有する株主または発行済株式（自己株式を除く）の100分の3（これを下回る割合を定款で定めた場合にあっては，その割合）以上の数の株式を有する株主は，その会社の営業時間内は，いつでも，理由を明らかにして，会計帳簿またはこれに関する資料（書面または電磁的記録）の閲覧または謄写の請求をすることができる（会社433条1項）。

この請求があったときは、株式会社は、①その請求を行う株主（請求者）が、その権利の確保または行使に関する調査以外の目的で請求を行ったとき、②請求者が、その会社の業務遂行を妨げ、株主の共同の利益を害する目的で請求を行ったとき、③請求者が、その会社の業務と実質的に競争関係にある事業を営み、またはこれに従事するものであるとき、④請求者が、会計帳簿またはこれに関する資料の閲覧または謄写により知り得た事実を、利益を得て第三者に通報するため請求したとき、⑤請求者が、過去2年以内において、会計帳簿またはこれに関する資料の閲覧または謄写により知り得た事実を、利益を得て第三者に通報したことがあるときのいずれかに該当すると認められる場合には、その請求を拒否することができる（会社433条2項）。

また、株式会社の親会社社員は、その権利を行使するために必要があるときは、裁判所の許可を得て、会計帳簿またはこれに関する資料についての閲覧または謄写の請求をすることができる（会社433条3項）。しかし、その親会社社員について、その請求を拒絶する上記の正当な事由があるときは、裁判所は、その請求を許可することはできない（会社433条4項）。

### (3) 提出命令

裁判所は、申立てまたは職権により、訴訟の当事者に対し、会計帳簿の全部または一部の提出を命ずることができる（会社434条）。

## 2 計算書類等

### (1) 作成と保存

株式会社は、その成立の日における貸借対照表を作成しなければならない（会社435条1項）。さらに、各事業年度に係る計算書類（貸借対照表、損益計算書、その他株式会社の財産および損益の状況を示すた

図表2-5-1 決算のフロー

計算書類の作成
↓
計算書類の監査
（監査役等・会計監査人）
↓
計算書類の承認
（取締役会）
↓
計算書類の承認
（株主総会）
↓
計算書類の決算公告
（官報・日刊新聞・WEB）

めに必要かつ適当なものとして法務省令で定めるものをいう）および事業報告ならびにこれらの附属明細書を作成しなければならない（電磁的記録をもって作成することもできる）（会社435条2項・3項）。また，株式会社は，計算書類を作成した時から10年間，計算書類およびその附属明細書を保存しなければならない（会社435条4項）。

(2) 監　　査

監査役設置会社（会計監査人設置会社を除く）において，計算書類および事業報告ならびにこれらの附属明細書は，監査役の監査を受けなければならない（会社436条1項）。また，会計監査人設置会社においては，計算書類およびその附属明細書については，監査役または監査等委員会・監査委員会および会計監査人の監査を，事業報告およびその附属明細書については，監査役または監査等委員会・監査委員会の監査を受けなければならない（会社436条2項）。

さらに，取締役会設置会社においては，計算書類および事業報告ならびにこれらの附属明細書（監査役または監査等委員会・監査委員会および会計監査人の監査を受けたもの）は，取締役会の承認を受けなければならない（会社436条3項）。

(3) 株主への提供

取締役会設置会社においては，取締役は，定時株主総会の招集の通知に際して，株主に対し，取締役会の承認を受けた計算書類および事業報告（監査報告または会計監査報告を含む）を提供しなければならない（会社437条）。したがって，取締役会を設置しない会社においては，株主総会招集通知に計算書類や事業報告を添付しなくてもよい。

(4) 承認手続

取締役は，監査役設置会社（取締役会設置会社を除く）においては監査役の監査を受けた計算書類および事業報告，会計監査人設置会社（取締役会設置会社を除く）においては監査役および会計監査人の監査を受けた計算書類および

事業報告，取締役会設置会社においては取締役会の承認を受けた計算書類および事業報告を定時株主総会に提出または提供（電磁的記録の場合）しなければならない（会社438条1項）。

　提出または提供された計算書類は，定時株主総会の承認を受けなければならない（会社438条2項）。また，取締役は，事業報告の内容を定時株主総会に報告しなければならない（会社438条3項）。ただし，会計監査人設置会社については，取締役会の承認を受けた計算書類が，法令および定款に従い会社の財産および損益の状況を正しく表示している場合には，定時株主総会の承認を受ける必要はないが，取締役は，その計算書類の内容を報告しなければならない（会社439条）。

### (5) 決算公告

　すべての株式会社は，定時株主総会終結後遅滞なく，貸借対照表（大会社においては，貸借対照表および損益計算書）を公告しなければならない（会社440条1項）。ただし，その公告方法が，官報または日刊新聞紙に掲載する方法である株式会社は，貸借対照表の要旨を公告することで足りる（会社440条2項）。

　また，株式会社は，定時株主総会の終結後遅滞なく，貸借対照表の内容である情報を，定時株主総会の終結日から5年を経過する日までの間，継続して電磁的方法により，不特定多数の者が提供を受けることができる状態に置く措置をとることができる。この場合には，公告は不要である。（会社440条3項）。さらに，有価証券報告書を提出しなければならない株式会社については，金融庁の電子開示システム（EDINET）により，インターネットで計算書類を公開しているので，計算書類の公告義務は課されない（会社440条4項）。

### (6) 臨時計算書類

　株式会社は，最終事業年度の直後の事業年度に属する一定の日（臨時決算日）におけるその株式会社の財産状況を把握するため，臨時計算書類（臨時決算日における貸借対照表および臨時決算日の属する事業年度の初日から臨時決

算日までの期間に係る損益計算書）を作成することができる（会社441条1項）。これは，剰余金の配当が期中において随時認められ，剰余金の分配可能額が，決算期後の計算書類確定時までの損益の増減を反映できる分配時基準を採用しているからである。

　監査役設置会社および会計監査人設置会社においては，臨時計算書類は，監査役または監査等委員会・監査委員会および会計監査人の監査を受けなければならない（会社441条2項）。さらに，取締役会設置会社では，監査を受けた臨時計算書類は，取締役会の承認を受けなければならない（会社441条3項）。また，監査役設置会社または会計監査人設置会社においては監査を受けた臨時計算書類，取締役会設置会社においては取締役会の承認を受けた臨時計算書類は，株主総会の承認を受けなければならない。

　ただし，臨時計算書類が，法令および定款に従い，会社の財産および損益の状況を正しく表示しているものとして法務省令で定める要件に該当する場合は，株主総会の承認は必要ない（会社441条4項）。

### (7) 備 置 き

　計算書類および事業報告ならびにこれらの附属明細書（監査報告または会計監査報告を含む）は，定時株主総会の1週間（取締役会設置会社においては，2週間）前から本店に5年間，その写しを支店に3年間備え置かなければならない。

　また，臨時計算書類（監査報告または会計監査報告を含む）については，臨時計算書類を作成した日から本店に5年間，その写しを支店に3年間備え置かなければならない（会社442条1項・2項）。

### (8) 閲覧・謄抄本交付請求

　株主および債権者は，株式会社の営業時間内はいつでも，これらの計算書類等の閲覧または謄本・抄本の交付の請求（書面または電磁的記録）をすることができる（会社442条3項）。また，親会社社員も同様に，その権利行使をするために必要があるときは，裁判所の許可を得て，計算書類等の閲覧または謄

本・抄本の交付の請求をすることができる（会社442条4項）。

(9) 提出命令

裁判所は，申立てまたは職権で，訴訟の当事者に対し，計算書類およびその附属明細書の全部または一部の提出を命ずることができる（会社443条）。

(10) 連結計算書類

会計監査人設置会社は，各事業年度に係る連結計算書類（その会計監査人設置会社およびその子会社から成る企業集団の財産および損益の状況を示すために，必要かつ適当な連結貸借対照表および連結損益計算書をいう）を作成することができる（電磁的記録も可）（会社444条1項・2項）。

しかし，事業年度の末日において大会社であって，有価証券報告書を提出しなければならない会社は，その事業年度に係る連結計算書類を作成しなければならない（会社444条3項）。

連結計算書類は，監査役または監査等委員会・監査委員会および会計監査人の監査を受けなければならない（会社444条4項）。さらに，会計監査人設置会社が取締役会設置会社である場合には，監査役または監査等委員会・監査委員会および会計監査人の監査を受けた連結計算書類は，取締役会の承認を受けなければならない（会社444条5項）。

この場合，取締役は，株主に対する定時株主総会の招集通知に，取締役会の承認を受けた連結計算書類を添付しなければならない（会社444条6項）。なお，取締役は，連結計算書類を定時株主総会に提出または提供し，その内容および監査の結果をその総会に報告しなければならない（会社444条7項）。

(11) 種類および内容

具体的に，計算書類である貸借対照表，損益計算書，株主資本等変動計算書，注記表の様式や内容および事業報告ならびにこれらの附属明細書については，つぎのとおりである。

① 貸借対照表

図表２-５-２　貸借対照表（平成××年×月×日現在）

| 資産の部 | | 負債の部 | |
|---|---|---|---|
| 流動資産 | | 流動負債 | |
| 　現金及び預金 | ××× | 　支払手形 | ××× |
| 　受取手形 | ××× | 　買掛金 | ××× |
| 　売掛金 | ××× | 　短期借入金 | ××× |
| 　有価証券 | ××× | 　未払金 | ××× |
| 　製品及び商品 | ××× | 　未払法人税等 | ××× |
| 　短期貸付金 | ××× | 　賞与引当金 | ××× |
| 　前払費用 | ××× | 　繰延税金負債 | ××× |
| 　繰延税金資産 | ××× | 　その他 | ××× |
| 　その他 | ××× | 　　流動負債合計 | ××× |
| 　貸倒引当金 | △×× | 固定負債 | ××× |
| 　　流動資産合計 | ××× | 　社債 | ××× |
| 固定資産 | | 　長期借入金 | ××× |
| （有形固定資産） | | 　退職給付引当金 | ××× |
| 　建物 | ××× | 　繰越税金負債 | ××× |
| 　構築物 | ××× | 　その他 | ××× |
| 　機械及び装置 | ××× | 　　固定負債合計 | ××× |
| 　工具，器具及び備品 | ××× | 　　　負債合計 | ××× |
| 　土地 | ××× | 純資産の部 | |
| 　建設仮勘定 | ××× | 株主資本 | |
| 　その他 | ××× | 　資本金 | ××× |
| （無形固定資産） | | 　資本剰余金 | |
| 　ソフトウェア | ××× | 　　資本準備金 | ××× |
| 　のれん | ××× | 　　その他資本剰余金 | ××× |
| 　その他 | ××× | 　　資本剰余金合計 | ××× |
| （投資その他の資産） | | 　利益剰余金 | |
| 　関係会社株式 | ××× | 　　利益準備金 | ××× |
| 　投資有価証券 | ××× | 　　その他利益剰余金 | |
| 　出資金 | ××× | 　　　××積立金 | ××× |
| 　長期貸付金 | ××× | 　　　繰越利益剰余金 | ××× |
| 　長期前払費用 | ××× | 　　利益剰余金合計 | ××× |
| 　繰延税金資産 | ××× | 　自己株式 | △×× |
| 　その他 | ××× | 　　株主資本合計 | ××× |
| 　貸倒引当金 | △×× | 評価・換算差額等 | |
| 　　固定資産合計 | ××× | 　その他有価証券評価差額金 | ××× |
| 繰延資産 | ××× | 　評価・換算差額等合計 | ××× |
| 　　　資産合計 | ××× | 新株予約権 | ××× |
| | | 　　　純資産合計 | ××× |
| | | 　　　負債・純資産合計 | ××× |

株式会社

貸借対照表とは，決算時における会社の財政状態を示すことを目的とし，会社の財産の構成を概括的に示す計算書類である。貸借対照表の形式については，特別の法令がある場合を除き，公正な会計慣行によれば足りるが，企業関係者の利害に関するところが大きいことから，その内容が真実であり（真実性の原則），記載が整然かつ明瞭であり（明瞭性の原則），毎期継続的に同一の作成方法が適用されること（継続性の原則）が要求されている。

　貸借対照表は，資産の部，負債の部および純資産の部を設け（会社計規 73 条 1 項），各部の合計額を記載しなければならない。資産の部は，流動資産，固定資産および繰延資産の項目に区分し（会社計規 74 条 1 項），固定資産は，さらに有形固定資産，無形固定資産および投資その他の資産の項目に区分しなければならない（会社計規 74 条 2 項）。

　流動資産は，現金，預金，売掛金，受取手形，商品，製品，仕掛品，原材料，貸付金，売買目的有価証券，短期前払費用，繰延税金資産など営業取引により生じた金銭債権および履行期・償還期限・処分・費用化が決算期後 1 年以内のものとし，それ以外のものは投資その他の資産とする（会社計規 74 条 3 項 1 号）。

　固定資産は，長期にわたり継続して営業の用に供される資産であり，土地，建物，機械設備，建設仮勘定などの有形固定資産（会社計規 74 条 3 項 2 号），特許権，商標権，のれんなどの無形固定資産（会社計規 74 条 3 項 3 号），関係会社の株式，出資金，長期貸付金，繰延税金資産などの投資その他の資産（会社計規 74 条 3 項 4 号）に区分される。

　繰延資産は，支出した費用の効果が次期以降に継続するので，費用と収益を対応させて期間損益計算を適正に行うために，次期以降に属する費用の額を資産として計上し漸次償却することが認められたものである（会社計規 74 条 3 項 5 号）。

　また，負債の部は，流動負債と固定負債の項目に分けられる（会社計規 75 条 1 項）。流動負債は，支払手形，買掛金，前受金，引当金，未払金，未払費用，前受収益，繰延税金負債，その他営業取引により生じた金銭債務および借入金，その他の金銭債務で履行期が決算期から 1 年以内に到来すると認められる

ものをいう（会社計規75条2項1号）。固定負債は，長期の金銭債務である社債や長期借入金などがこれに属する（会社計規75条2項2号）。

引当金は，いまだ支出または発生していない将来の費用または損失を当期の収益に対応させるために，将来の費用または損失の発生に備えて計上される金額であり，その発生が相当確実でかつその年度の費用または損失とするのが相当である額に限られる。引当金には，退職給与引当金，返品調整引当金などがある。

純資産の部は，株主資本，評価・換算差額等，新株予約権および連結貸借対照表においては，さらに少数株主持分の項目に区分する（会社計規76条1項1号・2号）。株主資本は，資本金，新株式申込証拠金，資本剰余金，利益剰余金，自己株式，自己株式申込証拠金の項目に区分する。なお，自己株式は控除形式で記載しなければならない（会社計規76条2項）。資本剰余金は，資本準備金およびその他資本剰余金（資本金および資本準備金減少差益，自己株式処分差益など）に区分し（会社計規76条4項），利益剰余金は，利益準備金およびその他利益剰余金（任意積立金，繰越利益剰余金）に区分しなければならない（会社計規76条5項）。さらに，評価・換算差額等は，その他有価証券評価差額金，繰延ヘッジ損益，土地再評価差額金および連結貸借対照表においては，さらに為替換算調整勘定に細分しなければならない（会社計規76条7項）。

② 損益計算書

損益計算書とは，事業年度に発生した収益と費用を対比して損益を表示し，その年度の経営成績を明らかにすることを目的とした計算書類をいう（会社計規88条）。損益計算書は，売上高から売上原価を減じた額を売上総利益（売上総損失）として表示し（会社計規89条），売上総損益から販売費および一般管理費を減じた額を営業利益（営業損失）として記載する（会社計規90条）。さらに，営業損益に営業外収益（受取配当，受取利息，有価証券売却益，雑収入など）を加算した額から営業外費用（支払割引料，支払利息，有価証券売却損など）を減算した額を経常利益（経常損失）として記載する（会社計規91条）。また，経常損益に特別損益（固定資産売却損益，前期損益修正損益など）の額を加減した税引前当期純利益（税引前当期純損失）の額から（会社計規92条），

図表 2-5-3　損益計算書

$$\begin{bmatrix} 自平成××年×月×日 \\ 至平成××年×月×日 \end{bmatrix}$$

| | |
|---|---:|
| 売上高 | ××× |
| 売上原価 | ××× |
| 　　　売上総利益 | ××× |
| 販売及び一般管理費 | ××× |
| 　　　営業利益 | ××× |
| 営業外収益 | |
| 　受取利息 | ××× |
| 　受取配当金 | ××× |
| 　雑収入 | ××× |
| 　　営業外収益合計 | ××× |
| 営業外費用 | |
| 　支払利息 | ××× |
| 　手形譲渡損 | ××× |
| 　雑支出 | ××× |
| 　　営業外費用合計 | ××× |
| 　　　経常利益 | ××× |
| 特別利益 | |
| 　固定資産売却益 | ××× |
| 　投資有価証券売却益 | ××× |
| 　前期損益修正益 | ××× |
| 　　特別利益合計 | ××× |
| 特別損失 | |
| 　固定資産売却損 | ××× |
| 　減損損失 | ××× |
| 　災害による損失 | ××× |
| 　　特別損失合計 | ××× |
| 　　　税引前当期純利益 | ××× |
| 　　　法人税，住民税及び事業税 | ××× |
| 　　　法人税等調整額 | ××× |
| 　　　　当期純利益 | × |

その事業年度に係る法人税等と法人税等調整額（会社計規93条）を控除した額を当期純利益金額（当期純損失金額）として記載する（会社計規94条）。

③　株主資本等変動計算書

株主資本等変動計算書は，資本金や資本準備金の増減によるその他資本剰余金の増減，自己株式の取得または処分による自己株式の増減，剰余金の配当や当期純利益などの内容を示す繰越利益剰余金を内訳科目とする利益剰余金の増減など，純資産の部の計数の変動を示す明細表である（会社計規96条）。

④　注　記　表

注記表には，つぎに掲げる項目を区分して表示しなければならない（会社計規98条～116条）。継続企業の前提に関する注記，重要な会計方針に係る事項（連結注記表にあっては，連結計算書類の作成のための基本となる事項）に関する注記，貸借対照表等に関する注記，損益計算書に関する注記，株主資本等変動計算書（連結注記表にあっては，連結株主資本等変動計算書）に関する注記，税効果会計に関する注記，リースにより使用する固定資産に関する注記，関連当事者との取引に関する注記，1株当たり情報に関する注記，重要な後発事象に関する注記，連結配当規制適用会社に関する注記，その他の注記。

⑤　附属明細書

附属明細書には，有形固定資産および無形固定資産の明細，引当金の明細，販売費および一般管理費の明細のほか，計算書類（貸借対照表，損益計算書，株主資本等変動計算書，個別注記表）の記載内容を補足する重要な事項を表示し（会社計規117条），会社の財産および損益の状況を詳細に明らかにするものである。

⑥　事　業　報　告

事業報告は，株式会社の状況に関する重要な事項（計算書類およびその附属明細書ならびに連結計算書類の内容となる事項を除く），内部統制システムおよび企業グループ内部統制システムの体制の整備についての決定または決議の内容の概要を記載・説明し明示することを目的とするものである（会社施規118条）。

さらに，公開会社の特則として，株式会社の現況に関する事項（主要な事業

内容，その事業年度における事業の経過およびその成果，資金調達，設備投資，組織再編など），会社役員に関する事項，株式に関する事項，新株予約権などに関する事項（会社施規 119 条～123 条），社外役員を設けた株式会社の特則（会社施規 124 条），会計参与設置会社の特則（会社施規 125 条），会計監査人設置会社の特則（会社施規 126 条），株式会社の支配に関する基本方針（会社施規 127 条）を記載しなければならない。なお，事業報告は計算書類ではないので，会計監査人の監査の対象とはならない（会社法 436 条 2 項 2 号）。

## 第 3 節　資本金および準備金

### 1　総　　則

#### (1)　意　　義

　資本金および準備金は，会社債権者に対する担保財産を意味するが，資本制度によって会社財産が減少することまで阻止することはできない。資本制度は形骸化しているということから，最低資本金制度が廃止され，資本金は単なる出資額を表すにすぎず 1 円でもよいことになった。

　資本金は，貸借対照表の純資産の部に記載される。資本金の額は定款に記載されないが，貸借対照表またはその要旨により公告しなければならず（会社 440 条），登記され一般に公示される（会社 911 条 3 項 5 号）。さらに，その増減は株主資本等変動計算書に記載される。

　また，準備金も資本金と同様の性格を有するが，定時株主総会において，準備金の額のみを減少する場合，減少する準備金の額が欠損額を超えて分配可能額とならない場合には，債権者異議手続を経なくても減少することができるという点において（会社 449 条 1 項但書），資本金と異なる。なお，準備金には，利益準備金と資本準備金があり，準備金の額の登記は不要であるが，貸借対照表により公告され，その増減は株主資本等変動計算書に記載される。

## (2) 資本金の額と準備金の額

　株式会社の資本金の額は，原則として，設立または株式の発行に際して株主となる者が，その株式会社に対して払込みまたは給付をした財産の額である（会社445条1項）。しかし，例外的に，払込みまたは給付に係る額の2分の1を超えない額は，資本金として計上しないことができる（会社445条2項）。資本金として計上しない部分の金額は資本準備金として計上しなければならない（会社445条3項）。

　さらに，剰余金の配当をする場合には，その剰余金の配当により減少する剰余金の額に10分の1を乗じた額を資本準備金または利益準備金として計上しなければならない（会社445条4項）。なお，合併，吸収分割，新設分割，株式交換または株式移転に際して資本金または準備金として計上すべき額については，法務省令で定める（会社445条5項）。

## (3) 剰余金の額

　株式会社の剰余金の額は，つぎの①から④までの合計額から⑤から⑦までの合計額を減じた額である（会社446条）。①最終事業年度の末日におけるイ）およびロ）に掲げる額の合計額からハ）からホ）までに掲げる額の合計額を減じた金額，イ）資産の額，ロ）自己株式の帳簿価額の合計額，ハ）負債の額，ニ）資本金および準備金の額の合計額，ホ）法務省令で定める各勘定科目に計上した額の合計額。②最終事業年度の末日後に自己株式の処分をした場合におけるその自己株式の対価の額からその自己株式の帳簿価額を控除して得た額。③最終事業年度の末日後に資本金の額を減少した場合におけるその減少額。④最終事業年度の末日後に準備金の額を減少した場合におけるその減少額。⑤最終事業年度の末日後に自己株式の消却をした場合におけるその自己株式の帳簿価額。⑥最終事業年度の末日後に剰余金の配当をした場合におけるつぎに掲げる額の合計額，イ）剰余金配当の配当財産の帳簿価額の総額，ロ）現物配当の場合に規定する金銭分配請求権を行使した株主に交付した金銭の額の合計額，ハ）現物配当の場合に規定する基準未満株式の株主に支払った金銭の額の合計額。⑦法務省令で定める各勘定科目に計上した額の合計額（会社計規150条）。

つまり，実質的に，剰余金の額は，その他資本剰余金の額とその他利益剰余金の額の合計額に相当するものである。

### (4) 積 立 金

任意積立金とは，会社が剰余金の処分として，定款または株主総会の決議により任意に積み立てることができる準備金である。特定の使用目的を定めた配当平均積立金，事業拡張積立金，偶発損失積立金などと，特に使用目的を定めない別途積立金がある。なお，目的に従った任意積立金の取崩しは取締役会決議により行うことができるが，目的外の使用には株主総会の決議または定款変更が必要である。

## 2　純資産の部の計数の変動

### (1) 資本金・準備金の額の減少
#### ①　資本金の減少手続

株式会社は，資本金の額を減少（減資）することができる。この場合，株主総会の特別決議により，ア）減少する資本金の額，イ）減少する資本金の額の全部または一部を準備金とするときは，その旨および準備金とする額，ウ）資本金の額の減少の効力発生日を，定めなければならない（会社447条1項）。なお，減資額が定時株主総会日における欠損額を超えないときは，総会決議は普通決議でよい（会社309条2項9号）。

また，減資額は，減資の効力発生日における資本金の額を超えてはならない（会社447条2項）。ただし，株式の発行と同時に資本金の額を減少する場合において，差し引き後の資本金の額が増加する場合には，株主総会決議ではなく，取締役会設置会社においては，取締役会決議のみで足り，それ以外の会社では取締役の決定で行うことができる（会社447条3項）。

#### ②　準備金の減少手続

準備金の減少の場合においては，株主総会の普通決議により，ア）減少する準備金の額，イ）減少する準備金の額の全部または一部を資本金とするとき

は，その旨および資本金とする額，ウ）準備金の額の減少がその効力を生ずる日，を定めなければならない（会社448条1項）。その他の規定は，資本金の減少の場合と同様である（会社448条2項・3項）。

③　債権者異議手続

　株式会社が資本金または準備金の額を減少する場合には（減少する準備金の額の全部を資本金とする場合を除く），その会社の債権者は，その会社に対し異議を述べることができる。ただし，準備金の額のみを減少する場合であって，定時株主総会において準備金の減少に関する事項を定め，準備金の減少額が定時株主総会の日における欠損額を超えないときには異議を述べることはできない（会社449条1項）。

　債権者が異議を述べることができる場合には，その会社は，ア）資本金等の額の減少の内容，イ）計算書類に関する事項として法務省令で定めるもの，ウ）債権者が1か月を下回らない一定の期間内に異議を述べることができる旨を官報に公告し，かつ，知れている債権者には，各別に催告しなければならない（会社449条2項）。ただし，定款の定めに従い，日刊新聞紙または電子公告により公告するときは，各別の催告は必要ない（会社449条3項）。

　債権者が期間内に異議を述べなかったときは，その債権者は，その資本金等の額の減少について承認したものとみなされるが（会社449条4項），期間内に異議を述べたときは，会社は，その債権者に対し，弁済もしくは相当の担保を提供し，またはその債権者に弁済を受けさせることを目的として，信託会社および信託業務兼営金融機関に相当の財産を信託しなければならない。ただし，その資本等の額を減少しても，その債権者を害するおそれがないときは必要ない（会社449条5項）。

　また，資本金・準備金の減少の効力発生日は，株主総会の決議で定める日である。ただし，債権者異議手続が終了していないときは，その終了したときに効力を生ずる（会社449条6項）。なお，効力発生日前は，いつでもその日を変更することができる（会社449条7項）。

④　資本金減少無効の訴え

　資本金減少の手続に瑕疵がある場合には，資本金の額の減少の効力が生じた

日から6か月以内に，その会社の株主，取締役，監査役，執行役，清算人，破産管財人および資本金減少を承認しなかった債権者は，資本金減少無効の訴えを提起することができる（会社828条1項5号・2項5号）。

　無効判決が確定したときは，第三者に対してもその後無効を争うことができない対世効を有し（会社838条），遡及効はない（会社839条）。なお，原告が敗訴した場合において，原告に悪意または重大な過失があったときには，会社に対して，連帯して損害賠償責任を負う（会社846条）。

### (2) 資本金・準備金の額の増加

　株式会社は，剰余金の額を減少して，資本金または準備金の額を増加することができる。この場合，株主総会（臨時総会でも可）の普通決議により，減少する剰余金の額および資本金または準備金の額の増加が，その効力を生ずる日を定めなければならない（会社450条1項・2項・451条1項・2項）。なお，減少する剰余金の額は，資本金または準備金の額の増加の効力発生日における剰余金の額を超えてはならない（会社450条3項・451条3項）。

### (3) その他の剰余金の処分

　株式会社は，純資産の部の計数の変動として，株主総会の普通決議により，損失の処理，任意積立金の積立てその他の剰余金の処分（資本金・準備金の額の増加および剰余金の配当，その他会社の財産を処分するものを除く）をすることができる。この場合，その剰余金の処分の額その他の法務省令で定める事項を定めなければならない（会社452条）。なお，剰余金の処分とは，剰余金の中での科目振替を意味する。

## 第4節　剰余金の分配

### 1　意　　義

　株式会社は，その事業により得た利益を株主に分配することを目的としている。株主も剰余金の配当を期待して出資しているのであるから，株主の剰余金の配当受領権は最も本質的な権利である。剰余金の配当には，利益の配当，中間配当，資本金および準備金の減少に伴う払戻しが含まれ，さらに，自己株式の有償取得も会社財産の社外流出を伴うので，これらを総括して「剰余金の配当等」（剰余金の分配）として規制している。株主と債権者との利害調整という観点からは，会社財産の株主に対するこれらの払戻しを区別する必要性に乏しいので，統一的・横断的に同一の財源規制によっている。

　したがって，会社は，債権者異議手続を経ずに，その株主に対し，いつでも剰余金の配当をすることが認められ（自己株式には配当できない）（会社453条），分配可能額については，分配時までの剰余金の増減を考慮することができ，臨時決算を行った場合には期間損益を反映することができる。

### 2　手　　続

#### (1) 配当事項の決定

　株式会社は，剰余金を配当しようとするときは，その都度，株主総会（臨時総会でも可）の普通決議により，①配当財産の種類および帳簿価額の総額，②株主に対する配当財産の割当てに関する事項，③その剰余金の配当が効力を生ずる日を定めなければならない（会社454条1項）。

　なお，剰余金の配当について内容の異なる2種類以上の株式を発行しているときは，その種類の株式の内容に応じ，株主に対する配当財産の割当てに関する事項を定めることができる（会社454条2項）。ただし，株主の有する株式の数（各種類の株式の数）に応じて，配当財源を割り当てることを内容とするも

のでなければならない（会社454条3項）。

### (2) 現物配当と金銭分配請求権

配当財産が金銭以外の財産であるときは（現物配当），株主総会の決議により，①株主に対して金銭分配請求権（配当財産に代えて金銭の交付を会社に対して請求する権利）を与えるときは，その旨および金銭分配請求権を行使できる期間（期間の末日は配当効力発生日以前），②一定数未満の株式（基準未満株式）を有する株主に対して配当財産の割当てをしないこととするときは，その旨およびその数を定めることができる（会社454条4項）。

なお，株主に対し金銭分配請求権を与えない場合は，現物配当を受領した株主が，すぐに換価できるかどうかが問題となるため，株主保護の観点から株主総会決議は特別決議となるが，株主に対して金銭分配請求権を与える場合には普通決議でよい（会社309条2項10号）。

ただし，株式会社は，株主に対して金銭分配請求権を与える場合は，その行使期間の末日の20日前までに，その旨およびその行使期間を通知しなければならない（会社455条1項）。会社は，金銭分配請求権を行使した株主に対し，現物配当財産の価額（市場価格がある場合には市場価額，それ以外の場合には裁判所が定める額）に相当する金銭を支払わなければならない（会社455条2項）。

### (3) 分配決定機関の特則

取締役（監査等委員会設置会社においては，監査等委員ではない取締役）の任期を1年と定めた会計監査人設置会社で監査役会設置会社および監査等委員会設置会社または指名委員会等設置会社においては，①株主との合意による自己株式取得に係る事項，②減少する準備金の額が欠損てん補額を超えない場合において，減少する準備金の額およびその効力発生日，③損失の処理，任意積立金の積立てその他の剰余金の処分（剰余金の配当その他株式会社の財産を処分するものを除く）をする場合において，その剰余金の処分の額その他法務省令で定める事項，④剰余金の配当（金銭分配請求権のある現物配当を含む）を

行う場合の株主総会決議事項を，取締役会が定めることができる旨を定款で定めることができる（会社459条1項）。

なお，この定款の定めがある場合には，前記①から④の事項を株主総会の決議によっては定めない旨を定款で定めることができる（会社460条1項）。ただし，この定款の定めは，最終事業年度に係る計算書類が法令および定款に従い，株式会社の財産および損益の状況を正しく表示しているものとして法務省令で定める要件に該当する場合に限り効力を有する（会社459条2項・460条2項）。

(4) 中間配当

取締役会設置会社は，1事業年度の途中において1回に限り取締役会の決議により，剰余金の配当（金銭配当に限る。以下，中間配当という）をすることができる旨を定款で定めることができる（会社454条5項）。

(5) 配当金の支払

配当財産は，会社が費用を負担して（株主の帰責事由による費用増加額は株主負担），株主名簿に記載または記録した株主（登録株式質権者を含む）の住所または株主が会社に通知した場所において交付される（会社457条1項・2項）。

(6) 純資産額規制

剰余金があっても，株式会社の純資産額が300万円を下回る場合には，剰余金を配当することはできない（会社458条）。

## 3 剰余金分配規制

(1) 財源規制

株主に対する金銭等の分配に統一的に分配規制をかけることから，①譲渡制限株式の譲渡不承認の場合における自己株式の買取り，②子会社あるいは市場取引または公開買付けによる自己株式の取得，③株主に決定した取得内容を通

知し，株主からの譲渡申込みを受けての自己株式取得，④全部取得条項付種類株式の取得，⑤相続人その他一般承継による株式取得者に対する売渡請求に基づく自己株式の買取り，⑥所在不明株主の株式の全部または一部の自己株式の買取り，⑦1株に満たない端数株式の処理に応じて，自己株式の全部または一部の買取り，⑧剰余金の配当，これらの①から⑧の行為により株主に対して交付する金銭等の帳簿価額の総額は，その行為の効力発生日における分配可能額を超えてはならない（会社461条1項）。

なお，これらの行為とは別に，取得請求権付株式の取得（会社166条1項但書）および取得条項付株式の取得（会社170条5項）については，交付金銭等の帳簿価額が分配可能額を超えてはならないという財源規制を直接規定している。

### (2) 財源規制を課さない場合

債権者異議手続が設けられている合併・分割および事業全部の譲受けにより，消滅会社，分割会社，事業譲渡会社が有する自己株式を取得する場合，および株主の権利を保証するために，株主（組織再編等の反対株主，単元未満株主など）の買取請求に応じて自己株式を取得する場合には，財源規制は課されない。

なお，事業の一部譲受けは，自己株式取得が不可避的であるとはいえず，当事会社の交渉により財源規制の潜脱行為となるおそれがあることから，財源規制を課さない場合から除かれている。

### (3) 分配可能額

分配可能額は，分配時基準を採用し，臨時決算を行った場合には期間損益を反映した算定方法をとり，つぎの①および②の額の合計額から③から⑥までの額の合計額を減じた額をいう（会社461条2項）。①剰余金の額，②臨時計算書類につき，株主総会の承認を受けた場合における事業年度の初日から臨時決算日までの期間の利益の額として，法務省令で定める各勘定科目に計上した額の合計額（会社計規156条），およびその期間内に自己株式を処分した場合におけ

る対価の額，③自己株式の帳簿価額，④最終事業年度の末日後に自己株式を処分した場合におけるその自己株式の対価の額，⑤事業年度の初日から臨時決算日までの期間の損失の額として法務省令で定める各勘定科目に計上した額の合計額（会社計規157条），⑥前記③，④および⑤のほか法務省令で定める各勘定科目に計上した額の合計額（会社計規158条）。

### (4) 違 法 配 当

　剰余金の分配規制に違反した場合には，その行為により金銭等の交付を受けた者ならびにその行為に関する職務を行った業務執行者（業務執行取締役，執行役，その他これらの業務執行に職務上関与した者），および株主総会や取締役会に金銭等の交付に関する議案を提案した取締役または執行役は，その会社に対し，連帯して，交付した金銭等の帳簿価額に相当する金銭を支払う義務を負う（会社462条1項）。

　ただし，業務執行者および議案提案取締役等は，その職務を行うについて注意を怠らなかったことを証明したときは，支払う義務を負わない過失責任である（会社462条2項）。しかし，会社債権者保護の観点から，この義務は，総株主の同意があっても免除することはできないが，分配可能額を限度としてその義務を免除することについて，総株主の同意がある場合には免除できる（会社462条3項）。つまり，分配可能額を超えて分配した部分は，総株主の同意があっても免除できない。

　剰余金の分配規制に違反して金銭等の交付が行われた場合，そのことにつき善意の株主は，交付を受けた金銭等について，業務執行者および議案提案取締役等からの求償の請求に応ずる義務を負わない（会社463条1項）。また，会社債権者は，支払う義務を負う株主に対し交付を受けた金銭等の帳簿価額（債権者の債権額が限度）に相当する金銭を支払わせることができる（会社463条2項）。なお，会社または会社債権者からの返還請求に対し支払う義務を負うのは，善意・悪意を問わないとするのが多数説である。

### (5) 分配可能額を超える自己株式取得の責任

　株式会社が，組織再編等以外の反対株主の株式買取請求に応じて株式を取得する場合，その請求をした株主に対して支払った金銭の額が，支払日における分配可能額を超えるときは，その株式の取得に関する職務を行った業務執行者は，会社に対し，連帯して，その超過額を支払う義務を負う。ただし，その者が，その職務を行うについて注意を怠らなかったことを証明した場合は支払う義務を負わない（会社464条1項）。なお，この義務は，総株主の同意がなければ免除できない（会社464条2項）。

### (6) 期末欠損てん補責任

　株式会社が，剰余金分配行為を行った場合において，期末に欠損が生じたときは，その行為に関する業務を行った業務執行者は，会社に対し，連帯して，その欠損額（欠損額が分配額を超える場合においては，その分配額）を支払う義務を負う。

　ただし，その業務執行者が，その職務を行うにつき注意を怠らなかったことを証明した場合は，支払う義務を負わない過失責任である（会社465条1項）。なお，この義務は，総株主の同意がなければ免除できない（会社465条2項）。

# 6章 事業の譲渡等

## 第1節 事業譲渡の意義

　事業の譲渡とは，会社の各種の財産が有機的に結合した組織的一体を譲渡することをいう。事業は，組織的財産の事業財産だけではなく，長年の事業活動による財産的価値のある事実関係を含み，有形・無形の事業財産以上の価値を有する。

　具体的には，積極財産である原材料，商品・製品，機械，土地，建物等の動産・不動産や，商号権，商標権，特許権等の知的財産権，および各種債権，事業上の秘訣，得意先・仕入先，地理的関係等の事実関係と，事業活動により生じた債務・借入金等の負債としての消極財産で構成される。

### 1　合併との比較

　事業の譲渡は，合併とくに吸収合併と類似しているが，取引行為であり，契約により受け入れる財産を決めることができるのに対し，合併はすべての財産を包括承継する。さらに，被合併会社は解散し消滅するのに対し，譲渡会社は，事業目的を変更すれば，事業全部を譲渡しても存続することができる。

　また，事業譲渡がなされると，譲渡会社は，事業を構成する一切の財産を譲受会社に移転する義務を負う。しかし，財産の種類に応じ個別に移転行為を行い，登記・登録・通知・承諾等，第三者に対抗するための手続をしなければならない。

### 2　独禁法による規制

　独占禁止法は，会社が事業の全部または重要部分の譲受けをする場合で，一

定の取引分野の競争を実質的に制限することとなる場合には，公正取引委員会に届け出て，受理された日から30日を経過するまでは事業を譲り受けてはならないことを規定している（独禁16条・15条）。公正取引委員会は，私的独占や独占的状態にあると認めた場合には，株式の全部の処分や事業の一部譲渡を命じることができる（独禁17条の2）。

### 3 競業避止義務

譲渡会社が譲渡後，従前と同種の事業を再開したのでは事業を譲り受けた意味が減殺されるので，同一市町村（政令指定都市では区）の区域内および隣接市町村の区域内においては，その事業を譲渡した日から20年間同一の事業をしてはならないという競業避止義務が課されている（会社21条1項）。

ただし，事業譲渡契約でこの年数を加減することができるが，加重する場合には30年を超えることはできない（会社21条2項）。さらに，譲渡会社は，不正競争の目的をもって同一の事業を行ってはならない（会社21条3項）。

### 4 債務の移転

合併においては，存続会社ないしは新設会社に消滅会社の債務は移転するので，債権者異議手続が必要とされるが，事業譲渡では，債務の移転には債権者の個別の同意を要し，事業譲渡の当事者間の合意だけでは債務引受けの効力は認められない。つまり，事業上の債務も譲受会社に移転するが，債務の引受け等の手続をとらなければ譲受会社は債務者にならず譲渡会社が債務者のままである。

しかし，債権者保護の観点から規定を設け，事業の譲受会社が譲渡会社の商号を続用する場合には，譲渡会社の事業上の債務を引き受けないときでも譲受会社も弁済の責任を負う（会社22条1項）。この場合，譲渡会社の責任は，事業を譲渡した日以後2年以内に請求または請求の予告をしない債権者に対しては，その期間を経過したときに消滅する（会社22条3項）。

ただし，事業譲渡後遅滞なく，譲受会社がその本店所在地において譲渡会社の債務を引き受けない旨の登記をするか，譲渡会社および譲受会社からその旨

の通知を第三者にすれば譲受会社の弁済責任はない（会社22条2項）。なお，譲渡会社の債務者が善意かつ重過失なく譲受会社に弁済したときは，譲受会社に債権が移転されていなくても弁済は有効と認められる（会社22条4項）。

また，譲受会社が譲渡会社の商号を続用しない場合でも，譲渡会社の債務を引き受ける旨を広告したときは，譲受会社は弁済責任を負う（会社23条1項）。この場合，譲渡会社の責任は，広告があった日以後2年以内に請求または請求の予告をしない債権者に対しては，その期間を経過したときに消滅する（会社23条2項）。

## 5　詐害的事業譲渡に係る譲受会社に対する債務の履行の請求

譲渡会社が，譲受会社に承継されない債務の債権者（以下，残存債権者という）を害することを知って事業を譲渡した場合には，残存債権者は，その譲受会社に対して，承継した財産の価額を限度として，その債務の履行を請求することができる。ただし，その譲受会社が事業の譲渡の効力が生じた時において，残存債権者を害する事実を知らなかった（善意）ときは，この限りではない（会社23条の2第1項）。

この債務を履行する責任は，譲渡会社が残存債権者を害することを知って事業を譲渡したことを知ったときから2年以内に請求または請求の予告をしない残存債権者に対しては，その期間を経過した時に消滅する。また，事業の譲渡の効力が生じた日から20年を経過したときも，同様に消滅する（会社23条の2第2項）。

ただし，残存債権者の請求権は，譲渡会社について，破産手続開始の決定，再生手続開始の決定または更生手続開始の決定がされたときは，譲受会社に対して行使することができない（会社23条の2第3項）。

## 6　事業の賃貸借

会社が他の会社に事業の全部または一部を一括して賃貸する契約を事業の賃貸借といい，経営困難な小企業が大企業に事業を賃貸して賃貸料を受領し，大企業は規模を拡大する場合や，小企業に事業の一部を賃貸して支配下に収める

## 7 経営委任

　会社が経営を他の会社に委任する場合には，事業の経営は委任会社の名義をもって行われるが，狭義の経営委任の場合には，委任会社は一定の報酬を受け取り受任会社の計算で事業が行われる。これに対し経営管理契約の場合には，委任会社の計算で事業を行い受任会社が報酬を得る方式である。

# 第2節　事業譲渡等の手続

## 1　譲渡会社の手続

### (1) 事業譲渡の承認

　株式会社の事業譲渡の手続について，譲渡会社においては，事業の全部または重要な一部（総資産の5分の1超）の譲渡の場合には，株主総会の特別決議を要する（会社467条1項1号・2号）。なお，反対株主には株式買取請求権が認められている（会社469条）。つまり，事業の重要な一部の譲渡の場合は，事業の対価として譲受会社が交付する財産の帳簿価額がその会社の総資産額の5分の1を超えない場合には，株主総会の決議は不要ということである。

### (2) 親会社による子会社の株式等の譲渡

　株式会社（親会社）は，その子会社の株式または持分の全部または一部の譲渡をする場合であって，その譲渡により譲り渡す株式または持分の帳簿価額がその株式会社の総資産額の5分の1を超えるとき，または，その株式会社が，その譲渡の効力発生日に，その子会社の議決権の総数の過半数の議決権を有しないときのいずれにも該当するときは，子会社株式の譲渡であっても，実質的には事業譲渡とは変わらないことから，その譲渡の効力発生日の前日までに，

株主総会の特別決議によって，その譲渡に係る契約の承認を受けなければならない（会社467条1項2号の2）。

## 2 譲受会社の手続

譲受会社においても，他の会社の事業全部の譲受けの場合には，株主総会の特別決議を要し（会社467条1項3号），反対株主には株式買取請求権が認められている（会社469条）。ただし，総株主の議決権の10分の9以上を支配している特別支配会社への事業譲渡等においては，被支配会社の株主総会決議は要しない（会社468条1項）。

また，他の株式会社の事業全部の譲受けで，譲受会社の純資産額の5分の1以下の対価で譲り受ける場合には，株主への影響が小さいことから株主総会決議を要しない（簡易な事業譲受け）（会社468条2項）。しかし，法務省令で定める数の株式を有する株主が（会社施規138条），譲受けをする旨の通知または公告の日から2週間以内に反対する旨をその株式会社に対し通知したときは，その株式会社は，効力発生日の前日までに，株主総会の決議により承認を受けなければならない（会社468条3項）。

## 3 株主総会決議の省略

事業の譲渡・譲受けは，株主総会の決議が必要な場合にそれを省略したときは，無効であるとするのが通説であるが（最大判昭和40年9月22日民集19巻6号1,600頁），譲渡会社にとって事業の重要な一部であることを知らなかった善意の譲受会社の場合には，有効であると解する見解もある。

このほか，事業の全部の賃貸，事業の全部の経営の委任，他人と事業上の損益の全部を共通にする契約その他これらに準ずる契約の締結，変更または解約の取引においても，株主総会の特別決議を要する（会社467条1項4号）。なお，相手方が特別支配会社の場合には，特別決議は不要であり（会社468条1項），反対株主の株式買取請求権が認められている（会社469条）。

## 4 事後設立

　株式会社の成立後2年以内に成立前から存在する財産で，事業のために継続して使用する目的で譲り受ける財産を純資産額の5分の1超の対価で取得する契約については，株主総会の特別決議が必要とされ（会社467条1項5号），裁判所が選任する検査役の調査は必要としない。

# 7章 会社の再建

## 第1節 民事再生

### 1 意　義

　民事再生は，民事再生法に基づき債務者の自力再建を原則とし，債務者だけでなく債権者からも申立てが可能である。中小企業や個人事業者を主な対象としているが，手続が簡易で柔軟に処理できることから大企業の申請も急増している。

### 2 民事再生開始原因

　手続は，民事再生開始原因が生じたとき，債務者の申立てによる裁判所の再生手続開始決定により開始される。民事再生開始原因として，①債務者に破産原因（支払不能，債務超過等）となる事実が生ずるおそれがあるとき，②債務者が事業の継続に著しい支障をきたすことなく，弁済期にある債務を弁済することができないときが挙げられる。ただし，①の場合には，債権者も申立てを行うことができる（民再21条）。

### 3 再生債務者

　再生債務者（経営者）は，再生開始決定後も業務遂行権および財産管理処分権を失わず，原則として再生債務者自身が事業再建を行う（民再38条1項）。しかし，裁判所が命じた監督委員，管財人，保全管理人のもとで事業再建されることが多い（民再54条・66条・81条）。

## 4　裁判所の認可決定

　再生計画は，再生債務者自身が作成し，裁判所で認可されると計画は遂行される。裁判所は，再生計画認可の決定が確定したときは，再生手続終結の決定をしなければならない。

　しかし，監督委員が選任されている場合には，再生計画が遂行されたときまたは再生計画の認可決定が確定した後3年を経過したとき，また管財人が選任されている場合において，再生計画が遂行されたときまたは遂行が確実になったとき，裁判所は，再生債務者もしくは管財人の申立てまたは職権により再生手続終結の決定をしなければならない（民再188条）。

# 第2節　会　社　更　生

## 1　意　　義

　会社更生法は，経済的窮境にあるが再建の見込みがある株式会社について，更生計画の策定およびその遂行に関する手続を定めることにより，債権者，株主その他利害関係人の利害調整をしつつ，その事業の維持更生を図ることを目的としたものである（会更1条）。

## 2　更生手続開始の申立て

　株式会社は，破産手続開始の原因たる事実の生ずるおそれがある場合，あるいは弁済期にある債務を弁済することにより，その事業の継続に著しい支障を来すおそれがある場合には，裁判所に対して更生手続開始の申立てをすることができる（会更17条1項）。

　さらに，破産の原因となる事実が生ずるおそれがある場合は，その会社の資本金の額の10分の1以上に当たる債権を有する債権者，およびその会社の総株主の議決権の10分の1以上を有する株主も，その会社について更生手続開

始の申立てをすることができる（会更17条2項）。

## 3　裁判所の調査命令

裁判所は，更生手続開始決定前でも必要があると認めるときは，利害関係人の申立てによりまたは職権で，更生手続開始原因となる事実および会社の業務および財産の状況もしくは更生手続開始の当否，または保全処分，保全管理命令，監督命令等の要否，その他調査委員による調査・意見陳述を必要とする事項の調査を命ずることができる（会更39条1項）。

## 4　管財人の選任

更生手続開始の決定があった場合，裁判所は管財人を選任し（会更67条），従来の経営者は経営から排除され，更生会社の事業の経営ならびに財産の管理および処分をする権利は管財人に帰属する（会更72条1項）。管財人は，更生計画案を裁判所が定める期間内に作成し，裁判所に提出しなければならない（会更184条1項）。

## 5　裁判所の認可決定

更生計画案は，関係人集会において可決されれば，裁判所の認可決定により更生計画の効力が生じる（会更199条1項・201条）。裁判所は，更生計画が遂行されたとき，または遂行が確実であると認められるときは，管財人の申立てによりまたは職権で，更生手続終結の決定およびその公告しなければならない（会更239条）。

# 8章 会社の消滅

## 第1節 解　散

### 1　意　義

　会社の法人格の消滅をもたらす原因となる事実を会社の解散といい，会社は解散した後，合併と破産手続開始決定の場合を除いて，法律関係の清算手続に入り，清算手続の結了をもって会社は消滅する（会社476条）。

### 2　解散事由

解散事由としてつぎのものがある。
① 定款で定めた存続期間の満了（会社471条1号）
② 定款に定めた解散の事由の発生（会社471条2号）
③ 株主総会の決議（会社471条3号）　定款で会社の存続期間の満了その他の解散事由を定めている場合でも，株主総会の特別決議により解散することができる。
④ 合併（合併によりその株式会社が消滅する場合に限る）（会社471条4号）
⑤ 破産手続開始の決定（会社471条5号）　破産による株式会社の解散は，破産手続の開始の決定により効力を生ずる（破産30条）。株式会社の破産原因には支払不能と債務超過があり（破産15条・16条），株式会社では株主有限責任の原則により，会社財産が唯一担保となることから破産原因となる。
⑥ 解散を命ずる裁判（会社471条6号）　解散を命ずる裁判には，公益上の理由から，会社の存立を許すべきでないと認められたときの裁判所の解散

命令（会社824条1項）と，取締役間の対立や取締役の会社財産流用などにより業務が停滞し，解散する以外に打開の方法がないような場合において，やむを得ない事由があるときは，総株主の議決権の10分の1（これを下回る割合を定款で定めた場合においては，その割合）以上の議決権を有する株主または発行済株式（自己株式を除く）の10分の1（これを下回る割合を定款で定めた場合においては，その割合）以上の数の株式を有する株主は，会社の解散を裁判所に請求することができる。このような少数株主の請求による解散判決（会社833条第1項）がある。

## 3 特別法上の解散事由

特別法上の解散原因として，銀行，保険などの特定の業種を目的とする株式会社においては，営業免許の取消し（銀行40条，保険152条3項2号）や特別な解散原因が規定されている。

## 4 休眠会社のみなし解散

株式会社でその登記が最後にあった日から12年を経過した休眠会社は，本店所在地を管轄する登記所に事業を廃止しない旨の届出をするよう法務大臣が官報で公告した場合は，その日より2か月以内にその届出または登記をしないときは解散したものとみなされる（会社472条1項）。ただし，登記所は，公告があったときは，休眠会社に対し，その旨を通知しなければならない（会社472条2項）。

## 5 株式会社の継続

株式会社は，解散事由の①，②，③の事由により解散した場合には，清算が結了するまで（休眠会社が解散したものとみなされた場合には，解散したものとみなされた後3年以内に限る），株主総会の特別決議により，株式会社を継続することができる（会社473条）。

## 6　株式会社が解散した場合の制限

　株式会社が解散した場合には，その会社は，合併（合併によりその会社が存続する場合に限る）または吸収分割による他の会社がその事業に関して有する権利義務の全部または一部の継承をすることができない（会社474条）。

# 第2節　清　算

## 1　通常清算

### (1) 清算開始原因
　合併および破産手続開始の決定の場合を除き株式会社が解散した場合，設立無効の訴えに係る請求を容認する判決が確定した場合，および株式移転の無効の訴えに係る請求を容認する判決が確定した場合には，法定の清算手続により会社の法律関係の後始末をし，残余財産を株主に分配しなければならない（会社475条）。

　なお，株式会社には，合名会社および合資会社のような任意清算は認められていないが，清算の結了まで，会社は清算の目的の範囲内で存続するものとみなされ（会社476条），株主総会および監査役は会社の機関として存続する。

### (2) 清算人の選任
　清算株式会社においては，解散時の取締役，定款で定める者または株主総会の決議により選任された1人または2人以上の者が清算人となり，清算事務を行うことになるが（会社477条1項・478条1項），清算人となる者がいないときまたは清算開始原因に該当するときは，裁判所は，利害関係人もしくは法務大臣の申立てにより，または職権で清算人を選任する（会社478条2項・3項・4項）。

### (3) 清算株式会社の任意的機関

定款の定めにより清算人会，監査役または監査役会を置くことができる（会社477条2項）。ただし，監査役会を置く旨の定款の定めがある場合は，清算人会を置かなければならない（会社477条3項）。

また，清算開始原因に該当することとなったときにおいて，公開会社または大会社であった清算株式会社は，監査役（監査等委員または監査委員が監査役となる）を置かなければならない（会社477条4項・5項・6項）。なお，清算人会設置会社においては，清算人は3人以上でなければならない（会社478条8項・331条5項）。

### (4) 清算人の解任・退任

清算人の任期の規定はないが，清算人（裁判所が選任した者を除く）は，いつでも，株主総会の決議により解任することができ（会社479条1項），重要な事由があるときは，裁判所は，総株主の議決権の100分の3以上の議決権を6か月以上有するか，発行済株式の100分の3以上を6か月以上有する株主（全株式譲渡制限会社である清算株式会社においては，6か月の保有期間制限はない）の申立てにより，清算人を解任することができる（会社479条2項・3項）。

なお，監査役についても任期の定めはないが，監査役に関する定款の定めを廃止する定款の変更をした場合には，その定款の変更の効力が生じたときに退任する（会社480条）。

### (5) 清算株式会社の代表

清算人は自然人であることを要し，法人は清算人になることはできない。さらに，清算人は，清算株式会社を代表する。ただし，他に代表清算人その他代表する者を定めることができる（会社483条1項）。なお，清算人と代表清算人の選任および解任は登記を要する（会社928条）。

### (6) 清算人会の権限

すべての清算人で組織する清算人会の職務は，業務執行の決定，清算人の職

務執行の監督および代表清算人の選定および解職である（会社489条1項・2項）。

### (7) 清算人の職務

清算人の職務は，①現務の結了，②債権の取立ておよび債務の弁済，③残余財産の分配である（会社481条）。現務の結了とは，解散前からの事務を完了することであり，債務の弁済については，清算株式会社は，債権者に対し，2か月を下回らない一定期間内にその債権を申し出るべき旨を官報に公告しなければならない。また，知れている債権者には，各別に債権の申出を催告しなければならない（債権者異議手続）（会社499条1項）。

### (8) 債務の弁済の制限

清算株式会社は，催告申出期間後でなければ債務の弁済を行うことはできず（会社500条1項），催告申出期間内に申し出なかった債権者は，清算終了後の残余財産に対してしか弁済請求できない（会社503条1項）。

### (9) 残余財産の分配

残余財産の分配は，各株主の持株数に応じて株主に分配される（会社504条3項）。ただし，会社の債務を弁済した後でなければ，株主に会社財産を分配することはできない（会社502条）。

### (10) 金銭分配請求権

残余財産の種類および株主に対する残余財産の割当てに関する事項は，清算人が決定（清算人会設置会社においては，清算人会の決議）するが，株主は，残余財産が金銭以外の財産であるときは，金銭分配請求権を有し（会社505条1項），清算株式会社は，金銭分配請求権を行使した株主に対し，その株主が割当てを受けた残余財産に代えて，その残余財産の価額に相当する金銭を支払わなければならない（会社505条3項）。

### (11) 清算株式会社の制限

清算株式会社は，残余財産の分配を除き，剰余金の配当や有償の自己株式取得はできない（会社509条1項2号・2項）。さらに，清算株式会社が完全子会社となる株式交換および株式移転は認められない（会社509条1項3号）。

### (12) 清算事務終了後の手続

清算事務が終了したときは，清算人は遅滞なく決算報告書を作成し，株主総会に提出し承認を得なければならない（会社507条1項・3項）。また，清算に関する重要書類は，本店所在地において清算結了の登記をした後10年間保存しなければならない（会社508条1項）。

## 2 特別清算

### (1) 特別清算開始の命令

解散した株式会社が清算を開始したが，清算の遂行に著しい支障をきたすべき事情があるか債務超過の疑いがあるときは，裁判所は，債権者，清算人，監査役および株主の申立てにより，特別清算の開始を命令する（会社510条・511条）。

特別清算手続は，裁判所の監督に服さない通常清算と異なり，裁判所の監督のもとで行われるので（会社519条1項），清算人の権限は制約され，財産の処分，借財，訴えの提起，和解，仲裁合意，権利放棄，事業の全部または重要な一部の譲渡等の行為をするには，裁判所の許可または裁判所が選任し，清算株式会社の業務および財産の管理の監督を行う権限を有する監督委員の同意を得なければならない（会社535条・536条）。

### (2) 債権者集会の協定

特別清算開始の命令があった場合には，清算株式会社は，協定債権者に対して，その債権額の割合に応じて弁済しなければならない（会社537条1項）。その内容は債権者集会の協定により決定される。債権者集会の協定を可決するに

は，債権者集会において出席した議決権者の過半数にして議決権を有する債権者の総債権の3分の2以上の債権を有する者の同意により可決され，裁判所の認可決定が確定すれば（会社567条・569条），債権者全員に対し効力を生ずる（会社570条）。

### (3) 特別清算終結の決定

裁判所は，特別清算が結了またはその必要がなくなったときには，特別清算開始申立者または裁判所が選任した調査委員の申立てにより，特別清算終結の決定をする（会社573条）。特別清算が結了したときには会社は消滅し，特別清算の必要がなくなったときは，特別清算会社は通常の清算会社に戻る。

### (4) 破産手続開始の決定

協定の成立または実行の見込がないとき，特別清算によることが債権者一般の利益に反するときにおいて，清算株式会社に破産手続開始の原因となる事実があると認めるときは，裁判所は職権で，破産手続開始の決定をしなければならない（会社574条1項）。

# 第 3 編

# 持 分 会 社

# 1章　概　　要

　合同会社については，社員全員が有限責任しか負わないので，合名会社および合資会社とは異なるが，内部関係の規律については同一の組合的規律を適用することから，合名会社，合資会社，合同会社については持分会社と総称することとした。その特徴については，全社員の総意により会社を運営し，社員自らが会社の業務執行に当たること，広く定款自治が認められ，制度設計が自由であり，株式会社のように機関の設置に関する強制的な規制がないことなどである。

　さらに，持分会社は，原則として，企業の所有と経営が一致し，出資者である社員が互いの人的信頼関係に基づいて形成される会社形態である。また，持分会社の社員については，善管注意義務や忠実義務，競業避止義務，利益相反取引の制限，持分会社に対する損害賠償責任，第三者に対する損害賠償責任等が規定されている。

# 2章 設　立

## 第1節　定款作成

　持分会社を設立（発起設立のみ）するには，その社員になろうとする者が定款を作成し（電磁的記録も可），その全員がこれに署名または記名押印しなければならない（会社575条）。定款には，絶対的記載事項として，①目的，②商号，③本店の所在地，④社員の氏名または名称および住所，⑤社員が無限責任社員または有限責任社員のいずれであるかの別，⑥社員の出資の目的（有限責任社員にあっては，金銭その他の財産の出資に限定し，信用および労務の出資は認められない）およびその価額または評価の標準を記載または記録しなければならない（会社576条1項）。

　また，定款の定めがなければその効力を生じない相対的記載事項，およびその他の事項でこの法律の規定に違反しない任意的記載事項を記録または記載することができる（会社577条）。

## 第2節　持分会社の成立

　設立しようとする持分会社が合同会社である場合には，その合同会社の社員になろうとする者は，定款の作成後，設立登記をするときまでに，その出資に係る金銭の全額を払い込み，またはその出資に係る金銭以外の財産の全部を給付しなければならない（全額払込主義）。

　ただし，合同会社の社員になろうとする者全員の同意があるときは，出資対象資産などの登記，登録その他権利の設定または移転を第三者に対抗するため

に必要な行為は，合同会社の成立後にすることを妨げない（会社578条）。そして，持分会社は，その本店の所在地において設立の登記をすることによって成立する（会社579条）。

## 第3節　定款変更

　持分会社は，総社員の同意により定款の変更をすることができる（会社637条）。さらに，持分会社間の種類の変更は，組織変更ではなく，社員の変動（有限責任社員または無限責任社員の加入）または社員の全部または一部の責任の変更を内容とする定款の変更として，他の種類の持分会社に変更できる（会社638条）。
　なお，合資会社の有限責任社員が退社して，無限責任社員のみとなった場合には，その合資会社は，合名会社となる定款の変更をしたものとみなされ（会社639条1項），合資会社の無限責任社員が退社したことにより有限責任社員のみとなった場合には，その合資会社は，合同会社となる定款変更したものとみなす（会社639条2項）。

## 第4節　設立無効・取消しの訴え

　持分会社についても，株式会社同様，設立無効の訴えを行うことができる（会社828条1項1号）。一方，株式会社と異なり，社員が民法その他の法律の規定により設立に係る意思表示を取り消すことができるときの社員，および社員がその債権者を害することを知って持分会社を設立したときの債権者は，持分会社の成立の日から2年以内に，持分会社の設立取消しの訴えの提起をすることができる（会社832条）。
　これは，持分会社において，詐欺や虚偽表示などが存在するような状況では，強固な人的信頼関係に基づいて形成された個人企業的な会社の人的基礎が

失われることになるので，会社法は，株式会社と異なり，持分会社については設立取消しの訴えの提起を認めることとした。

# 第3章 社員

## 第1節 社員の責任

### 1 債務の弁済責任

　社員は，持分会社の財産をもってその債務を完済することができない場合，または持分会社の財産に対する強制執行がその効を奏しなかった場合には，連帯して，持分会社の債務を弁済する責任を負う（会社580条1項）。ただし，合資会社の有限責任社員は，その出資の価額を限度としてその会社の債務を弁済する責任を負い（直接有限責任），合同会社の社員は，株式会社の社員同様，出資済みのため弁済責任を負わない（間接有限責任）（会社580条2項）。

　また，無限責任社員が有限責任社員となった場合であっても，その旨の登記をする前に生じた持分会社の債務については，無限責任社員としてその債務を弁済する責任を負うが（会社583条3項），その登記後2年以内に請求または請求の予告をしない債権者に対しては，2年を経過したときに，その責任は消滅する（会社583条4項）。

### 2 誤認行為の責任

　有限責任社員が自己を無限責任社員であると誤認させる行為をしたとき，または社員でない者が自己を社員であると誤認させる行為をしたときは，その取引の相手方が誤認した範囲の責任を負う（会社588条・589条）。

## 第2節　持分の譲渡と取得の制限

### 1　持分の譲渡と責任

　社員は，他の社員の全員の承諾がなければ，その持分の全部または一部を他人に譲渡することはできない（会社585条1項）。ただし，業務を執行しない有限責任社員は，業務執行社員全員の承諾があるときは，その持分の全部または一部を他人に譲渡することができる（会社585条2項）。

　持分の全部を他人に譲渡した社員は，その旨を登記する前に生じた持分会社の債務について，従前の責任の範囲内においてこれを弁済する責任を負うが（会社586条1項），その登記後2年以内に請求または請求の予告をしない債権者に対しては，その登記後2年を経過したときは，その責任は消滅する（会社586条2項）。

### 2　自己持分取得の制限

　持分会社は，自己の持分の取得は認められていないが（会社587条1項），その持分を取得した場合には，その持分は消滅する（会社587条2項）。

## 第3節　社員の加入

　持分会社は，新たに社員を加入させることができ（会社604条1項），その社員の加入は，その社員に係る定款の変更をしたときに効力を生ずる（会社604条2項）。合同会社が新たに社員を加入させる場合において，新たに社員になろうとする者が，定款を変更したときに，その出資の払込みまたは給付の全部または一部を履行していないときは，その者は，その払込みまたは給付の完了後に合同会社の社員となる（会社604条3項）。

　このように，合同会社は，全額払込主義が採用され，定款変更と出資の全額履

行が，社員加入の効力要件である。また，持分会社の成立後に加入した社員は，その加入前に生じた持分会社の債務についても弁済責任を負う（会社605条）。

# 第4節　社員の退社

## 1　任意退社

持分会社の存続期間を定款で定めなかった場合，またはある社員の終身の間，持分会社が存続することを定款で定めた場合には，各社員は，6か月前までに持分会社に退社の予告をすることを条件に，事業年度の終了の時において退社することができる（会社606条1項）。ただし，定款で別段の定めをすることもできるが（会社606条2項），各社員は，やむを得ない事由があるときは，いつでも退社することができる（会社606条3項）。

## 2　法定退社

社員は，任意退社のほかに，定款で定めた事由の発生，総社員の同意，死亡，合併，破産手続開始の決定，解散，後見開始の審判を受けたこと，除名により退社する（会社607条1項）。

なお，持分会社は，その社員が死亡した場合または合併により消滅した場合におけるその社員の相続人その他の一般承継人が，その社員の持分を承継する旨を定款で定めることができる（会社608条1項）。また，退社した社員は，その出資の種類を問わず，その持分の払戻しを受けることができる（会社611条1項）。

## 3　退社した社員の責任

退社した社員は，その登記をする前に生じた持分会社の債務については，従前の責任の範囲内で弁済する責任を負う（会社612条1項）。この責任は，登記後2年以内に請求または請求の予告をしない持分会社の債権者に対しては，その登記後2年を経過したときに消滅する（会社612条2項）。

# 4章 管理

## 第1節　業務の執行

　社員は，定款に別段の定めがある場合を除き，持分会社の業務を執行する（会社590条1項）。社員が2人以上の場合には，持分会社の業務は，社員の過半数をもって決定する（会社590条2項）。ただし，持分会社の常務については，その完了前に他の社員が異議を述べた場合を除き，各社員が単独で行うことができる（会社590条3項）。また，各社員は，持分会社の業務執行権を有しないときであっても，その業務および財産の状況を調査することができる監視権を有する（会社592条1項）。

## 第2節　業務執行社員の義務と責任

### 1　持分会社との関係

　業務執行社員は，善良な管理者の注意をもって，その職務を行う義務を負い（会社593条1項），法令および定款を遵守し，持分会社のため忠実にその職務を行わなければならない（会社593条2項）。業務執行社員は，持分会社または他の社員の請求があるときは，いつでも，その職務の執行の状況を報告し，その職務が終了した後は，遅滞なくその経過および結果を報告しなければならない（会社593条3項）。

## 2　競業取引および利益相反取引の制限

　業務執行社員は，定款に別段の定めがある場合を除き，その社員以外の社員全員の承認を受けなければ，競業取引を行ってはならない（会社594条1項）。その行為によってその業務執行社員または第三者が得た利益の額は，持分会社に生じた損害の額と推定する（会社594条2項）。

　さらに，利益相反取引についても，その社員以外の社員の過半数の承認を受けなければ行うことはできない（会社595条1項）。

## 3　損害賠償責任

　業務執行社員は，その任務を怠ったときは，持分会社に対し，連帯して，これによって生じた損害を賠償する責任を負う（会社596条）。また，業務を執行する有限責任社員は，その職務を行うにつき悪意または重大な過失があったときは，連帯して，これによって第三者に生じた損害を賠償する責任を負う（会社597条）。

　なお，株式会社のような責任免除規定はないが，定款自治の観点から個別の事項については定款に基づいて判断されることになる。

## 4　法人業務執行社員の特則

　法人が業務執行社員である場合には，職務を行う自然人（職務執行者）を選任し，その者の氏名および住所を他の社員に通知しなければならない（会社598条1項）。つまり，法人も，他の持分会社の無限責任社員になることができる。

# 第3節　持分会社の代表

　業務執行社員は，持分会社を代表する（2人以上いる場合は，各自代表する）（会社599条1項・2項）。しかし，定款または定款の定めに基づく社員の互選に

より，業務執行社員の中から持分会社を代表する社員を定めることができる（会社599条3項）。持分会社を代表する社員は，持分会社の業務に関する一切の裁判上または裁判外の行為をする権限を有する（会社599条4項）。この権限に加えた制限は，善意の第三者に対抗することはできない（会社599条5項）。

持分会社は，持分会社を代表する社員その他の代表者がその職務を行うにつき，第三者に加えた損害を賠償する責任を負う（会社600条）。また，持分会社が社員に対し，または社員が持分会社に対して訴えを提起する場合には，その訴えについて持分会社を代表する者がいないときは，その社員以外の社員の過半数をもって，その訴えについて持分会社を代表する者を定めることができる（会社601条）。

## 第4節　社員代表訴訟

社員が，持分会社に対して社員の責任を追及する訴えの提起を請求した場合において，持分会社がその請求の日から60日以内に訴えを提起しないときは，その請求をした社員は，その訴えについて持分会社を代表することができる。ただし，その訴えがその社員もしくは第三者の不正な利益を図り，またはその持分会社に損害を加えることを目的とする場合は，その社員は持分会社を代表することはできない（会社602条）。

# 5章 計算

## 第1節 総則

### 1 会計帳簿

　持分会社の会計は，株式会社同様，一般に公正妥当と認められる企業会計の慣行に従うものとする（会社614条）。持分会社は，適時に正確な会計帳簿を作成し（会社615条1項），会計帳簿の閉鎖のときから10年間，その会計帳簿およびその事業に関する重要な資料を保存しなければならない（会社615条2項）。また，裁判所は，申立てまたは職権で，訴訟の当事者に対し会計帳簿の全部または一部の提出を命ずることができる（会社616条）。

### 2 計算書類

　持分会社は，その成立の日における貸借対照表を作成しなければならない（会社617条1項）。さらに，各事業年度に係る計算書類（貸借対照表その他持分会社の財産の状況を示すために必要かつ適切なものとして法務省令で定めるもの，具体的には，貸借対照表，損益計算書，社員資本等変動計算書，個別注記表）を作成しなければならない（会社617条2項）。計算書類は，電磁的記録をもって作成することができ（会社617条3項），持分会社は，計算書類を作成したときから10年間，これを保存しなければならない（会社617条4項）。

　持分会社の社員は，その持分会社の営業時間内はいつでも，計算書類（書面または電磁的記録）の閲覧または謄写の請求をすることができる（会社618条1項）。さらに，裁判所は，申立てまたは職権で，訴訟の当事者に対し，計算書類の全部または一部の提出を命ずることができる（会社619条）。

## 3 資本金の額の減少

　持分会社は，損失のてん補のために，その資本金の額を減少することができる（会社620条1項）。ただし，減少する資本金の額は，損失の額として法務省令で定める方法で算定された額を超えることはできない（会社620条2項）。なお，合同会社の資本金は，登記事項とされている（会社914条5号）。

## 4 利益の配当

　社員は，持分会社に対し，利益の配当を請求することができ（会社621条1項），持分会社は，利益配当に関する事項について，自由に定款で定めることができる（会社621条2項）。また，社員の持分の差押えは，利益配当請求権に対しても効力を有する（会社621条3項）。

## 5 損益分配（持分の増減）の割合

　損益分配の割合について定款に定めがないときは，その割合は，各社員の出資の価額に応じて定め（会社622条1項），利益または損失の一方についてのみ分配割合の定めを定款で定めたときは，その割合は，利益および損失の分配に共通であるものと推定される（会社622条2項）。ただし，損失がでても，社員に追加出資の義務はないが，社員の持分は減少する。

## 6 利益配当に関する責任

　持分会社が，利益の配当により有限責任社員に対して交付した金銭等の帳簿価額が，利益額を超える場合には，その利益の配当を受けた有限責任社員は，その会社に対し，連帯して，その配当額全額に相当する金銭を支払う義務を負う（会社623条1項）。

## 7 出資の払戻し

　社員は，持分会社に対し，すでに出資として払込みまたは給付をした金銭等の払戻しを請求することができる。この場合，その金銭等が金銭以外の財産で

あるときは，その財産の価額に相当する金銭の払戻しを請求することができる（会社624条1項）。さらに，持分会社は，出資の払戻しに関する事項を定款で定めることができる（会社624条2項）。また，社員の持分の差押えは，出資の払戻請求権に対しても効力を有する（会社624条3項）。

## 第2節　合同会社の計算に関する特則

### 1　計算書類の閲覧・謄写請求

合同会社の債権者は，その合同会社の営業時間内はいつでも，その計算書類（作成した日から5年以内のものに限る）について，計算書類（書面または電磁的記録）の閲覧または謄写の請求をすることができる（会社625条）。なお，合同会社に対しては，株式会社のように，計算書類の決算公告を義務づけていない。

### 2　資本金の減少に関する特則

#### （1）資本金の額の減少

合同会社は，損失のてん補の場合のほか，出資の払戻しまたは持分の払戻しのために，その資本金の額を減少することができる（会社626条1項）。減少する資本金の額は，出資の払戻しまたは持分の払戻しにより社員に対して交付する金銭等の帳簿価額から，出資の払戻しまたは持分の払戻しをする日における剰余金額（資産の額から負債の額，資本金の額およびその他法務省令で定める各勘定科目に計上した額の合計額を減じて得た額）を控除して得た額を超えてはならない（会社626条2項・3項）。

#### （2）債権者異議手続

合同会社については，資本金の額の減少に際し債権者異議手続が要求され，

債権者は異議を述べることができる（会社627条1項）。合同会社は，資本金の額の減少の内容，および債権者が一定の期間内（1か月を下回らない）に異議を述べることができる旨を官報に公告し，知れている債権者には，各別にこれを催告しなければならない（会社627条2項）。また，官報による公告のほかに，定款の定めに従い，日刊新聞紙による公告または電子公告による場合には催告を要しない（会社627条3項）。

　債権者が，一定の期間内に異議を述べなかったときは，その債権者は，その資本金の額の減少について承認したものとみなす（会社627条4項）。しかし，異議を述べたときは，合同会社は，その債権者に対し，弁済もしくは相当の担保を提供し，またはその債権者に弁済を受けさせることを目的として，信託会社等に相当の財産を信託しなければならない。ただし，その資本金の額を減少しても，その債権者を害するおそれがないときは，この限りでない（会社627条5項）。なお，資本金の額の減少は，各手続が終了した日に効力を生ずる（会社627条6項）。

## 3　利益配当に関する特則

### （1）利益配当の制限

　合同会社は，利益の配当により社員に対して交付する金銭等の帳簿価額が，利益の配当をする日における利益額を超える場合には，その利益の配当をすることができない。ただし，利益の配当に関する事項は，定款により定めることができ，社員は合同会社に対し利益の配当を請求することができるが，配当額が利益額を超えるときは，合同会社は，社員からの利益の配当の請求を拒むことができる（会社628条）。

### （2）利益配当に関する責任

　合同会社が違反して利益の配当をした場合には，その利益の配当に関する業務を執行した社員は，その合同会社に対し，その利益の配当を受けた社員と連帯して，その配当額に相当する金銭を支払う義務を負う。ただし，その業務を

執行した社員が，その職務を行うについて注意を怠らなかったことを証明した場合には，支払う義務のない過失責任を負う（会社629条1項）。しかし，利益の配当をした日における利益額を限度としてその義務を免除することについて，総社員の同意があればその義務は免除される（会社629条2項）。

### (3) 求償権の制限

利益の配当を受けた社員は，配当額が利益の配当をした日における利益額を超えることにつき善意であるときは，その配当額について，その利益の配当に関する業務を執行した社員からの求償の請求に応ずる義務を負わない（会社630条1項）。

また，合同会社が，利益額を超えて配当した場合には，その会社の債権者は，利益の配当を受けた社員に対し，配当額（配当額が債権者のその会社に対する債権額を超えるときは，その債権額）に相当する金銭を支払わせることができる（会社630条2項）。

### (4) 期末欠損てん補責任

合同会社が利益の配当をした場合に，その利益の配当をした日の属する事業年度の末日に欠損額が生じた場合には，その利益の配当に関する業務を執行した社員は，その合同会社に対し，その利益の配当を受けた社員と連帯して，その欠損額（欠損額が配当額を超えるときは，その配当額）を支払う義務を負う。

ただし，その業務を執行した社員が，その職務を行うにつき注意を怠らなかったことを証明した場合には，支払う義務のない過失責任を負うが（会社631条1項），総社員の同意がなければ，支払う義務を免除することができない（会社631条2項）。

## 4　出資の払戻しに関する特則

### (1) 出資の払戻し制限

合同会社の社員は，債権者保護の観点から，定款を変更してその出資の価額を減少する場合を除き，出資の払戻しの請求をすることができない（会社632条1項）。ただし，定款を変更して出資の価額を減少する場合は，合同会社が，出資の払戻しにより社員に対して交付する金銭等の帳簿価額が，出資の払戻しを請求した日における剰余金額（出資の払戻しのために資本金の額を減少した場合においては，その減少後の剰余金額）または定款を変更して出資の価額を減少した額のいずれか少ない額を超える場合には，その出資の払戻しをすることはできない。この場合には，合同会社は，出資の払戻しの請求を拒むことができる（会社632条2項）。

### (2) 出資の払戻しに関する責任

出資の払戻しの制限に違反して払戻しを行った場合には，その業務を執行した社員は，その合同会社に対し，その出資の払戻しを受けた社員と連帯して，その出資の払戻額に相当する金銭を支払う義務を負う。ただし，その業務を執行した社員は過失責任を負い（会社633条1項），出資の払戻しをした日における剰余金額を限度として，総社員の同意がなければ支払う義務を免除することはできない（会社633条2項）。

### (3) 求償権の制限

出資の払戻しを受けた社員は，出資払戻額が出資の払戻しをした日における剰余金額を超えることにつき善意であるときは，その業務を執行した社員からの求償の請求に応ずる義務を負わない（会社634条1項）。ただし，合同会社の債権者は，出資の払戻しを受けた社員に対し，出資払戻額（出資払戻額が債権額を超えるときは，その債権額）に相当する金銭を支払わせることができる（会社634条2項）。

## 5 持分の払戻しに関する特則

### (1) 債権者異議手続

　合同会社が持分の払戻しにより社員に対して交付する金銭等の帳簿価額が，その持分の払戻しをする日における剰余金額を超える場合には，その合同会社の債権者は，その会社に対し，持分の払戻しについて異議を述べることができる（会社635条1項）。

　また，合同会社は，剰余金額を超える持分の払戻しの内容，および債権者が一定の期間内（1か月を下回ることはできない。ただし，持分払戻額がその会社の純資産額を超える場合には，2か月を下回ることはできない）に異議を述べることができる旨を官報に公告し，かつ，知れている債権者には各別に催告しなければならない（会社635条2項）。なお，官報による公告のほか，定款の定めにより，日刊新聞紙に掲載する方法または電子公告によるときは，各別の催告は必要ない。ただし，持分払戻額がその会社の純資産額を超える場合には，各別の催告を要する（会社635条3項）。

　債権者が期間内に異議を述べなかったときは，その持分の払戻しについて承認をしたものとみなす（会社635条4項）。しかし，債権者が期間内に異議を述べたときは，合同会社は，その債権者に対し，弁済もしくは相当の担保を提供し，またはその債権者に弁済を受けさせることを目的として信託会社等に相当の財産を信託しなければならない。ただし，持分払戻額がその会社の純資産額を超えない場合において，その持分の払戻しをしてもその債権者を害するおそれがないときは，この限りではない（会社635条5項）。

### (2) 業務執行社員の責任

　合同会社が，違反して持分の払戻しをした場合には，その業務を執行した社員は，その会社に対し，その持分の払戻しを受けた社員と連帯して，その持分払戻額に相当する金銭を支払う義務を負う。ただし，持分の払戻業務を執行した社員は，立証責任の転換により支払う義務を免れる（会社636条1項）。な

お，持分の払戻しをしたときにおける剰余金額を限度として支払う義務を免除するには，総社員の同意が必要である（会社 636 条 2 項）。

# 6章 終了

## 第1節 解　散

### 1　解散事由

　持分会社は，つぎに掲げる解散事由により解散する（会社641条）。①定款で定めた存続期間の満了，②定款で定めた解散の事由の発生，③総社員の同意，④社員が欠けたこと，⑤合併（合併によりその持分会社が消滅する場合に限る），⑥破産手続開始の決定，⑦解散を命ずる裁判（解散命令・解散判決）。

### 2　持分会社の継続

　持分会社は，上記①，②，③の事由により解散した場合には，清算が結了するまで，社員の全部または一部の同意により，持分会社を継続することができる（会社642条1項）。この場合，持分会社を継続することに同意しなかった社員は，持分会社が継続することとなった日に退社する（会社642条2項）。

### 3　解散した持分会社の制限

　持分会社が解散した場合には，その持分会社は，合併行為（合併によりその持分会社が存続する場合に限る），または吸収分割による他の会社がその事業に関して有する権利義務の全部または一部を承継する行為をすることができない（会社643条）。

## 第2節　清　　算

### 1　任意清算

#### (1) 財産の処分方法

　持分会社の清算には任意清算と法定清算がある。任意清算とは，合名会社および合資会社が，定款で定めた存続期間の満了，定款で定めた解散事由の発生，または総社員の同意により解散した場合に，定款または総社員の同意によって，その会社の財産の処分方法を定めることができる清算手続である（会社668条1項）。この場合，解散の日から2週間以内に，解散の日における財産目録および貸借対照表を作成しなければならない（会社669条）。

#### (2) 債権者異議手続

　財産の処分方法を定めた場合には，解散後の清算持分会社の債権者が，その会社に対し，財産の処分方法について異議を述べることができる債権者異議手続を経なければならない（会社670条）。
　また，社員の持分を差し押さえた債権者があるときは，解散後の清算持分会社がその財産を処分するには，その債権者の同意を得なければならないが（会社671条1項），同意を得ないでその財産を処分したときは，社員の持分を差し押さえた債権者は，その清算持分会社に対し，持分に相当する金額の支払を請求することができる（会社671条2項）。

### 2　法定清算

#### (1) 清算開始原因

　法定清算とは，持分会社（合名会社，合資会社，合同会社）が解散した場合（合併により解散した場合および破産手続開始の決定により解散した場合で，

その破産手続が終了していない場合を除く），および設立無効または設立取消しの訴えに係る請求を認容する判決が確定した場合に行われる清算手続であり（会社644条），清算持分会社は，清算の目的の範囲内において，清算が結了するまで存続するものとみなす（会社645条）。

### (2) 清算人の選解任

清算持分会社は，1人または2人以上の清算人を置かねばならず（会社646条），清算人には，業務執行社員，定款で定める者，社員の過半数の同意によって定める者および裁判所が選任した者が就任する（会社647条1項・2項）。

また，清算人の解任は，定款に別段の定めがある場合を除き，社員の過半数をもって決定するが，重要な事由があるときは，裁判所が，社員その他利害関係人の申立てにより解任する（会社648条）。

### (3) 清算人の職務と責任

清算人の職務は，現務の結了，債権の取立ておよび債務の弁済，残余財産の分配であり（会社649条），清算人が複数のときは，業務の執行は，定款に別段の定めがある場合を除き，清算人の過半数をもって決定する（会社650条）。

清算人と清算持分会社は委任関係にあり（会社651条），清算人が，その任務を怠ったときは，その会社に対し，連帯して，これにより生じた損害を賠償する責任を負い（会社652条），悪意または重大な過失があったときは，第三者に生じた損害を賠償する連帯責任を負う（会社653条）。

### (4) 法人が清算人である場合の特則

法人が清算人である場合には，その法人は，その清算人の職務を行うべき者を選任し，その者の氏名および住所を社員に通知しなければならない（会社654条1項）。

### (5) 財産目録等の作成および提出命令

清算人は，清算持分会社を代表し（会社655条），その就任後遅滞なく，清

算持分会社の財産の現況を調査し，清算の開始原因となった日における財産目録等（財産目録および貸借対照表）を作成し，各社員に内容を通知しなければならない（会社658条1項）。裁判所は，訴訟の当事者に対し，申立てまたは職権で，財産目録等の全部または一部の提出を命ずることができる（会社659条）。

### (6) 債務の弁済

清算持分会社（合同会社に限る）は，清算開始原因に該当することとなった後，遅滞なく，債権者に対し，一定の期間内（2か月を下回ることはできない）にその債権を申し出るべき旨を官報に公告し，知れている債権者には，各別にこれを催告しなければならない（会社660条1項）。なお，債権者がその期間内に申出をしないときは，清算から除斥される旨を公告に付記しなければならない（会社660条2項・665条）。

さらに，この期間内は，清算持分会社（合同会社に限る）は債務の弁済をすることができないが（会社661条1項），少額の債権，担保権により担保される債権，条件付債権，存続期間が不確定な債権等については弁済することができる（会社661条2項・662条）。

### (7) 残余財産の分配

清算持分会社は，出資の全部または一部を履行していない社員があるときは，その出資に係る定款の定めにかかわらず，その社員に出資させることができ（会社663条），債務を弁済した後でなければ，財産を社員に分配することができない（会社664条）。なお，残余財産の分配の割合について定款の定めがないときは，その割合は各社員の出資の価額に応じて定める（会社666条）。

### (8) 帳簿資料の保存

清算人，定款または社員の過半数をもって定める者もしくは裁判所が選任した者は，清算持分会社の本店の所在地における清算結了の登記のときから10年間，清算持分会社の帳簿ならびにその事業および清算に関する重要な資料を

保存しなければならない（会社672条）。

### (9) 社員の責任の消滅時効

　持分会社の社員の責任は，清算持分会社の本店の所在地における解散の登記をした後5年以内に請求または請求の予告をしない清算持分会社の債権者に対しては，その登記後5年を経過した時に消滅する（会社673条1項）。

　なお，この期間の経過後であっても，社員に分配しない残余財産があるときは，清算持分会社の債権者は，清算持分会社に対して弁済を請求することができる（会社673条2項）。

# 第 4 編

## 社　債

# 1章 総則

## 第1節 社債の意義

### 1 定　義

　社債とは，会社が行う割当てにより発生するその会社を債務者とする金銭債権であり，募集事項の定めに従い償還されるものをいう（会社2条23号）。つまり，一般公衆からの資金調達により生じた株式会社および持分会社の契約上の債務であり，社債権を表章する有価証券（社債券）を発行することができる。

### 2　株式と社債の異同

　株式と社債は，長期かつ多額の資金調達方法であるという点では共通するが法律上の性格は異なり，株式の所有者である株主は株式会社の社員（構成員）であるのに対し，社債の所有者である社債権者は株式会社の債権者である。株式と社債の差異ついては，①株主は，株主総会の議決権をはじめ種々の監督是正権を有し会社経営に参加できるが，社債権者はこれらの権利を有しない。②株主は，会社存立中は株金の払戻しを受けることはできないし，会社解散時においても会社債権者が弁済を受けた後に残余財産がある場合にのみ分配を受けるにすぎないが，社債権者は，償還期限の到来時には元本の償還を受けることができ，また，会社解散時には，株主に優先して他の会社債権者と同順位で弁済を受けることができる。③株主は，分配可能額の範囲内で，原則として株主総会決議により剰余金の配当を受けることができるが，無配当となる場合もある。これに対し，社債権者は，剰余金の有無にかかわらず確定利息の支払を受

けることができる。

## 3　社債権者の保護

　社債が長期かつ多額の債権であり，社債権者が共通の利益のために団体的に行動することが必要になることから，社債権者の利益を保護し社債を合理的に管理するために，社債管理者による社債の管理と社債権者集会による自治的管理を認めている。

# 第2節　社債の発行

## 1　募集事項

　会社は，その発行する社債を引き受ける者の募集をしようとするときは，その都度，募集社債について，①募集社債の総額，②各募集社債の金額，③募集社債の利率，④募集社債の償還の方法および期限，⑤利息支払の方法および期限，⑥社債券を発行するときは，その旨，⑦社債権者が記名社債と無記名社債との間の転換請求の全部または一部をすることができないこととするときは，その旨，⑧社債管理者が，社債権者集会の決議によらず社債全部についてする訴訟行為または倒産手続行為をすることができるとするときは，その旨，⑨各募集社債の払込金額もしくはその最低金額またはこれらの算定方法，⑩募集社債と引換えにする金銭の払込みの期日（現物出資は認められない），⑪一定の日までに募集社債の総額について割当てを受ける者を定めていない場合において，募集社債の全部を発行しないこととするときは，その旨およびその一定の日（打切発行制度），⑫そのほか法務省令で定める事項を定めなければならない（会社 676 条）。

　なお，発行時期が異なる社債であっても，その種類に属する事項（上記③から⑧までに掲げる事項その他の社債の内容を特定するものとして法務省令で定める事項）が同じであれば，同一種類の社債として取り扱うことが規定されて

いる（会社681条1号）。

## 2 発行方法

社債の発行方法については以下のとおりである。

### (1) 総額引受け

社債発行会社との契約により，特定の者が社債総額を引き受け，引き受けた社債を公衆に売り出し，引受価額と売出価額の差額を利得する方法である。

### (2) 公募発行

一般公衆から社債権者を募集する方法をいう。

### (3) 売出発行

社債総額を特定しないで，一定の期間内に公衆に対し発行条件を公告するだけで，その期間内に応募された総額をもって社債の発行総額とする方法をいう。

## 3 募集事項の決定機関

取締役会設置会社の株式会社では，取締役会の決議により，募集社債の総額に関する事項その他の社債を引き受ける者の募集に関する重要な事項として法務省令で定める事項を定めなければならないが（会社362条4項5号），法務省令で定める事項以外の事項は，その決定を取締役（指名委員会等設置会社においては，執行役）に委任することができる。また，取締役会を設置しない株式会社では，取締役が決定し，持分会社では，業務執行社員が決定することとなる。

## 4 募集社債の申込み

会社は，募集に応じて募集社債の引受けの申込みをしようとする者に対し，会社の商号，その募集に関する事項，そのほか法務省令で定める事項を通知し

なければならない（会社677条1項）。募集に応じて募集社債の引受けの申込みをする者は，法定事項を記載した書面を会社に交付しなければならない（電磁的方法による提供も可）（会社677条2項・3項）。

なお，金融商品取引法に規定する目論見書を，申込みをしようとする者に対して交付している場合，その他募集社債の引受けの申込みをしようとする者の保護に欠けるおそれがないものとして法務省令で定める場合には，募集に際しての法定事項の通知は必要ない（会社677条4項）。

## 5 募集社債の割当て

会社は，申込者の中から募集社債の割当てを受ける者を定め，その者に割り当てる募集社債の金額および金額ごとの数を定めて，申込者に通知しなければならない（会社678条）。ただし，募集社債を引き受けようとする者が，総額引受けの契約を締結する場合には，割当てや通知は不要である（会社679条）。そして，募集社債の申込者および総額引受者は社債権者となる（会社680条）。

## 6 振替社債

「社債，株式等の振替に関する法律」の適用を受ける振替社債については，社債券を発行せず，その譲渡または質入れは，発行会社から保管振替機関に通知され，その管理する口座において，その譲渡または質入れに関する社債の金額の増額の記載または記録により効力を生じる。また，悪意または重過失なく増額の記載または記録を受けた者は善意取得が認められる。

## 第3節　社債権者の権利

### 1　社債原簿

#### (1) 作成および備置き

　会社は，社債を発行した日以後遅滞なく，社債原簿を作成し，法定の社債原簿記載事項を記載または記録しなければならない（会社681条）。さらに，会社は，会社に代わって，社債原簿の作成および備置きその他の社債原簿に関する事務を行う社債原簿管理人を定め，その事務を委託することができる（会社683条）。

#### (2) 閲覧・謄写請求

　社債発行会社は，社債原簿をその本店（社債原簿管理人がある場合には，その営業所）に備え置き（会社684条1項），営業時間内はいつでも，社債権者その他法務省令で定める者および裁判所の許可を得た親会社社員の閲覧または謄写（書面または電磁的記録）の請求に応じなければならないが（会社684条2項・4項・5項），請求者が権利の確保または行使に関する調査以外の目的で請求を行ったときや，社債原簿の閲覧または謄写により知り得た事実を利益を得て第三者に通報するため請求を行ったとき，または過去2年以内に第三者に通報したことがある者であるときは，これを拒むことができる（会社684条3項）。

### 2　社債の譲渡

　社債券を発行する旨の定めがある社債の譲渡は，その社債券を交付しなければ効力は生じない（会社687条）。さらに，記名社債の譲渡は，その社債を取得した者の氏名または名称および住所を社債原簿に記載または記録しなければ，社債発行会社その他の第三者に対抗することはできない（会社688条）。

　また，社債券の占有者は，その社債についての権利を適法に有するものと推

定され（会社689条1項），社債券の交付を受けた者は，悪意または重大な過失があるときを除き，その社債についての権利を取得する（会社689条2項）。

## 3 社債の質入れ

社債券を発行する旨の定めがある社債の質入れは，その社債券を交付しなければ効力は生じない（会社692条）。さらに，社債の質入れは，その質権者の氏名または名称および住所を社債原簿に記載または記録しなければ，社債発行会社その他の第三者に対抗することができない（会社693条1項）。ただし，社債券を発行する旨の定めがある社債の質権者は，継続してその社債券を占有しなければ，社債発行会社その他の第三者に対抗することができない（会社693条2項）。

## 4 社債券の発行・喪失

社債発行会社は，社債券を発行する旨の定めがある社債を発行した日以後遅滞なく，その社債券を発行しなければならない（会社696条）。また，社債券を喪失した場合には，社債券は，公示催告手続により無効とすることができるが（会社699条1項），社債券を喪失した者は，除権決定を得た後でなければ，その再発行を請求することができない（会社699条2項）。

## 5 社債利息の支払

社債権者は，社債の発行条件に基づき利息の支払を受けることができるが，記名社債では，社債原簿に記載または記録された社債権者に対し，その住所において会社が利息の支払を行い（持参債務），無記名社債では，社債券に添付された利札と引き換えに利息の支払を受ける（取立債務）。なお，社債利息支払請求権の消滅時効は5年である（会社701条2項）。

## 6 利　　札

社債発行会社は，社債券が発行されている社債をその償還の期限前に償還する場合において，これに付された利札が欠けているときは，その利札に表示さ

れる社債の利息の請求権の額を償還額から控除しなければならない（会社700条1項）。ただし，利札の所持人は，いつでも，社債発行会社に対し，これと引換えに控除しなければならない額の支払を請求することができる（会社700条2項）。

## 7　社債の償還方法

　社債の発行条件として社債償還の方法および期限が定められるが，償還方法として，社債発行後一定期間据え置いて償還期限まで随時償還する随時分割償還や，通常多く行われている一定期間経過後定期的に一定額を抽選償還する定時分割償還がある。また，全額を償還期日に弁済する満期償還の方法もある。ただし，社債の償還請求権の消滅時効は10年である（会社701条1項）。なお，会社はいつでも自己社債を取得することができ，自己社債を市場価格で取得して買入消却することもできる。

# 2章 社債管理者

## 第1節 設置と資格

　会社は，社債を発行する場合には，各社債の金額が1億円以上である場合（大口の機関投資家が対象なので特別の保護は不要）その他社債権者の保護に欠けるおそれがない場合（私募債の場合は社債権者集会で対処）を除き，社債管理者を定め，社債権者のために弁済の受領，債権の保全その他の社債の管理を行うことを委託しなければならない（会社702条）。

　また，社債管理者の資格は，銀行，信託会社，担保付社債信託法5条の免許を受けた会社に限られ（会社703条，担信5条），社債権者に対して公平誠実義務および善管注意義務を負う（会社704条）。

## 第2節 権限

### 1　意　義

　社債管理者は，社債権者のために社債に係る債権の弁済を受け，または債権の保全を実現するために必要な一切の裁判上（仮差押え，仮処分など）または裁判外（時効中断のための支払催告，破産や会社更生手続における債権の届出など）の行為を行う権限を有する（会社705条1項）。なお，社債管理者が社債に係る債権の弁済を受けた場合には，社債権者は，社債の償還額および利息の支払を請求することができる（会社705条2項）。この請求権の消滅時効は10年である（会社705条3項）。

ただし，この権限は，社債の全部についてする支払の猶予，債務の不履行により生じた責任の免除または和解，訴訟行為または破産手続，再生手続，更生手続もしくは特別清算に関する手続などの重要な事項については，社債権者集会の決議によらなければ行使することはできないが，募集社債に関する決定事項として定めていれば，社債管理者は社債権者集会の決議がなくてもその行為を行うことができる（会社706条1項）。なお，社債管理者は，必要があるときは，裁判所の許可を得て，社債発行会社の業務および財産の状況を調査することができる（会社706条4項）。

## 2　特別代理人

　社債権者と社債管理者との利益が相反する場合において，社債権者のために裁判上または裁判外の行為をする必要があるときは，裁判所は，社債権者集会の申立てにより，特別代理人を選任しなければならない（会社707条）。

## 第3節　責　　任

　社債管理者は，会社法または社債権者集会の決議に違反する行為をしたときは，社債権者に対し連帯して，これによって生じた損害を賠償する責任を負う（会社710条1項）。

　なお，社債管理者は，社債発行会社が社債の償還もしくは利息の支払を怠り，もしくは支払の停止があった後またはその前3か月以内に，社債管理者が自己の債権につき社債発行会社から担保の供与または債務の消滅に関する行為を受けること，社債管理者と特別関係者に対して社債管理者の債権を譲り渡すこと，社債管理会社と社債発行会社間の債権と債務を相殺することなどの行為をしたときは，社債権者に対し損害を賠償する責任を負う。ただし，社債管理者が，社債の管理を怠らなかったこと，またはその損害がその行為により生じたものでないことを証明したときは，責任を免れる過失責任を負う（会社710条2項）。

## 第4節　辞任・解任

　社債管理者は，あらかじめ事務を承継する社債管理者を定め，社債発行会社および社債権者集会の同意を得て辞任することができる（会社711条1項）。ただし，社債管理者は，委託に係る契約に定めた事由があるときは辞任することができる（会社711条2項）。なお，やむを得ない事由があるときは，裁判所の許可を得て辞任することができる（会社711条3項）。

　さらに，社債管理者がその義務に違反したとき，その事務処理に不適任であるときその他正当な事由があるときには，裁判所は，社債発行会社または社債権者集会の申立てにより，社債管理者を解任することができる（会社713条）。

## 第5節　事務の承継

　社債管理者が辞任もしくは解任等により他に社債管理者がいなくなったときは，社債発行会社は，遅滞なく，社債権者集会の同意を得るためこれを招集し，その同意を得ることができなかったときは，その同意に代わる裁判所の許可の申立てをし，事務を承継する社債管理者を定めなくてはならない（会社714条1項）。

　しかし，社債管理者がいなくなってから2か月以内に社債権者集会を招集せず，または裁判所の許可の申立てをしなかったときは，その社債の総額について期限の利益を喪失する（会社714条2項）。また，やむを得ない事由があるときは，利害関係人は，裁判所に対し，事務を承継する社債管理者の選任の申立てをすることができる（会社714条3項）。

## 第6節　社債管理補助者

### 1　意　　義

　会社が社債を発行する際には，社債権者保護の観点から，社債管理者の設置が強制される。しかし，例外として，各社債の金額が1億円以上の場合などには設置義務が免除されている（会社702条ただし書）。その結果，社債管理者を設置していない社債（社債管理者不設置債）の発行が多数を占めている。近年，こうした社債管理者不設置債のデフォルトが発生し，社債権者に損失や混乱が生ずるという事例が多く見られた。そこで，社債管理補助者を定め，社債権者のために，社債の管理の補助を行うことを委託することができるものと規定された。

　社債管理者は，社債の管理に必要な権限を包括的に有し，広い裁量をもってそれを行使することが求められている。一方，社債管理補助者は，破産債権としての届出をしたり，社債権者からの請求を受けて社債権者集会の招集をすることなどにより，社債権者による社債権者集会の決議等を通じた社債の管理が円滑に行われるように補助する制度と位置付けられ，社債管理補助者は，社債管理者よりも裁量の余地の限定された権限のみを有するものである。

### 2　設置と資格

　各社債の金額が1億円以上の場合その他社債権者の保護に欠けるおそれがないものとして法務省令で定める場合には，社債管理補助者を定め，社債権者のために，社債の管理の補助を行うことを委託することができる。ただし，その社債が担保付社債である場合は，この限りでない（会社714条の2）。

　また，社債管理補助者は，銀行，信託会社，これらに準ずるものとして法務省令で定める者（弁護士および弁護士法人）でなければならない（会社714条の3）。

## 3 権 限 等

　社債管理補助者は，社債権者のために，破産手続参加，再生手続参加または更生手続参加をすること，強制執行または担保権の実行の手続における配当要求をすること，期間内に債権の申出をすることの権限を有する（会社714条の4第1項）。

　また，委託に係る契約に定める範囲内において，社債権者のために，社債に係る債権の弁済を受けること，社債に係る債権の弁済を受けまたは社債に係る債権の実現を保全するために必要な一切の裁判上または裁判外の行為をすること，社債権者集会の決議により，社債の全部についてする支払の猶予，その債務の不履行によって生じた責任の免除または和解，訴訟行為または破産手続，再生手続，更生手続もしくは特別清算手続に属する行為をすること，社債発行会社が社債の総額について期限の利益を喪失することとなる行為をすることの権限を有する（会社714条の4第2項）。

　一方，社債管理補助者は，社債権者集会の決議によらなければ，社債の全部についてするその支払の請求，社債の全部に係る債権に基づく強制執行，仮差押えまたは仮処分，社債の全部についてする訴訟行為または破産手続，再生手続，更生手続もしくは特別清算に関する手続に属する行為，社債の全部についてする支払の猶予，その債務の不履行によって生じた責任の免除または和解，訴訟行為または破産手続，再生手続，更生手続もしくは特別清算手続に属する行為をすること，社債発行会社が社債の総額について期限の利益を喪失することとなる行為をすることをしてはならない（会社714条の4第3項）。

　また，社債管理補助者は，委託に係る契約に従い，社債の管理に関する事項を社債権者に報告し，または社債権者がこれを知ることができるようにする措置をとらなければならない（会社714条の4第4項）。なお，社債管理補助者が社債権者に生じた損害を賠償する責任を負う場合において，他の社債管理補助者もその損害を賠償する責任を負うときは，これらの者は，連帯債務者となる（会社714条の5第2項）。

　ただし，社債管理者の委託に係る契約または担保付社債信託法に規定する信

託契約の効力が生じた場合には，社債管理補助者の委託に係る契約は終了する（会社714条の6）。

## 4　社債管理者に関する規定の準用

社債管理者の義務（会社704条），特別代理人の選任（会社707条），社債管理者等の行為の方式（会社708条），社債管理者の責任（会社710条第1項），社債管理者の辞任（会社711条），社債管理者の解任（会社713条），社債管理者の事務の承継（会社714条）の規定は，社債管理補助者について準用する（会社714条の7）。

## 5　社債権者集会の招集等

社債管理補助者は，社債権者集会の同意を得るためにこれを招集することができるものとする（会社717条第3項2号）。また，ある種類の社債の総額の10分の1以上に当たる社債を有する社債権者は，社債管理補助者に対し，社債権者集会の目的である事項および招集の理由を示して，社債権者集会の招集を請求することができる（会社718条第1項）。この請求を受けた場合，社債管理補助者は，社債権者集会を招集することができる（会社717条第3項1号）。

# 3章 社債権者集会

　社債権者集会は，各種類の社債別の社債権者により構成され（会社715条），必ずしも社債権者全体の集会ではないが，会社法に規定する事項および社債権者の利害に関する事項について決議することができる（会社716条）。

## 第1節　招集手続

　社債権者集会は，必要がある場合はいつでも招集することができ，社債発行会社または社債管理者が招集する（会社717条）。

　ただし，ある種類の社債の総額の10分の1以上を有する社債権者は，社債発行会社または社債管理者に対し，社債権者集会の目的である事項および招集の理由を示して，社債権者集会の招集を請求することができるが（会社718条1項），招集の請求後，遅滞なく招集手続が行われない場合，または招集の請求のあった日から8週間以内の日を社債権者集会の日とする社債権者集会の招集の通知が発せられない場合には，裁判所の許可を得て，社債権者は社債権者集会を招集することができる（会社718条3項）。

　招集手続については，株主総会の規定が準用されるが，無記名式の社債券を発行している場合には，会日より3週間前までに，社債権者集会を招集する旨および集会の日時・場所，集会の目的となる事項などを公告しなければならない（会社720条4項）。

## 第2節　議　決　権

　社債権者は，その有する種類の社債の金額の合計額に応じて議決権を有するが（会社723条1項），自己社債については議決権を有しない（会社723条2項）。さらに，議決権を行使しようとする無記名社債の社債権者は，会日の1週間前までに，社債券を招集者に提示しなければならない（会社723条3項）。

　また，株主総会同様，議決権の代理行使（会社725条），書面による議決権の行使（会社726条），電磁的方法による議決権の行使（会社727条），議決権の不統一行使（会社728条）が規定されている。

## 第3節　決　　議

### 1　意　　義

　決議については，定足数の定めがなく，出席した議決権者の議決権の総額の2分の1を超える議決権を有する者の同意がなければならないが（会社724条1項），社債の全部の支払猶予，債務不履行による責任の免除等の一定の重要な事項については，議決権者の議決権の総額の5分の1以上で，かつ，出席した議決権者の議決権の総額の3分の2以上の議決権を有する者の同意がなければならない（会社724条2項）。ただし，社債権者集会の目的である事項以外の事項については，決議をすることはできない（会社724条3項）。

### 2　議　事　録

　招集者は，社債権者集会の議事録を作成し，社債発行会社の本店に会日から10年間備え置き，社債管理者および社債権者は，社債発行会社の営業時間内ならいつでも，議事録（書面または電磁的記録）の閲覧または謄写の請求をすることができる（会社731条）。

## 3　決議の認可

　社債権者集会の決議は，裁判所の認可を受けなければ効力を生じない（会社734条1項）。したがって，社債権者集会の決議があったときは，招集者は，その決議があった日から1週間以内に，裁判所に対し，その決議の認可の申立てをしなければならない（会社732条）。

　しかし，裁判所は，招集の手続またはその決議方法が法令または募集社債に関する決定事項に違反するとき，決議が不正の方法により成立したときもしくは著しく不公正であるとき，決議が社債権者の一般の利益に反するときは，決議の認可をすることはできない（会社733条）。さらに，社債権者集会の決議は，その種類の社債を有するすべての社債権者に対してその効力を有する（会社734条2項）。

　なお，社債発行会社・社債管理者・社債管理補助者・社債権者が，社債権者集会の目的である事項について提案をした場合において，その提案につき議決権者の全員が書面または電磁的記録により同意の意思表示をしたときは，その提案を可決する旨の社債権者集会の決議があったものとみなす（会社735条の2第1項）。ただし，この場合には，社債権者集会の決議についての裁判所の認可を受けることを要しないものとする（会社735条の2第4項）。

## 4　代表社債権者

　社債権者集会において，その決議によって，その種類の社債の総額の1,000分の1以上を有する社債権者の中から，1人または2人以上の代表社債権者を選任し，決議事項の決定を委任することができる（会社736条1項）。ただし，代表社債権者が2人以上ある場合において，その決定は過半数をもって行われる（会社736条3項）。

## 5　決議の執行

　社債権者集会の決議は，社債管理者または代表社債権者が執行する。ただし，社債権者集会の決議により別に社債権者集会の決議を執行する者を定めた

ときは，その執行者が行う（会社737条1項）。また，社債権者集会においては，その決議によって，いつでも，代表社債権者もしくは決議執行者を解任し，またはこれらの者に委任した事項を変更することができる（会社738条）。

## 6　社債管理者の異議申述

社債管理者は，社債管理委託契約に別段の定めがある場合を除き，社債権者の利益のために，社債権者集会の決議がなくても異議を述べることができる（会社740条2項）。

# 第 5 編

## 組織再編

# 1章 組織変更

## 第1節 意　義

　会社の組織変更とは，会社が法律上同一人格を保有しながら他の種類の会社になることをいい，株式会社から持分会社への組織変更と持分会社から株式会社間での組織変更が認められるが，持分会社間の変更は，定款の変更とされ（会社638条），組織変更として取り扱われない。

## 第2節 手　続

### 1　株式会社の手続

#### （1）組織変更計画の作成

　株式会社が持分会社に組織変更をする場合には，組織変更計画を作成し（会社743条），その組織変更計画において，①組織変更後持分会社の種類，②その会社の目的，商号および本店の所在地，③その会社の社員の氏名・名称・住所・無限責任と有限責任の別・出資の価額，④組織変更後の会社の定款に定める事項，⑤組織変更後持分会社が，組織変更に際して株式会社の株主に金銭等（金銭，社債，それ以外の財産）を交付するときは，その内容・金額・割当て等に関する事項，⑥組織変更する株式会社が新株予約権を発行しているときは，組織変更後持分会社が組織変更に際し，新株予約権者に対して交付する金銭の額またはその算定方法，⑦組織変更の効力発生日などの事項を定めなけれ

ばならない（会社744条1項）。

### (2) 効力の発生
　組織変更をしようとする株式会社は，効力発生日に，持分会社となり（会社745条1項），定款を変更したものとみなされ（会社745条2項），株主は，持分会社の社員あるいは社債権者となる（会社745条3項・4項）。

### (3) 備置きと閲覧・謄抄本交付請求
　組織変更をする株式会社は，組織変更計画備置開始日から組織変更の効力発生日までの間，組織変更計画の内容等を記載または記録した書面または電磁的記録をその本店に備え置き（会社775条1項），組織変更をする株式会社の株主および債権者は，営業時間内はいつでも，それらの閲覧および謄抄本の交付の請求をすることができる（会社775条3項）。

### (4) 承　　認
　組織変更しようとする株式会社は，効力発生日の前日までに，組織変更計画について，その株式会社の総株主の同意を得なければならないし（会社776条1項），効力発生日の20日前までに，その登録株式質権者および登録新株予約権質権者に対し，組織変更をする旨を通知または公告しなければならない（会社776条2項・3項）。

### (5) 新株予約権の買取請求
　株式会社の新株予約権者は，株式会社に対しては，自己の有する新株予約権を公正な価格で買い取ることを請求することができる（会社777条1項）。

### (6) 債権者異議手続
　株式会社の債権者は，その株式会社に対し，組織変更について異議を述べることができ（会社779条1項），一定の期間内（1か月を下回ることはできない）に異議を申し立てる旨を官報に公告し，知れている債権者には各別に催告しな

ければならない（会社779条2項）。債権者が期間内に異議を述べなかったときは，組織変更について承認したものとみなし（会社779条4項），異議を述べたときは，その株式会社は，債権者に対し，弁済もしくは相当の担保を提供し，または債権者に弁済することを目的として信託会社等に相当の財産を信託しなければならない。ただし，その組織変更をしても，その債権者を害するおそれがないときは，この限りでない（会社779条5項）。

## 2　持分会社の手続

### (1) 組織変更計画の作成

持分会社が株式会社に組織変更する場合にも，組織変更計画を作成し（会社743条），その組織変更計画において，①組織変更後の株式会社の目的，商号，本店の所在地および発行可能株式総数，②組織変更後株式会社の定款で定める事項，③組織変更後株式会社の取締役・会計参与・監査役・会計監査人の氏名，④持分会社の社員が，組織変更に際し取得する株式数，その数の算定方法および割当てに関する事項，⑤組織変更後株式会社が，組織変更に際して持分会社の社員に対して，その持分に代わる金銭等を交付するときは，その金銭等に関する事項，⑥効力発生日，を定めなければならない（会社746条）。

### (2) 効力の発生

組織変更をする持分会社は，効力発生日に株式会社となり（会社747条1項），定款を変更したものとみなされ（会社747条2項），持分会社の社員は，株主あるいは社債権者，新株予約権者となる（会社747条3項・4項）。

### (3) 承認と債権者異議手続

組織変更をしようとする持分会社は，定款に別段の定めがある場合を除き，効力発生日の前日までに，組織変更計画について，その持分会社の総社員の同意を得なければならない（会社781条1項）。さらに，持分会社を株式会社に組織変更するには，債権者異議手続が必要である（会社781条2項）。

## 3 登　　記

　会社が組織変更をしたときは，その効力が生じた日から 2 週間以内に，その本店所在地において，組織変更前の会社については解散の登記を，組織変更後の会社については設立の登記をしなければならない（会社 920 条）。

# 2章 合併

## 第1節 意義

### 1 意味

　合併とは，複数の会社が契約により1つの会社となることをいい，吸収合併（一方の会社が存続し，他方の会社は消滅してその会社の権利義務の全部を存続会社に承継される場合）（会社2条27号）と新設合併（当事会社は消滅し，新会社を設立して消滅会社の権利義務の全部を新設会社に承継させる場合）（会社2条28号）がある。

　また，会社は，他の会社と合併することができる。この場合，合併をする会社は，合併契約を締結しなければならない（会社748条）。したがって，会社の種類を問わず，4種類の会社の間で自由に合併することができ，合併前および合併後の会社についての制限はなく，解散・消滅会社の社員・株主および財産は存続会社または新設会社に承継されるため，清算手続を必要としない。

### 2 法的性質

　合併の法的性質は，人格合一説（当事会社の法人格の合一を目的とする特別の組織法上の契約であるとする説）と現物出資説（消滅会社が財産を現物出資し，存続会社の増資または新設会社の設立と解する説）が対立している。

### 3 事業譲渡との比較

　合併（特に吸収合併）と事業譲渡は類似しているが，①合併は，消滅会社の全部の財産が移転し，財産の一部だけを移転することは認められていないのに

対し，事業譲渡は，契約で取り決めた個別の財産が移転すること（事業の一部譲渡）が認められている。②合併では消滅会社は解散消滅するが，事業譲渡では，全部譲渡の場合でも，事業目的を変更して事業を継続できるので，譲渡会社は解散消滅するとは限らない。③合併では，消滅会社の債務も引き継がれるので，債権者異議手続が必要であるが，事業譲渡においては，譲受会社の免責的債務引受けがない限り債務を免れないので，債権者異議手続は不要である。④合併では合併契約の作成が必要であるが，事業譲渡では不要である。⑤合併では，合併無効の訴えが認められているが，事業譲渡には認められていない，などの差異がある。

## 4　独禁法による規制

合併により市場を独占する場合もありうるので，合併によって一定の取引分野の競争を制限する場合，または合併が不公正な取引方法による場合には合併することはできない（独禁15条1項）。これに違反する行為があるときは，公正取引委員会は違反行為排除措置を命ずることができ（独禁17条の2第1項），また，合併を事前届出制とし届出受理後30日間は合併を禁止し（独禁15条2項・5項），違反した場合には，公正取引委員会は合併無効の訴えを提起することができる（独禁18条1項）。

## 第2節　吸 収 合 併

### 1　株式会社の吸収合併

(1) 吸収合併契約

　会社が吸収合併をする場合において，吸収合併存続会社が株式会社であるときは，吸収合併契約において，①吸収合併存続株式会社および吸収合併消滅会社の商号および住所，②吸収合併存続株式会社が吸収合併消滅会社の株主または社員に対して株式または持分に代わる対価として金銭等を交付するときは，その金銭等に関する事項，③吸収合併消滅株式会社が新株予約権を発行しているときは，吸収合併存続株式会社が，その新株予約権者に対して交付する新株予約権に代わる対価として，吸収合併存続株式会社の新株予約権（または新株予約権付社債）または金銭を交付するときは，それらに関する事項，④吸収合併の効力発生日などを定めなければならない（会社749条1項）。

(2) 合併対価の柔軟化

　吸収合併の対価は，吸収合併存続株式会社の株式に限定されず，金銭その他の財産を交付することができる。いわゆる合併対価の柔軟化により，吸収合併消滅会社の株主または社員に金銭のみを交付する交付金合併（キャッシュ・アウト・マージャー）や，合併における存続会社がその親会社の株式を対価として交付する三角合併が可能である。この対価の柔軟化は，後述の吸収分割または株式交換についても同様に認められている。

(3) 効力の発生

　吸収合併存続株式会社は，効力発生日に，吸収合併消滅会社の権利義務を承継するが（会社750条1項），吸収合併消滅会社の解散は，吸収合併の登記の後でなければ第三者に対抗することはできない（会社750条2項）。さらに，吸収

合併消滅会社の株主または社員は，効力発生日に，吸収合併存続株式会社の株主，社債権者および新株予約権者となる（会社750条3項）。

## 2　持分会社の吸収合併

　会社が吸収合併をする場合において，吸収合併存続会社が持分会社であるときの吸収合併契約において定めなければならない事項は，前記の株式会社が吸収合併存続会社となる場合と同様である（会社751条）。

　さらに，吸収合併存続持分会社は，効力発生日に，吸収合併消滅会社の権利義務を承継するが（会社752条1項），吸収合併消滅会社の解散は，吸収合併の登記の後でなければ，第三者に対抗することはできない（会社752条2項）。また，吸収合併消滅会社の株主または社員は，効力発生日に，吸収合併存続持分会社の社員または社債権者となる（会社752条3項・4項）。

# 第3節　新設合併

## 1　株式会社の新設合併

### （1）新設合併契約

　2以上の会社が新設合併をする場合において，新設合併設立会社が株式会社であるときは，新設合併契約において，①新設合併消滅会社の商号および住所，②新設合併設立株式会社の目的，商号，本店の所在地，発行可能株式総数，定款で定める事項，設立時の取締役・会計参与・監査役・会計監査人の氏名または名称，③新設合併消滅会社の株主または社員に対して交付する新設合併設立株式会社の株式の数またはその数の算定方法および割当てに関する事項ならびに新設合併設立株式会社の資本金および準備金の額に関する事項，④新設合併消滅会社の株主または社員に対して新設合併設立株式会社の社債等（社債，新株予約権，新株予約権付社債）を交付するときは，その社債等の金額，

内容，その算定方法および割当てに関する事項などを定めなければならない（会社753条）。

### (2) 効力の発生

新設合併設立株式会社は，その成立の日に，新設合併消滅会社の権利義務を承継し（会社754条1項），新設合併消滅会社の株主または社員は，新設合併設立株式会社の成立の日に，新設合併設立株式会社の株主または社債権者，新株予約権者となる（会社754条2項・3項）。

## 2 持分会社の新設合併

新設合併設立会社が持分会社であるときも，新設合併契約に定める事項は，新設合併設立会社が株式会社である場合と同様の事項であるが，新設合併設立持分会社が合名会社，合資会社または合同会社のいずれであるかの別，およびその会社の社員の全部または一部を無限責任社員または有限責任社員とする旨を定めなければならない（会社755条）。

また，新設合併設立持分会社は，その成立の日に，新設合併消滅会社の権利義務を承継し（会社756条1項），新設合併消滅会社の株主または社員は，新設合併設立持分会社の成立の日に，新設合併設立持分会社の社員または社債権者となる（会社756条2項・3項）。

# 3章 会社分割

## 第1節 意　義

### 1　意　味

　会社の分割とは，1つの会社を複数の会社に分けることをいい，会社の特定部門を分離し，他の会社の特定部門と合弁企業を設立したり，大企業の特定部門を別会社として分離独立させて経営効率を図ったり，不採算部門を切り離し身軽になるためなど事業再編のために行われる。

　会社分割には，株式会社または合同会社が，その事業に関して有する権利義務の全部または一部を分割後他の会社に承継させる吸収分割（会社2条29号）と，1または2以上の株式会社または合同会社が，その事業に関する権利義務の全部または一部を分割により設立する会社に承継させる新設分割（会社2条30号）がある。なお，合名会社および合資会社の会社分割は認められない。

### 2　合併との比較

　会社分割は，分割会社の権利義務の全部または一部を吸収分割承継会社または新設分割設立会社に承継する点で合併に類似するが，分割会社が分割後も存続することが合併と異なる。なお，吸収分割承継会社または新設分割設立会社には制限がなく，いかなる種類の会社でもよい。

### 3　人的分割と物的分割

　従来，吸収分割承継会社または新設分割設立会社が，分割に際し発行する株式を分割会社に交付する場合を物的分割（分社型分割）といい，分割会社の株

主に交付する場合を人的分割（分割型分割）といっていた。しかし，平成17年会社法制定により人的分割は廃止され，従来の人的分割を，分割対価が分割会社に交付され（物的分割），分割会社はそれを株主に剰余金として配当することとして構成した。したがって，会社分割は，物的分割のみを意味することとなった。

### 4 独禁法による規制

共同新設分割（後述）または吸収分割が，一定の取引分野の競争を実質的に制限することとなる場合，または不公正な取引方法である場合には分割することはできない（独禁15条の2第1項）。これに違反した場合には，公正取引委員会は違反行為排除措置を命ずることができる（独禁17条の2第1項）。また，分割を事前届出制とし（独禁15条の2第2項〜7項），違反した場合には，公正取引委員会は，分割無効の訴えを提起することができる（独禁18条2項）。

## 第2節　吸収分割

### 1　通則

株式会社または合同会社は，吸収分割をすることができる。この場合，吸収分割会社の事業に関して有する権利義務の全部または一部を承継する吸収分割承継会社との間で，吸収分割契約を締結しなければならない（会社757条）。

### 2　株式会社の吸収分割

(1) 吸収分割契約

吸収分割承継会社が株式会社であるときは，吸収分割契約において，①吸収分割会社および吸収分割承継株式会社の商号および住所，②吸収分割承継株式会社が吸収分割会社から承継する資産，債務，雇用契約その他の権利義務に関

する事項，③吸収分割承継株式会社に自己株式または吸収分割株式会社の株式を承継させるときは，その株式に関する事項，④吸収分割承継株式会社が，吸収分割会社に対して，その事業に関する権利義務の全部または一部の対価として金銭等（株式，社債，新株予約権，新株予約権付社債，その他の財産）を交付するときは（対価の柔軟化），その金銭等の内容・数・額・算定方法等に関する事項，⑤吸収分割承継株式会社が，吸収分割株式会社の新株予約権者に対し，その新株予約権に代わる吸収分割承継株式会社の新株予約権を交付するときは，その新株予約権の内容，数，算定方法，割当て等に関する事項，⑥吸収分割の効力発生日，⑦吸収分割株式会社が，効力発生日に，全部取得条項付種類株式の取得（取得対価として吸収分割承継株式会社の株式のみを交付するものに限る）と同時に剰余金の配当（配当財産が吸収分割承継株式会社の株式のみに限る）をするときは，その旨について定めなければならない（会社758条）。なお，この場合には，債権者異議手続がふまれることから，剰余金の分配規制は適用されない（会社792条）。

### (2) 効力の発生

　吸収分割承継株式会社は，効力発生日に，吸収分割契約の定めに従い，吸収分割会社の権利義務を承継する（会社759条1項）。なお，吸収分割会社の債権者が各別の催告を受けなかった場合には，吸収分割契約において債務の履行を請求することができないものとされているときであっても，吸収分割会社に対しては，吸収分割会社が効力発生日に有していた財産の価額を限度として，あるいは吸収分割承継株式会社に対しては，承継した財産の価額を限度として，その債務の履行を請求することができる（会社759条2項・3項）。

　そして，吸収分割会社は，効力発生日に，吸収分割契約の定めに従い，吸収分割承継株式会社の株主または社債権者あるいは新株予約権者となる（会社759条8項）。

## 3　持分会社の吸収分割

　吸収分割承継会社が持分会社であるときは，吸収分割契約に定める事項は，

吸収分割承継会社が株式会社である場合と同様の事項を定めなければならないが，吸収分割承継持分会社が，合名会社，合資会社または合同会社のいずれであるかの別，およびその社員が無限責任社員または有限責任社員のいずれであるかの別も加えなければならない（会社760条）。

　吸収分割承継持分会社は，効力発生日に，吸収分割契約の定めに従い，吸収分割会社の権利義務を承継する（会社761条1項）。なお，吸収分割会社の債権者保護については，前述の吸収分割承継株式会社の場合と同様である（会社761条2項・3項）。また，吸収分割会社は，効力発生日に，吸収分割承継持分会社の社員または社債権者となる（会社761条8項・9項）。

## 第3節　新設分割

### 1　通　則

　1または2以上の株式会社または合同会社は，新設分割をすることができる。この場合，新設分割計画を作成しなければならない（会社762条1項）。また，2以上の株式会社または合同会社が共同して新設分割をする場合には，共同して新設分割計画を作成しなければならない（共同新設分割）（会社762条2項）。

### 2　株式会社の新設分割

#### （1）新設分割計画

　新設分割設立会社が株式会社であるときは，新設分割計画において，①新設分割設立株式会社の目的，商号，本店の所在地，発行可能株式総数，定款で定める事項および設立時取締役等（取締役，会計参与，監査役，会計監査人）の氏名または名称，②新設分割設立株式会社が，新設分割会社から承継する資産，債務，雇用契約その他の権利義務に関する事項，③新設分割設立株式会社が，新設分割会社に対して交付するその事業に関する権利義務の全部または一

部の対価として新設分割設立株式会社の株式の数またはその数の算定方法ならびに新設分割設立株式会社の資本金および準備金の額に関する事項，④共同新設分割をするときは，新設分割会社に対する株式の割当てに関する事項，⑤新設分割会社に対し，新設分割設立株式会社の社債等（社債，新株予約権，新株予約権付社債）を交付するときは，金額，内容，数，算定方法等に関する事項，⑥共同新設分割をするときは，新設分割会社に対する社債等の割当てに関する事項，⑦新設分割設立株式会社が，新設分割株式会社の新株予約権者に対して，新設分割設立株式会社の新株予約権を交付するときは，その新株予約権の内容，数，その算定方法等に関する事項，⑧新設分割計画新株予約権の新株予約権者に対する新設分割設立株式会社の新株予約権の割当てに関する事項，⑨新設分割株式会社が，新設分割設立株式会社の成立の日に，全部取得条項付種類株式の取得（取得対価として新設分割設立株式会社の株式のみを交付するものに限る）と同時に剰余金の配当（配当財産が新設分割設立株式会社の株式のみであるものに限る）をするときは，その旨について定めなければならない（会社 763 条）。なお，この場合には，債権者異議手続がふまれることから，剰余金の分配規制は適用されない（会社 812 条）。

### (2) 効力の発生

新設分割設立株式会社は，その成立の日に，新設分割計画の定めに従い，新設分割会社の権利義務を承継する（会社 764 条 1 項）。なお，新設分割会社の債権者が各別の催告を受けなかった場合には，新設分割計画において債務の履行を請求することができないとされているときであっても，新設分割会社に対しては，新設分割設立株式会社の成立の日に有していた財産の価額を限度として，あるいは新設分割設立株式会社に対しては，承継した財産の価額を限度として，その債務の履行を請求することができる（会社 764 条 2 項・3 項）。

そして，新設分割会社は，新設分割設立株式会社の成立の日に，新設分割計画の定めに従い，新設分割設立株式会社の株主または社債権者あるいは新株予約権者となる（会社 764 条 8 項・9 項）。

## 3　持分会社の新設分割

　新設分割設立会社が持分会社であるときは，新設分割計画に定める事項は，新設分割設立会社が株式会社である場合と同様の事項を定めなければならないが，新設分割設立持分会社が，合名会社，合資会社または合同会社のいずれであるかの別，およびその社員が無限責任社員または有限責任社員のいずれであるかの別も加えなければならない（会社765条）。
　新設分割設立持分会社は，その成立の日に，新設分割計画の定めに従い，新設分割会社の権利義務を承継する（会社766条1項）。なお，新設分割会社の債権者保護については，前述の新設分割設立株式会社の場合と同様である（会社766条2項・3項）。また，新設分割会社は，新設分割設立持分会社の成立の日に，新設分割設立持分会社の社員または社債権者となる（会社766条8項・9項）。

## 第4節　詐害的な会社分割における債権者の保護

　吸収分割会社または新設分割会社（以下，分割会社という）が，吸収分割承継会社または新設分割設立会社（以下，承継会社等という）に承継されない債務の債権者（以下，残存債権者という）を害することを知って会社分割をした場合には，残存債権者は，承継会社等に対して，承継した財産の価額を限度として，その債務の履行を請求することができる。ただし，吸収分割の場合であって，吸収分割承継会社が吸収分割の効力が生じた時において，残存債権者を害する事実を知らなかった（善意）ときは，この限りではない（会社759条4項・764条4項）。
　この債務を履行する責任は，分割会社が残存債権者を害することを知って会社分割をしたことを知ったときから2年以内に請求または請求の予告をしない残存債権者に対しては，その期間を経過した時に消滅する。また，会社分割の効力が生じた日から20年を経過したときも，同様に消滅する（会社759条6

項・764 条 6 項)。

　ただし,残存債権者の請求権は,分割会社について,破産手続開始の決定,再生手続開始の決定または更生手続開始の決定がされたときは行使することができない (会社 759 条 7 項・764 条 7 項)。

　また,会社分割の異議を述べることができる分割会社の債権者であって,各別の催告を受けなかったもの (分割会社が官報公告に加え,日刊新聞紙に掲載する方法または電子公告による公告を行った場合には,不法行為によって生じた債務の債権者であるものに限る) は,吸収分割契約または新設分割計画において,会社分割後に分割会社および承継会社等に対して債務の履行を請求することができないものとされているときであっても,分割会社および承継会社等に対して,その債務の履行を請求することができる (会社 759 条 2 項・3 項・764 条 2 項・3 項)。

# 第4章 株式交換および株式移転

## 第1節 意　義

### 1　株式交換の意味

図表 5-4-1　株式交換

```
*既存会社                                A社
┌─────────┐                     完全親会社
│  A社    │─────────────→  (A社株主)
│ (A社株主)│                   (B社株主→A社株主)
└─────────┘  (株式交換)              │
                                    │(100%所有)
*既存会社                              ↓
┌─────────┐                      B社
│  B社    │  *B社株式と          完全子会社
│ (B社株主)│  A社株式を交換   (A社だけがB社の株主)
└─────────┘
```

　株式交換とは、株式会社（完全子会社）が、その発行済株式の全部を他の株式会社または合同会社（完全親会社）に取得させることをいう（会社2条31号）。この場合、完全親会社となる会社は既存の会社である。

　つまり、株式交換により完全子会社となる会社の株主の有する株式を完全親会社となる会社に移転し、完全子会社となる会社の株主は、完全親会社となる会社が株式交換に際し発行する新株の割当てを受けることにより完全親会社の株主となる。なお、合名会社および合資会社の株式交換は認められない。

### 2　株式移転の意味

　株式移転とは、1または2以上の株式会社（完全子会社）が、その発行済株

図表 5-4-2　株式移転

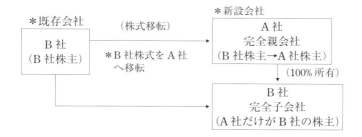

式の全部を新たに設立する株式会社（完全親会社）に取得させることをいい（会社2条32号），株式会社間でのみ可能である。つまり，株式会社が，単独または共同で完全親会社を新たに設立するものとして株式移転の制度がある。

株式移転により完全子会社となる会社の株主の有する株式を，新たに設立する完全親会社に移転し，完全子会社となる会社の株主は，完全親会社が株式移転に際して発行する株式の割当てを受け完全親会社の株主となる。なお，株式交換または株式移転により株主は変動するが，会社財産の変動もなく，消滅する会社もない。

## 3　持株会社との比較

平成9年に独占禁止法が改正され，純粋持株会社が認められることとなった（独禁9条）。持株会社とは，子会社の株式の取得価額の合計額のその会社の総資産の額に対する割合が100分の50を超える会社をいい（独禁9条5項1号），他の会社の株式を保有・支配し，自らは事業を行わない純粋持株会社と，他の会社の株式を保有・支配し，自らも事業を行う事業持株会社（改正前から認められている）がある。

会社法は，株式の所有関係に着目して規制するものであり，株式交換および株式移転による完全親会社は，独占禁止法上の持株会社と必ずしも同一ではない。独占禁止法上の持株会社は，完全子会社とそれ以外の子会社を有する場合がある。

## 第2節　株式交換

### 1　通則

　株式会社は，株式交換をすることができる。この場合，その株式会社（株式交換完全子会社）の発行済株式の全部を取得する株式交換完全親会社（株式会社または合同会社に限る）との間で，株式交換契約を締結しなければならない（会社767条）。

### 2　株式会社の株式交換

#### （1）株式交換契約

　株式交換完全親会社が株式会社であるときは，株式交換契約において，①株式交換をする株式会社（株式交換完全子会社）および株式交換完全親株式会社の商号および住所，②株式交換完全親株式会社が株式交換完全子会社の株主に対して，その株式に代わる対価として金銭等を交付するとき，その金銭等が株式交換完全親株式会社の株式であるときは，その株式数またはその数の算定方法ならびに株式交換完全親株式会社の資本金および準備金の額，交付金銭等が株式交換完全親株式会社の社債，新株予約権，新株予約権付社債またはその他の財産であるときは，その金額，内容，算定方法および割当て等を関する事項（対価の柔軟化），③株式交換完全親株式会社が株式交換完全子会社の新株予約権者に対して，株式交換完全親株式会社の新株予約権を交付するときは，その新株予約権の内容，数，算定方法および割当て等に関する事項，④株式交換の効力発生日，を定めなければならない（会社768条1項）。なお，この割当てに関する事項は，株式交換完全子会社の株主の有する株式の数に応じて金銭等を交付する内容でなければならない（会社768条3項）。

### (2) 効力の発生

株式交換完全親株式会社は，効力発生日に，株式交換完全子会社の発行済株式の全部を取得する（会社769条1項）。この場合，株式交換完全子会社の株式が譲渡制限株式であるときは，株式交換完全親株式会社が取得したことにつき，株式交換完全子会社が承認したものとみなす（会社769条2項）。

そして，株式交換完全子会社の株主は，効力発生日に，株式交換完全親株式会社の株主または社債権者あるいは新株予約権者となる（会社769条3項）。さらに，株式交換完全親株式会社が，株式交換完全子会社の新株予約権付社債に係る債務を承継するときには，株式交換完全親株式会社は，効力発生日に，新株予約権付社債に係る債務を承継する（会社769条5項）。

### 3　合同会社の株式交換

株式交換完全親会社が合同会社であるときは，株式交換契約において定める事項は，株式交換完全親会社が株式会社である場合とほぼ同様の事項を定めなければならない（会社770条1項）。さらに，株式交換完全親合同会社は，効力発生日に，株式交換完全子会社の発行済株式の全部を取得する（会社771条1項）。

この場合，株式交換完全子会社の株式が譲渡制限株式であるときは，株式交換完全親合同会社が取得したことにつき，株式交換完全子会社が承認したものとみなす（会社771条2項）。そして，株式交換完全子会社の株主は，効力発生日に，株式交換完全親合同会社の社員または社債権者となる（会社771条3項・4項）。

## 第3節　株式移転

### 1　株式移転計画

1または2以上の株式会社は，株式移転することができる。この場合，株式

移転計画を作成しなければならない（会社772条1項）。2以上の株式会社が共同して株式移転をする場合には，共同して株式移転計画を作成しなければならない（会社772条2項）。

株式移転計画において，①株式移転設立完全親会社の目的，商号，本店の所在地，発行可能株式総数，定款で定める事項および設立時取締役等（取締役，会計参与，監査役，会計監査人）の氏名または名称，②株式移転設立完全親会社が，株式移転完全子会社の株主に対して交付するその株式に代わる対価として，株式移転設立完全親会社の株式の数またはその算定方法および割当てに関する事項，ならびに株式移転設立完全親会社の資本金および準備金の額に関する事項，③株式移転設立完全親会社が，株式移転完全子会社の株主に対して，その株式に代わる対価として株式移転設立完全親会社の社債等（社債，新株予約権，新株予約権付社債）を交付するときは，その社債等の金額，数，内容，算定方法および割当てに関する事項，④株式移転設立完全親会社が，株式移転完全子会社の新株予約権者に対して株式移転設立完全親会社の新株予約権を交付するときは，その新株予約権の内容，数，算定方法および割当て等に関する事項を定めなければならない（会社773条1項）。なお，株式移転完全子会社の株主に対する株式もしくは社債等の割当てについては，その株主の有する株式の数に応じて交付する内容でなければならない（会社773条3項・4項）。

## 2　効力の発生

株式移転設立完全親会社は，その成立の日に，株式移転完全子会社の発行済株式の全部を取得する（会社774条1項）。そして，株式移転完全子会社の株主は，株式移転設立完全親会社の成立の日に，株式移転設立完全親会社の株主または社債権者あるいは新株予約権者となる（会社774条2項・3項）。

さらに，株式移転設立完全親会社が，株式移転完全子会社の新株予約権付社債に係る債務を承継する場合には，株式移転設立完全親会社は，その成立の日に，新株予約権付社債についての社債に係る債務を承継する（会社774条5項）。

# 5章 株式交付

## 第1節 意　義

　株式交付とは，株式会社が他の株式会社をその子会社とするために，通常の新株発行や自己株式処分手続によらずに，その株式会社（子会社となる会社）の株式を譲り受け，その株式の譲渡人に対してその株式の対価としてその株式会社（親会社となる会社）の株式を交付することをいう（会社2条32号の2）。株式交付により親会社となる会社が株式交付親会社であり，子会社となる会社が株式交付子会社である。

　同じような組織再編行為として，他の会社を子会社化する手続としては株式交換があるが，子会社となる会社の全株主から強制的に株式を取得する手法であり，株式交換は100％の完全子会社にすることを目的としている。それに対して，株式交付制度は子会社とすればよく，申込みのあった子会社となる会社の株主からのみ，株式を取得することで子会社化する手法である。したがって，株式交付は，株式交付親会社と株式交付子会社の株主との個別の合意に基づき株式を取得する点で株式交換とは異なる。また，必ずしも100％の完全子会社化ではない点が異なり，部分的な株式交換といえる。

　なお，株式交付制度は，特に上場会社の場合，自社株式対価のTOBなどと組み合わせて用いることが考えられる。

## 第2節　手　続

### 1　株式交付計画の作成・承認

　株式会社は，株式交付をする場合において，株式交付計画を作成しなければならない（会社774条の2）。株式交付計画において，①株式交付子会社（株式交付親会社が株式交付に際して譲り受ける株式を発行する株式会社をいう）の商号・住所，②株式交付親会社が株式交付に際して譲り受ける株式交付子会社の株式の数の下限，③株式交付親会社が株式交付に際して株式交付の対価として交付する株式交付親会社の株式や金銭等の内容およびその割当てに関する事項，④株式交付親会社が株式交付に際して株式交付子会社の株式と併せて株式交付子会社の新株予約権または新株予約権付社債（以下，新株予約権等と総称する）を譲り受けるときは，その内容，⑤株式交付親会社が株式交付に際して新株予約権等の対価として金銭等を交付するときは，その内容およびその割当てに関する事項，⑥株式交付子会社の株式および新株予約権等の譲渡の申込期日，⑦株式交付の効力発生日などの事項を定めなければならない（会社774条の3第1項各号）。

　株式交付に際して譲り受ける株式交付子会社の株式の数の下限は，株式交付子会社が効力発生日において株式交付親会社の子会社となる数（株式交付子会社における議決権の50％超）でなければならない（会社774条の3第2項）。

　また，株式交付親会社は，効力発生日の前日までに，株式交付親会社の株主総会特別決議によって株式交付計画の承認をうけなければならない（会社816条の3第1項）。

　なお，株式交付に際して，株式交付親会社が株式交付子会社の株式および新株予約権等の譲渡人に対して交付する金銭等（株式交付親会社の株式等を除く）の帳簿価額が株式交付親会社が譲り受ける株式交付子会社の株式および新株予約権等の額として法務省令で定める額を超える場合（差損が生じる場合）には，取締役は，株式交付親会社の株主総会において，その旨を説明しなけれ

ばならない（会社816条の3第2項）。また，株式交付親会社が交付する対価の額が，株式交付親会社の純資産額の5分の1（これを下回る割合を定款で定めた場合は，その割合）を超えない場合には，株式交付親会社の株主総会の承認は必要ない（会社816条の4第1項本文）。

## 2　譲渡の申込み・割当て・通知

　株式交付親会社は，株式交付子会社の株式の譲渡の申込みをしようとする者（株主）に対し，株式交付親会社の商号，株式交付計画の内容，法務省令で定める事項を通知しなければならない（会社774条の4第1項）。

　また，株式交付子会社の株式の譲渡の申込みをする者は，株式交付計画に定める譲渡の申込期日までに，申込みをする者の氏名または名称および住所，譲り渡そうとする株式交付子会社の株式の数（株式交付子会社が種類株式発行会社である場合にあっては，株式の種類および種類ごとの数）を記載した書面を株式交付親会社に交付しなければならない（会社774条の4第2項）。

　なお，株式交付親会社は，申込者の中から株式交付親会社が株式交付子会社の株式を譲り受ける者を定め，その者に割り当てる株式交付親会社が譲り受ける株式交付子会社の株式の数（株式交付子会社が種類株式発行会社である場合にあっては，株式の種類ごとの数）を定めなければならない。この場合において，株式交付親会社は，申込者に割り当てる株式の数の合計が下限の数を下回らない範囲内で，株式の数を，譲り渡そうとする株式交付子会社の株式の数よりも減少することができる（会社774条の5第1項）。また，株式交付親会社は，効力発生日の前日までに，申込者に対し，申込者から株式交付親会社が譲り受ける株式交付子会社の株式の数を通知しなければならない（会社774条の5第2項）。

　この通知により，申込者および株式交付子会社の株式の総数を譲り渡すことを約した者は，株式交付子会社の株式の数について株式交付における株式交付子会社の株式の譲渡人となる（会社774条の7第1項）。また，株式交付子会社の株式の譲渡人となった者は，効力発生日に，株式交付子会社の株式を株式交付親会社に給付しなければならない（会社774条の7第2項）。さらに，給付を

した株式交付子会社の株式の譲渡人は，効力発生日に，株式交付親会社の株式の株主となる（会社774条の11第2項）。

## 3　事前開示・事後開示

　株式交付親会社は，株式交付計画備置開始日から株式交付がその効力を生ずる日（以下，「効力発生日」という）後6か月を経過する日までの間，株式交付計画の内容その他法務省令で定める事項を記載または記録した書面また電磁的記録をその本店に備え置かなければならない（会社816の2第1項）。

　また，株式交付親会社は，効力発生日から6か月間，株式交付に際して株式交付親会社が譲り受けた株式交付子会社の株式の数その他の株式交付に関する事項として法務省令で定める事項を記載または記録した書面または電磁的記録をその本店に備え置かなければならない（会社816の10第2項）。

## 4　違法行為差止請求権・株式買取請求権

　株式交付が法令または定款に違反する場合において，株式交付親会社の株主が不利益を受けるおそれがあるときは，株式交付親会社の株主は，株式交付親会社に対し，株式交付をやめることを請求することができる（会社816の5）。

　また，株式交付をする場合には，反対株主は，株式交付親会社に対し，自己の有する株式を公正な価格で買い取ることを請求することができる（会社816の6第1項）。

## 5　債権者異議手続

　株式交付に際して株式交付子会社の株式および新株予約権等の譲渡人に対して交付する金銭等（株式交付親会社の株式を除く）が株式交付親会社の株式に準ずるものとして法務省令で定めるもののみである場合以外の場合には，株式交付親会社の債権者は，株式交付親会社に対し，株式交付について異議を述べることができる（会社816の8第1項）。

　なお，株式交付親会社の債権者が異議を述べることができる場合には，株式交付親会社は，株式交付をする旨，株式交付子会社の商号および住所，株式交

付親会社および株式交付子会社の計算書類に関する事項として法務省令で定めるもの，債権者が一定の期間内（1か月を下ることはできない）に異議を述べることができる旨を官報に公告し，かつ，知れている債権者には，各別にこれを催告しなければならない（会社816の8第2項）。

また，債権者が期間内に異議を述べたときは，株式交付親会社は，債権者に対し，弁済し，もしくは相当の担保を提供し，または債権者に弁済を受けさせることを目的として信託会社等に相当の財産を信託しなければならない。ただし，株式交付をしても債権者を害するおそれがないときは，この限りでない（会社816の8第2項）。

# 6章 組織再編行為の手続

## 第1節 吸収合併消滅会社，吸収分割会社，株式交換完全子会社の手続

### 1 株式会社の手続

#### (1) 事前開示

消滅株式会社等（吸収合併消滅株式会社，吸収分割株式会社，株式交換完全子会社）は，吸収合併契約等（吸収合併契約，吸収分割契約，株式交換契約）の備置開始日から吸収合併等（吸収合併，吸収分割，株式交換）が効力発生日後6か月を経過する日（吸収合併消滅株式会社の場合は，効力発生日）までの間，吸収合併契約等の内容その他法務省令で定める事項を記載または記録した書面または電磁的記録を，その本店に備え置き事前開示をしなければならない（会社782条1項）。

消滅株式会社等の株主および債権者（株式交換完全子会社にあっては，株主および新株予約権者）は，消滅株式会社等に対して，その営業時間内はいつでも，費用は自己負担で，吸収合併契約等の内容その他法務省令で定めた事項を記載または記録した書面または電磁的記録の閲覧または謄抄本の交付の請求をすることができる（会社782条3項）。

#### (2) 株主総会の承認

消滅株式会社等は，効力発生日の前日までに株主総会の決議（原則として特

別決議が必要であるが，合併対価が譲渡制限株式であるなど，一定の場合には特殊決議を要する）により，吸収合併契約等の承認を受けなければならない（会社783条1項）。

ただし，吸収合併消滅株式会社または株式交換完全子会社の株主に対して交付する金銭等の全部または一部が，持分等（持分会社の持分その他これに準ずるものとして法務省令で定めるもの）であるときは，吸収合併契約または株式交換契約について，吸収合併消滅株式会社または株式交換完全子会社の総株主の同意を得なければならない（会社783条2項）。

さらに，消滅株式会社等は，効力発生日の20日前までに，その登録株式質権者および登録新株予約権質権者に対し，吸収合併等をする旨を通知または公告しなければならない（会社783条5項・6項）

(3) 略式組織再編
① 株主総会の承認を要しない場合

存続会社等（吸収合併存続会社，吸収分割承継会社，株式交換完全親会社）が，消滅株式会社等の特別支配会社である場合には，消滅株式会社等の株主総会は必要ない。

ただし，吸収合併または株式交換における合併対価等の全部または一部が譲渡制限株式等である場合であって，消滅株式会社等が公開会社であり，種類株式発行会社でないときは，株主総会が必要となる（会社784条1項）。

なお，特別支配会社とは，ある株式会社の総株主の議決権の10分の9以上を支配している会社をいい（会社468条1項），ある株式会社が他の株式会社を支配している関係での組織再編行為であるから，被支配会社の株主総会の決議は必要ない。

② 違法行為差止請求権

略式組織再編において，吸収合併等が法令または定款に違反する場合，または株式に代えて金銭等を交付するときの金銭等に関する事項およびその割当てに関する事項が，消滅株式会社等または存続会社等の財産の状況その他の事情に照らして著しく不当である場合であって，消滅株式会社等の株主が不利益を

受けるおそれがあるときは、消滅株式会社等に対し、その株主は吸収合併等をやめることを請求することができる差止請求権が認められている（会社784条の2）。

なお、①全部取得条項付種類株式の取得（会社171条の3）、②株式の併合（会社182条の3）、③略式組織再編以外の組織再編（簡易組織再編の要件を満たす場合を除く）（会社784条の2）が法令または定款に違反する場合において、株主が不利益を受けるおそれがあるときは、株主は、株式会社に対し、その行為をやめることを請求することができる。

### (4) 簡易組織再編

吸収分割により吸収分割承継会社に承継させる資産の帳簿価額の合計額が、吸収分割株式会社の総資産額として法務省令で定める方法により算定される額の5分の1（これを下回る割合を吸収分割株式会社の定款で定めた場合においては、その割合）を超えない場合には、株主総会の決議は必要ないし、株主の差止請求権も不要である（会社784条2項）。

### (5) 反対株主の株式買取請求

吸収合併等をする場合には、反対株主は、消滅株式会社等に対し、自己の有する株式を公正な価格で買い取ることを請求することができる反対株主の株式買取請求権が認められている（会社785条1項）。

### (6) 新株予約権の買取請求

吸収合併等をする場合には、消滅株式会社の新株予約権者は、消滅株式会社等に対し、自己の有する新株予約権を公正な価格で買い取ることを請求することができる（会社787条1項）。ただし、新株予約権付社債に付された新株予約権の新株予約権者は、別段の定めがある場合を除き、新株予約権買取請求をするときは、併せて、社債を買い取ることを請求しなければならない（会社787条2項）。

### (7) 債権者異議手続

　吸収合併等をする場合には，債権者は消滅株式会社等に対し，吸収合併等について異議を述べることができる（会社789条1項）。消滅株式会社等の債権者の全部または一部が異議を述べることができる場合には，消滅株式会社等は，その旨その他所定の事項を官報に公告し，知れている債権者には各別にこれを催告しなければならない（会社789条2項）。ただし，消滅株式会社等が，官報のほか，日刊新聞紙による公告または電子公告によるときは各別の催告を要しない（会社789条3項）。

　なお，債権者が，期間内（1か月を下回ることはできない）に異議を述べなかったときは，その債権者は吸収合併等について承認したものとみなされ（会社789条4項），異議を述べたときは，消滅株式会社等は，その債権者を害するおそれがない場合を除き，その債権者に対し，弁済もしくは相当の担保を提供し，またはその債権者に弁済を受けさせることを目的として，信託会社等に相当の財産を信託しなければならない（会社789条5項）。

### (8) 事後開示

　吸収分割株式会社または株式交換完全子会社は，効力発生日後遅滞なく，吸収分割承継会社または株式交換完全親会社と共同して，吸収分割または株式交換に関する事項を記載または記録した書面または電磁的記録を作成し（会社791条1項），効力発生日から6か月間，それらの書面または電磁的記録を本店に備え置き事後開示しなければならない（会社791条2項）。

　吸収分割株式会社の株主，債権者その他の利害関係人または株式交換完全子会社の効力発生日に株主または新株予約権者であった者は，営業時間内はいつでも，費用は自己負担で，その書面または電磁的記録の閲覧の請求または謄抄本の交付の請求をすることができる（会社791条3項・4項）。

### (9) 剰余金の配当等に関する特則

　吸収分割株式会社が，効力発生日に，全部取得条項付種類株式の取得と同時に剰余金の配当（配当財産が吸収分割承継株式会社の株式のみであるものに限

る）をするときは，剰余金の分配規制は適用されない（会社792条）。

## 2　持分会社の手続

　消滅する吸収合併または合同会社が事業に関して有する権利義務の全部を他の会社に承継させる吸収分割をするときは，効力発生日の前日までに，吸収合併契約等について，その持分会社の総社員の同意を得なければならない。ただし，定款に別段の定めがある場合は，この限りでない。（会社793条1項）。

　また，吸収合併消滅持分会社または吸収分割合同会社は，債権者異議手続をする必要があり，吸収合併等の効力発生日の変更をすることができる（会社793条2項・789条・790条）。

# 第2節　吸収合併存続会社，吸収分割承継会社，株式交換完全親会社の手続

## 1　株式会社の手続

### (1) 事前開示

　存続株式会社等（吸収合併存続株式会社，吸収分割承継株式会社，株式交換完全親株式会社）は，吸収合併契約等備置開始日から効力発生日後6か月を経過する日までの間，吸収合併契約等の内容その他法務省令で定める事項を記載または記録した書面または電磁的記録を，その本店に備え置き事前開示しなければならない（会社794条1項）。

　存続株式会社等の株主および債権者は，存続株式会社等に対して，その営業時間内はいつでも，費用は自己負担で，吸収合併契約等の内容その他法務省令で定める事項を記載または記録した書面または電磁的記録の閲覧の請求または謄抄本の交付の請求をすることができる（会社794条3項）。

## (2) 株主総会の承認

存続株式会社等は，効力発生日の前日までに，株主総会の決議（原則として特別決議であるが，合併対価が譲渡制限株式であるなど一定の場合には，特殊決議となる）によって，吸収合併契約等の承認を受けなければならない（会社795条1項）。また，①吸収合併存続株式会社または吸収分割承継株式会社が，吸収合併消滅会社または吸収分割会社からの承継債務額が承継資産額を超える場合，②吸収合併存続株式会社または吸収分割承継株式会社が，吸収合併消滅株式会社の株主，吸収合併消滅持分会社の社員，または吸収分割会社に対して交付する金銭等の帳簿価額が，承継資産額から承継債務額を控除して得た額を超える場合，③株式交換完全親株式会社が，株式交換完全子会社の株主に対して交付する金銭等の帳簿価額が，承継する株式交換完全子会社の株式の額として法務省令で定める額を超える場合は，合併差損等を生じる場合であるので，取締役は，株主総会において，その旨説明しなければならない（会社795条2項）。

さらに，承継する資産に，吸収合併存続株式会社または吸収分割承継株式会社の自己株式が含まれる場合にも，取締役は，株主総会において，その株式に関する事項を説明しなければならない（会社795条3項）。

## (3) 略式組織再編

### ① 株主総会の承認を要しない場合

吸収合併契約等の株主総会の承認，合併差損が生じる場合または自己株式取得が生じる場合の取締役の説明は，消滅会社等（吸収合併消滅会社，吸収分割会社，株式交換完全子会社）が，存続株式会社等の特別支配会社である場合には適用しない。

ただし，吸収合併消滅株式会社もしくは株式交換完全子会社の株主，吸収合併消滅持分会社の社員または吸収分割会社に対して交付する金銭等の全部または一部が，存続株式会社等の譲渡制限株式である場合であって，存続株式会社等が公開会社でないときは適用する（会社796条1項）。

### ② 差止請求権

略式組織再編において，吸収合併等が法令または定款に違反する場合，または著しく不当な条件で行われる場合であって，存続株式会社等の株主が不利益を受けるおそれがあるときは，存続株式会社等の株主は，存続株式会社等に対して，吸収合併等をやめることを請求することができる差止請求権が認められている（会社796条の2）。

### (4) 簡易組織再編

吸収合併契約等に係る株主総会の承認は，消滅会社等の株主等に対して交付する存続株式会社等の株式の数に1株当たり純資産額を乗じて得た額，および消滅会社等の株主等に対して交付する存続株式会社等の社債，新株予約権，新株予約権付社債または株式等以外の財産の帳簿価額の合計額が，存続株式会社等の純資産額の5分の1を超えない場合には必要ない（会社796条2項）。

ただし，合併差損が生じる場合，または交付する金銭等の全部または一部が，存続株式会社等の譲渡制限株式である場合であって，存続株式会社等が公開会社でない場合には，株主への影響が軽微であるとはいえないので，株主総会の決議により承認を受けなければならない（会社796条3項）。

### (5) 反対株主の株式買取請求

吸収合併等をする場合には，反対株主は，存続株式会社等に対し，自己の有する株式を公正な価格で買い取ることを請求することができる株式買取請求権が認められている（会社797条1項）。

### (6) 債権者異議手続

吸収合併等をする場合には，債権者は，存続株式会社等に対し，吸収合併等について異議を述べることができる（会社799条1項）。この場合，存続株式会社等は，その旨その他所定の事項を官報に公告し，かつ，知れている債権者には各別に催告しなければならない（会社799条2項）。ただし，存続株式会社等が，官報のほか，日刊新聞紙による公告または電子公告によるときは各別の催告は必要ない（会社799条3項）。

なお，債権者が一定の期間内（1か月を下回ることはできない）に異議を述べなかったときは，吸収合併等について承認したものとみなし（会社799条4項），異議を述べたときは，存続株式会社等は，その債権者に対し，弁済もしくは相当の担保を提供し，またはその債権者に弁済を受けさせることを目的として信託会社等に相当の財産を信託しなければならない。ただし，吸収合併等をしてもその債権者を害するおそれがないときは必要ない（会社799条5項）。

### (7) 親会社株式を交付する場合の特則

子会社の親会社株式取得の原則禁止にかかわらず，吸収合併消滅株式会社もしくは株式交換完全子会社の株主，吸収合併消滅持分会社の社員または吸収分割会社（消滅会社等の株主等）に対して交付する金銭等の全部または一部が，存続株式会社等の親会社株式である場合には，その存続株式会社等は，消滅会社等の株主等に対して交付するその親会社株式の総数を超えない範囲において，その親会社株式を取得することができる（会社800条1項）。

なお，例外的に取得した場合は，相当の時期に処分しなければならないとする規定にかかわらず，存続株式会社等は，効力発生日までの間は，存続株式会社等の親会社株式を保有することができる。ただし，吸収合併等を中止したときは保有できない（会社800条2項）。

### (8) 事後開示

吸収合併存続株式会社は，効力発生日後遅滞なく，吸収合併存続株式会社が承継した吸収合併消滅会社の権利義務その他の吸収合併に関する事項として法務省令で定める事項を記載または記録した書面または電磁的記録を作成しなければならない（会社801条1項）。

また，合同会社が吸収分割する場合における吸収分割承継株式会社は，効力発生日後遅滞なく，吸収分割合同会社と共同して，吸収分割承継株式会社が承継した吸収分割合同会社の権利義務その他の吸収分割に関する事項として法務省令で定める事項を記載または記録した書面または電磁的記録を作成しなければならない（会社801条2項）。

さらに，存続株式会社等は，効力発生日から6か月間，それらの書面または電磁的記録を本店に備え置き事後開示しなければならない（会社801条3項）。吸収合併存続株式会社の株主および債権者または吸収分割承継株式会社の株主，債権者その他の利害関係人もしくは株式交換完全親株式会社の株主および債権者は，営業時間内はいつでも，費用は自己負担で，その書面または電磁的記録の閲覧の請求または謄抄本の交付の請求をすることができる（会社801条4項・5項・6項）。

## 2　持分会社の手続

　存続持分会社等として，吸収合併，吸収分割，株式交換するときは，定款に別段の定めがある場合を除き，効力発生日の前日までに，存続持分会社等の総社員の同意を得なければならない（会社802条1項）。また，存続持分会社等は，債権者異議手続をする必要があり，消滅会社等の株主等に交付するために，その親会社株式を取得することができる（会社法802条2項）。


# 第3節　新設合併消滅会社，新設分割会社，株式移転完全子会社の手続

## 1　株式会社の手続

### (1) 事前開示

　消滅株式会社等（新設合併消滅株式会社，新設分割株式会社，株式移転完全子会社）は，新設合併契約等備置開始日から設立会社（新設合併設立会社，新設分割設立会社，株式移転設立完全親会社）の成立の日後6か月を経過する日までの間，新設合併契約等（新設合併契約，新設分割計画，株式移転計画）の内容その他法務省令で定める事項を記載または記録した書面または電磁的記録

を，その本店に備え置き事前開示しなければならない（会社803条1項）。

消滅株式会社等の株主および債権者（株式移転完全子会社にあっては，株主および新株予約権者）は，消滅株式会社等に対して，その営業時間内はいつでも，費用は自己負担で，その書面または電磁的記録の閲覧の請求または謄抄本の交付の請求をすることができる（会社803条3項）。

### (2) 株主総会の承認

消滅株式会社等は，株主総会の決議（原則として特別決議であるが，合併対価が譲渡制限株式であるなど一定の場合には特殊決議を要する）によって，新設合併契約等の承認を受けなければならない（会社804条1項）。新設合併設立会社が持分会社である場合には，新設合併契約について新設合併消滅株式会社の総株主の同意を得なければならない（会社804条2項）。

さらに，消滅株式会社等は，株主総会の決議の日から2週間以内に，その登録株式質権者および登録新株予約権質権者に対し，新設合併等（新設合併，新設分割，株式移転）をする旨を通知または公告しなければならない（会社804条4項・5項）。

### (3) 簡易組織再編

新設分割により新設分割設立会社に承継させる資産の帳簿価額の合計額が，新設分割株式会社の総資産額として法務省令で定める方法により算定される額の5分の1（これを下回る割合を新設分割株式会社の定款で定めた場合においては，その割合）を超えない場合には，株主総会の決議を要しない（会社805条）。

### (4) 反対株主の株式買取請求

新設合併等をする場合には，反対株主は，消滅株式会社等に対し，自己の有する株式を公正な価格で買い取ることを請求することができる。ただし，新設合併設立会社が持分会社である場合（新設合併消滅株式会社の総株主の同意が必要であることから），または簡易組織再編の要件に該当する場合には株式買

取請求権は認められない（会社806条1項）。

### (5) 新株予約権の買取請求

新設合併等をする場合には、消滅株式会社等の新株予約権者は、消滅株式会社等に対し、自己の有する新株予約権を公正な価格で買い取ることを請求することができる（会社808条1項）。ただし、新株予約権付社債の新株予約権者は、新株予約権買取請求をするときは、別段の定めがある場合を除き、併せて、新株予約権付社債についての社債を買い取ることを請求しなければならない（会社808条2項）。

### (6) 債権者異議手続

新設合併等をする場合には、債権者は、消滅株式会社等に対し、新設合併等について異議を述べることができる（会社810条1項）。消滅株式会社等の債権者の全部または一部が異議を述べることができる場合には、消滅株式会社等は、その旨その他所定の事項を官報に公告し、知れている債権者には各別に催告しなければならない（会社810条2項）。ただし、消滅株式会社等が、官報のほか、日刊新聞紙による公告または電子公告をするときは各別の催告を要しない（会社810条3項）。

なお、債権者が、期間内（1か月を下回ることはできない）に異議を述べなかったときは、その債権者は、新設合併等について承認したものとみなされ（会社810条4項）、異議を述べたときは、消滅株式会社等は、その債権者を害するおそれがない場合を除き、その債権者に対し、弁済もしくは相当の担保を提供し、またはその債権者に弁済を受けさせることを目的として信託会社等に相当の財産を信託しなければならない（会社810条5項）。

### (7) 事後開示

新設分割株式会社または株式移転完全子会社は、新設分割設立会社または株式移転設立完全親会社の成立の日後遅滞なく、新設分割設立会社または株式移転設立完全親会社と共同して、新設分割または株式移転に関する事項を記載ま

たは記録した書面または電磁的記録を作成し（会社811条1項），その成立の日から6か月間，その書面または電磁的記録を本店に備え置き事後開示しなければならない（会社811条2項）。

　新設分割株式会社の株主，債権者その他の利害関係人または株式移転設立完全親会社の成立の日に株式移転完全子会社の株主または新株予約権者であった者は，営業時間内はいつでも，費用は自己負担で，その書面または電磁的記録の閲覧の請求または謄抄本の交付の請求をすることができる（会社811条3項・4項）。

### (8) 剰余金の配当等に関する特則

　新設分割株式会社が，新設分割設立株式会社の成立の日に，全部取得条項付種類株式の取得と同時に剰余金の配当（配当財産が新設分割設立株式会社の株式のみであるものに限る）をするときは，剰余金の分配規制は適用されない（会社812条）。

## 2　持分会社の手続

　新設合併または新設分割（合同会社に限る）するときは，定款に別段の定めがある場合を除き，その持分会社の総社員の同意を得なければならない（会社813条1項）。また，新設合併消滅持分会社または新設分割合同会社は，債権者異議手続をする必要がある（会社813条2項）。

## 第4節　新設合併設立会社，新設分割設立会社，株式移転設立完全親会社の手続

### 1　株式会社の手続

(1) 株式会社設立の特則

　定款の記載等に関連した規定，設立株式会社が取締役会設置会社（または監査役会設置会社）である場合には，設立時取締役（または設立時監査役）は3人以上必要である旨の規定，設立時代表取締役等の選定に関する規定，および株式会社は，その本店所在地において設立の登記をすることにより成立する旨の規定を除いて，株式会社の設立に関する規定は，設立株式会社（新設合併設立株式会社，新設分割設立株式会社，株式移転設立完全親会社）には適用されず（会社814条1項），設立株式会社の定款は，消滅会社等が作成する（会社814条2項）。

(2) 新設合併契約等に関する書面等の作成

　新設合併設立株式会社は，その成立の日後遅滞なく，新設合併消滅会社から承継した権利義務その他の新設合併に関する事項として法務省令で定める事項を記載または記録した書面または電磁的記録を作成しなければならない（会社815条1項）。

　また，1または2以上の合同会社のみが新設分割する場合における新設分割設立株式会社は，その成立の日後遅滞なく，新設分割合同会社と共同して，新設分割合同会社から承継した権利義務その他の新設分割に関する事項として法務省令で定める事項を記載または記録した書面または電磁的記録を作成しなければならない（会社815条2項）。

### （3）新設合併契約等に関する書面等の備置きと閲覧等

　設立株式会社は，その成立の日から6か月間，その書面または電磁的記録をその本店に備え置かなければならない（会社815条3項）。新設合併設立株式会社の株主および債権者または新設分割設立株式会社の株主，債権者その他の利害関係人もしくは株式移転設立完全親会社の株主および新株予約権者は，営業時間内はいつでも，費用は自己負担で，その書面または電磁的記録の閲覧の請求または謄抄本の交付の請求をすることができる（会社815条4項・5項・6項）。

## 2　持分会社の手続

　持分会社の設立時の定款の作成および合同会社の設立時の出資の履行の規定は，新設合併設立持分会社または新設分割設立持分会社の設立については適用しない（会社816条1項）。また，これらの設立持分会社の定款は，消滅会社等が作成する（会社816条2項）。

# 第5節　組織再編行為の無効の訴え

## 1　提訴権者および提訴期間

　組織再編行為（組織変更，吸収合併，新設合併，吸収分割，新設分割，株式交換，株式移転，株式交付）の手続に瑕疵があれば，その行為は無効であるが，会社法は，組織再編行為の無効の訴えを認めている。その提訴期間は，効力発生日から6か月間であり（会社828条1項6号〜13号），提訴権者は，当事会社の株主，社員，取締役，監査役，執行役，清算人，新株予約権者，破産管財人，組織再編を承認しなかった債権者である（会社828条2項6号〜13号）。

## 2 担保提供命令

裁判所は，被告の申立てにより（原告の訴えの提起が悪意によるものであることの疎明が必要），原告である株主または債権者に対し，相当の担保提供を命ずることができる。ただし，原告が，取締役，監査役，執行役，もしくは清算人であるときは命ずることはできない（会社836条）。

## 3 判決の効果

組織再編行為の無効判決が確定すると，第三者に対しても効力が及ぶ対世効を有し（会社838条），組織再編行為は遡及効が否定され，将来に向かってその効力を失う（会社839条）。また，原告が敗訴した場合において，原告に悪意または重大な過失があったときは，原告は，被告に対し，連帯して損害を賠償する責任を負う（会社846条）。

# 第 6 編

# 外 国 会 社

# 1章 総説

　わが国の会社法において、外国会社とは、外国の法令に準拠して設立された法人その他の外国の団体であって、会社と同種のものまたは会社に類似するものをいうと規定されている（会社2条2号）。しかし、ある国で設立された法人が、その後、海外で活動する場合、法人としての法律問題について、どこの国の法が適用されるのかが問題となる。

　ある国で設立された会社が他の国で活動する場合、その会社を規律するのは、会社が設立された国の法律であるとする設立準拠法主義と、会社の事業活動が、会社設立時の国以外で行われている場合、会社の事業活動の本拠地のある国の法律に従うとする本拠地法主義がある。

　しかし、会社の事業活動の中心はどこの国なのか、主たる事業活動の客観的な基準はどのようなものなのかが問題となる。日本においては、設立準拠法主義をとっていると一般に解されている。そして、事業活動を行っている国の法を及ぼせない法規制の回避は、擬似外国会社の規定により対処している。

# 2章 外国会社の取扱い

## 第1節 外国会社の規制

### 1 日本で継続取引を行う外国会社

外国会社が，日本において取引を継続してしようとするときは，日本における代表者を定めなければならない。この場合において，その日本における代表者のうち1人以上は，日本に住所を有する者でなければならない（会社817条1項）。

外国会社の日本における代表者は，その外国会社の日本における業務に関する一切の裁判上または裁判外の行為をする権限を有し（会社817条2項），この権限に加えた制限は，善意の第三者に対抗することができない（会社817条3項）。さらに，外国会社は，その日本における代表者が，その職務を行うについて第三者に加えた損害を賠償する責任を負う（会社817条4項）。

また，外国会社は，外国会社の登記をするまでは，日本において取引を継続してすることができない（会社818条1項）。この規定に違反して取引をした者は，相手方に対し，外国会社と連帯して，取引によって生じた債務を弁済する責任を負う（会社818条2項）。

### 2 貸借対照表の公告

外国会社の登記をした外国会社（日本における同種の会社又は最も類似する会社が株式会社であるものに限る）は，法務省令で定めるところにより（会社施規214条），定時株主総会の承認（会社438条2項）と同種の手続またはこれに類似する手続の終結後遅滞なく，貸借対照表に相当するものを日本において

公告しなければならない（会社819条1項）。

　ただし，その公告方法が官報または日刊新聞紙に掲載する方法（会社939条1項1号・2号）である外国会社は，貸借対照表に相当するものの要旨を公告すればよい（会社819条2項）。

　さらに，外国会社は，法務省令で定めるところにより（会社施規215条），株主総会の承認手続の終結後遅滞なく，貸借対照表に相当する内容の情報を，その手続の終結の日後5年を経過する日までの間，継続して電磁的方法により，日本において，不特定多数の者が提供を受けることができる状態に置く措置をとっている場合には，公告する必要はない（会社819条3項）。

　また，金融商品取引法24条1項の規定により有価証券報告書を内閣総理大臣に提出しなければならない外国会社については，開示は必要ない（会社819条4項）。

## 3　日本における代表者全員の退任

　外国会社の登記をした外国会社は，日本における代表者（日本に住所を有するものに限る）の全員が退任しようとするときは，その外国会社の債権者に対し異議があれば一定の期間内（1か月以上）にこれを述べることができる旨を官報に公告し，かつ，知れている債権者には，各別にこれを催告しなければならない（会社820条1項）。

　なお，債権者がその期間内に異議を述べたときは，外国会社は，その債権者に対し，弁済もしくは相当の担保を提供し，またはその債権者に弁済を受けさせることを目的として，信託会社等に相当の財産を信託しなければならない。ただし，日本における代表者の全員が退任をしても，その債権者を害するおそれがないときは，債権者異議手続は必要ない（会社820条2項）。

　また，日本における代表者の退任は，その手続が終了した後にその登記をすることによって，その効力を生ずる（会社820条3項）。

## 4　日本にある外国会社財産の清算

　裁判所は，次に掲げる場合には，利害関係人の申立てによりまたは職権で，

日本にある外国会社の財産の全部について清算の開始を命ずることができる（会社822条1項）。①外国会社の事業が不法な目的に基づいて行われたときや，正当な理由がないのに支払を停止したときなどにより，日本において取引を継続することの禁止または日本に設けられた営業所の閉鎖の命令を受けた場合（会社827条1項），②外国会社が日本において取引を継続してすることをやめた場合。これらの場合には，裁判所は清算人を選任する（会社822条2項）。

なお，清算手続については，その性質上許されないものを除き，株式会社における通常清算および特別清算を準用する（会社822条3項）。ただし，外国会社が清算の開始を命ぜられた場合において，その外国会社の日本における代表者（日本に住所を有するものに限る）の全員が退任しようとするときは，債権者の保護は清算手続によりなされるので，会社法820条の規定による債権者異議手続は適用されない（会社822条4項）。

## 5　外国会社への他の法律の適用

外国会社は，他の法律の適用については，日本における同種の会社又は最も類似する会社とみなす。ただし，他の法律に別段の定めがあるときは，この限りでない（会社823条）。

# 第2節　擬似外国会社

日本に本店を置き，または日本において事業を行うことを主たる目的とする外国会社は，日本において取引を継続してすることができない（会社821条1項）。これに違反して取引をした者は，相手方に対し，外国会社と連帯して，その取引によって生じた債務を弁済する責任を負う（会社821条2項）。

これは，外国の法令に準拠して設立された外国会社であるのに，日本に本店を置き，または日本において事業を行うことを主たる目的とする擬似外国会社が，日本法の適用を回避するために外国で設立され，日本において継続して取引を行うことを規制するための規定である。しかし，擬似外国会社であっても

法人格を認めることとし，違反して取引をした者は，外国会社と連帯して，取引上の債務を弁済することとしている。

## 第3節　外国会社の組織再編

　わが国の会社法には，外国会社と内国会社との組織再編（合併・株式交換など）を規定した法令が存在せず，合併・株式交換などの組織再編行為が認められるかどうかは不明である。

　しかし，外国の会社法と日本の会社法の組織再編行為に関する規定が異なる場合には，どのような手続により組織再編行為の効果を有効とするかについて，その調整に関する規律を規定することは困難であることから，一般的には，外国会社と内国会社との組織再編行為は認められないと解されている。

# 索　引

## 〔あ　行〕

悪意の擬制……………………………27
預合……………………………………41

委員会………………………………160
　　──の議事録………………………163
　　──の決議…………………………162
一人会社………………………………5
一般的効力……………………………26
移転的効力……………………………69
委任……………………………………21
　　──を受けた使用人………………20
委任状………………………………107
違法行為差止請求権
　　………………134, 142, 154, 161, 165, 284, 287
違法性監査…………………………141
違法配当……………………………199
インセンティブのねじれ…………149
インセンティブ報酬…………………99

打切発行…………………………243, 42
売出発行……………………………244
売主追加請求権………………………75

営業避止義務……………………18, 23
営利社団法人…………………………4
営利性…………………………………5
営利法人………………………………3
SPC……………………………………99
EDINET…………………………116, 182
LLC……………………………………8
LLP……………………………………4

黄金株………………………………57
親会社………………………………77
　　──による子会社の株式等の譲渡………204
親会社株式…………………………77, 293

親会社株式取得規則…………………77
親子会社………………………………77

## 〔か　行〕

外観法理………………………………28
会計監査…………………………138, 141
会計監査限定監査役………………142
会計監査人…………………………147
会計監査報告………………………149
会計参与……………………………134
会計参与報告………………………136
会計帳簿…………………………179, 238
外国会社……………………………302
　　──の組織再編……………………306
　　──の登記…………………………303
外国会社財産の清算………………304
解散……………………………210, 236
　　──を命ずる裁判……………210, 236
解散事由………………………210, 236
解散判決………………………211, 236
解散命令………………………210, 236
会社：
　　──の機関…………………………100
　　──の計算…………………………178
　　──の再建…………………………207
　　──の種類…………………………5
　　──の使用人………………………16
　　──の消滅…………………………210
　　──の訴訟代表……………142, 154, 162
　　──の特質…………………………4
　　──の不存在………………………46
会社企業………………………………4
会社更生……………………………208
会社債権者保護……………………134
会社不成立……………………………44
会社分割……………………………269
開示用電子情報処理組織…………116
確認訴訟……………………………119

| | | | |
|---|---|---|---|
| 過大評価 | 35, 36 | 株式併合 | 66 |
| 合併 | 264 | 株式無償割当て | 68 |
| 合併差損 | 291, 292 | 株主権 | 58 |
| 合併対価の柔軟化 | 266 | 株主： | |
| 合併比率の調整 | 67, 68 | ——の監督権限の強化 | 143 |
| 株券 | 58 | ——の権利 | 48 |
| ——の善意取得 | 60 | ——の責任 | 51 |
| ——の発行 | 59 | 株主資本等変動計算書 | 189 |
| 株券喪失者 | 60 | 株主総会 | 102 |
| 株券喪失登録制度 | 60 | ——の議案 | 104 |
| 株券喪失登録簿 | 60 | ——の議事運営 | 110 |
| 株券不所持制度 | 59 | ——の議事録 | 110 |
| 株券不発行 | 58 | ——の決議方法 | 111 |
| 株式 | 47 | ——の招集権者 | 103 |
| ——と社債の異同 | 242 | ——の招集地 | 103 |
| ——の質入れ | 73 | ——の招集通知 | 104 |
| ——の種類 | 53 | ——の開催時期 | 103 |
| ——の譲渡担保 | 73 | 株主総会参考書類 | 108 |
| ——の引受け | 40 | 株主代表訴訟 | 171, 227 |
| ——の募集事項 | 80 | 株主提案権 | 105 |
| ——の割当て | 41 | 株主敗訴 | 175, 177 |
| 株式移転 | 276, 279 | 株主平等の原則 | 52 |
| 株式移転計画 | 279 | ——の例外 | 52 |
| 株式売渡請求 | 72, 79 | 株主名簿 | 62 |
| 株式会社 | 6, 8 | 株主名簿管理人 | 62, 66 |
| ——の設立手続 | 38 | 株主有限責任の原則 | 51 |
| 株式買取請求権 | 70, 71, 79, 113, 284 | 株主優待制度 | 53 |
| 株式交換 | 276, 278 | 株主割当て | 80 |
| ——の対価の柔軟化 | 278 | 簡易組織再編 | 288, 292, 295 |
| 株式交換契約 | 278 | 監査委員会 | 160 |
| 株式交付 | 281 | ——の職務 | 161 |
| 株式交付親会社 | 281 | 管財人 | 209 |
| 株式交付計画 | 282 | 監査等委員 | 152 |
| 株式交付子会社 | 281 | ——の職務 | 154 |
| 株式譲渡： | | 監査等委員会 | 153 |
| ——の自由 | 69 | ——の議事録 | 155 |
| ——の制限 | 69 | ——の決議 | 155 |
| 株式担保 | 73 | 監査等委員会設置会社 | 151 |
| 株式売却制度 | 63 | ——の取締役会 | 156 |
| 株式払込金保管証明書 | 41 | 監査報告 | 145, 153, 160 |
| 株式不可分の原則 | 47 | 監査役 | 138 |
| 株式振替制度 | 65 | ——の義務と責任 | 146 |
| 株式分割 | 67 | 監査役会 | 143 |

索　引　309

―の決議 ………………………………… 145
―の職務 ………………………………… 144
監査役会議事録 ……………………………… 146
監査役設置会社 ……………………………… 138
監査役選任議案の同意権と提出請求権 …… 139
間接責任 …………………………………………… 6
間接損害 ……………………………………… 169
間接有限責任 ………………………………… 222
間接有限責任社員 ……………………………… 8
完全親会社 …………………………… 276, 277
完全子会社 …………………………… 276, 277
完全無議決権株式 ……………………………… 54

議案提出権 …………………………………… 105
機関設計 ……………………………………… 100
　―の柔軟化 …………………………… 100
機関投資家 …………………………………… 249
機関の組合せ ………………………………… 101
企業グループ内部統制システム …………… 123
議決権 ………………………………………… 107
　―の代理行使 ………………………… 109
　―のない株式 ……………………………… 54
　―の不統一行使 ……………………… 110
議決権行使書面 …………………… 107, 108, 116
議決権制限株式 ………………………………… 54
期限の利益 …………………………… 251, 253
擬似外国会社 ………………………………… 305
擬似発起人 ……………………………… 32, 44
基準日の制度 …………………………………… 64
議題提案権 …………………………………… 105
寄付行為 …………………………………………… 2
期末欠損てん補責任 ………………… 200, 232
キャッシュ・アウト ………………………… 119
キャッシュ・アウト・マージャー ………… 266
吸収合併 ……………………………… 264, 266
　―の対価の柔軟化 …………………… 266
吸収合併契約 ………………………………… 266
吸収分割 ……………………………… 269, 270
　―の対価の柔軟化 …………………… 271
吸収分割契約 ………………………………… 270
求償権 ………………………………… 232, 233
休眠会社のみなし解散 ……………………… 211
共益権 …………………………………………… 49

競業取引 ……………………………… 132, 165, 226
競業避止義務 ………………………… 19, 23, 202
兄弟会社 ……………………………… 124, 144
共同企業 …………………………………………… 3
共同新設分割 ………………………………… 272
共同訴訟人 …………………………… 173, 176
業務監査 ……………………………… 138, 141
業務財産状況調査権 ………………………… 141
業務執行 ……………………………… 120, 225
　―の社外取締役への委任 …………… 124
業務執行権 …………………………………… 225
業務執行社員 ………………………………… 225
業務執行取締役等 …………… 123, 126, 166, 167
拒否権付種類株式 ……………………………… 57
金庫株 …………………………………………… 74
金銭出資 ………………………………………… 82
金銭分配請求権 ……………………… 196, 214
禁反言の法理 …………………………………… 28

組合 ……………………………………………… 5
組合企業 ………………………………………… 4
組合的規律 …………………………… 7, 218

経営委任 ……………………………………… 204
計算書類 ……………………………… 180, 228
　―の閲覧・謄写請求 ………………… 230
　―の備置き …………………………… 137
計算書類等 …………………………………… 180
　―の監査 ……………………………… 181
　―の作成・保存・提出命令 ………… 180
形式的審査主義 ………………………………… 26
形成訴訟 ……………………………………… 119
欠格者 ………………………………………… 120
決議：
　―の瑕疵を争う訴訟 ………………… 118
　―の認可 ……………………………… 257
決議取消しの訴え …………………………… 119
決議不存在確認の訴え ……………………… 118
決議無効確認の訴え ………………………… 118
決算公告 ……………………………………… 182
決算のフロー ………………………………… 180
原告適格 ……………………………… 119, 175
　―の継続 ……………………………… 174

検査役の調査·················35, 106, 133
　　──の省略······················36, 83
現物出資····························35, 97
現物出資説····························264
現物配当······························196
権利株································69
権利能力·······························9
　　──のない社団······················3

行為能力······························9
公益法人······························3
公開会社······························6
後見監督人··························121
公告方法······························37
合資会社·························7, 218
公示催告······························60
公示的機能····························25
公証人の認証·····················33, 37
構成員································4
構成員課税····························4
更生手続開始の申立て················208
合同会社·····················7, 8, 218
　　──の計算に関する特則············230
後配株式······························54
交付金合併··························266
公法人································2
公募発行····························244
合名会社·························7, 218
効力発生日···········267, 271, 279, 282, 284
子会社································77
個人企業······························3
個人債務保証························121
個人別の報酬等······················125
誤認行為の責任······················222
固有権································51

〔さ 行〕

財源規制·························76, 197
　　──を課さない場合················198
債権者異議手続······193, 230, 234, 237, 261,
　　　　　　　　　262, 284, 289, 292, 296
債権者集会の協定····················215
財産価格てん補責任····················43
財産引受け···························36
財産目録等··························238
最終完全親会社······················175
再審の訴え··························175
再生債務者··························207
財団法人·····························2, 3
最低資本金制度·················134, 190
最低責任限度額······················166
裁判所：
　　──の裁量棄却····················119
　　──の調査命令····················209
　　──の提出命令····················184
　　──の認可決定···············208, 209
債務：
　　──の移転·······················202
　　──の弁済·······················239
　　──の弁済責任···················222
詐害的事業譲渡に係る譲受会社に対する債務の
　　履行の請求·······················203
詐害的な会社分割における債権者の保護···274
三角合併························77, 266
残高証明等··························38
残余財産の分配·················214, 239

自益権································49
資格授与的効力························69
事業譲渡·······················201, 264
事業譲渡等の手続····················204
事業の賃貸借························203
事業報告····························189
事業報告徴収権······················141
事業持株会社························277
事後開示··············284, 289, 293, 296
自己株式························74, 99
　　──の有償取得···················195
自己監査····························161
自己新株予約権························95
事後設立························36, 206
自己持分取得の制限··················223
持参債務····························247
事前開示··············284, 286, 290, 294
事前警告型ライツ・プラン··············99
事前届出制······················265, 270

索　引　311

| | |
|---|---|
| 失権……………………………42 | 社債管理補助者………………252 |
| 執行役………………………163 | 社債券………………………242 |
| 執行役員……………………164 | ——の発行・喪失……………247 |
| 実質的審査主義………………26 | 社債権………………………242 |
| 失念株…………………………65 | 社債権者： |
| 指定買取人……………………71 | ——の権利……………………246 |
| 支配権…………………………16 | ——の保護……………………243 |
| 支配人…………………………16 | 社債権者集会……………243, 255 |
| ——の義務……………………18 | ——の議事録…………………256 |
| ——の代理権…………………18 | 社債権者集会の決議…………256 |
| 私法人…………………………2 | ——の執行……………………257 |
| 私募債………………………249 | ——の認可……………………257 |
| 資本金………………………190 | 社債原簿……………………246 |
| ——と株式の関係……………48 | 社債利息……………………247 |
| ——の額の減少…………229, 230 | 社債利息支払請求権…………247 |
| ——の減少手続………………192 | 社団……………………………5 |
| 資本金・準備金の額の増加…194 | 社団性…………………………5 |
| 資本金減少無効の訴え………193 | 社団法人………………………2 |
| 指名委員会…………………160 | 重要な業務執行の決定の委任の禁止……156 |
| 指名委員会等設置会社………157 | 重要な取引先…………………124 |
| ——の取締役会………………159 | 出資： |
| 社員……………………………4 | ——に関する制限……………83 |
| ——の加入……………………223 | ——の払戻し………………229, 233 |
| ——の退社……………………224 | ——の払戻し制限……………233 |
| 社員の責任…………………222 | ——の履行制限………………52 |
| ——の消滅時効………………240 | 出資義務………………………51 |
| 社員権論………………………49 | 出資の履行……………38, 41, 82 |
| 社員代表訴訟…………………227 | ——の仮装……………………85 |
| 社外監査役…………………144 | 取得条項付株式………………56 |
| 社外取締役……………123, 151, 161 | 取得条項付新株予約権………95 |
| ——の義務化…………………123 | 取得請求権付株式……………55 |
| ——の登記……………………124 | 種類株主総会…………………114 |
| ——の要件……………………123 | ——の決議方法………………115 |
| 社債…………………………242 | 準委任…………………………22 |
| ——の買入れ…………………247 | 純資産額規制…………………197 |
| ——の償還方法………………248 | 純粋持株会社…………………277 |
| ——の譲渡……………………246 | 準備金………………………190 |
| ——の発行方法………………244 | ——の減少手続………………192 |
| ——の募集事項………………243 | 小会社…………………………6 |
| 社債管理委託契約……………258 | 商業登記簿……………………25 |
| 社債管理者………………243, 249 | 消極的公示力…………………27 |
| ——の異議申述………………258 | 常勤監査役……………………144 |
| 社債管理者不設置債…………252 | 商号……………………………11 |

312　索　引

――の使用制限……………………12
――の選定………………………12
商号自由の原則……………………12
商号単一の原則……………………11
商号登記制度………………………13
商号登記の制限……………………13
少数株主権…………………………50
　――の保有期間制限………………51
譲渡承認決定機関…………………71
譲渡承認請求………………………70
譲渡制限株式………………………55
消滅時効………………240, 247, 248, 249
剰余金：
　――の額……………………… 191
　――の処分…………………… 194
　――の配当…………………… 195
　――の配当等………………… 195
　――の分配…………………… 195
剰余金分配規制…………………… 197
職務執行者………………………… 226
除権判決……………………………60
所在不明株主………………………63
書面決議……………………… 128, 146
書面交付請求……………………… 117
書面投票制度……………………… 107
人格合一説………………………… 264
人格のない社団…………………… 3
新株発行等：
　――の瑕疵を争う訴訟……………86
　――の不存在確認の訴え…………87
　――の無効の訴え…………………86
新株予約権…………………………89
　――の買取請求……… 261, 288, 296
　――の活用方法………………… 99
　――の行使……………………… 96
　――の買入れ……………………94
　――の譲渡………………………93
　――の募集要項……………………89
　――の無償割当て…………………92
新株予約権原簿……………………92
新株予約権者………………………89
新株予約権付社債…………………93
新株予約権発行差止請求……………92

新株予約権発行の瑕疵……………91
新株予約権発行不存在確認の訴え……92
新株予約権発行無効の訴え………92
新設合併………………………264, 267
新設合併契約……………………… 267
新設分割………………………269, 272
新設分割計画……………………… 272
信託型ライツ・プラン………………99
人的分割…………………………… 270
随時分割償還……………………… 248
ストックオプション………………74, 99
清算………………………… 212, 237
清算開始原因……………… 212, 237
清算人……………………212, 238, 305
　――の職務……………… 214, 238
清算人会…………………………… 213
成年後見人………………………… 121
成年被後見人……………………… 121
成立の日……………………268, 273, 280
責任：
　――の軽減……………………… 166
　――の免除……………………… 165
責任限定契約……………………… 167
責任追及等の訴え………………… 171
積極的の公示力……………………27
絶対的記載事項…………………34, 219
絶対的登記事項…………………13, 24
絶対的必置機関…………………… 100
説明義務…………………………… 110
設立時取締役等……………………39
設立準拠法主義…………………… 302
設立登記……………………………42
設立取消しの訴え………………… 221
設立に関する責任…………………43
設立費用……………………………36
設立無効……………………………44
　――の訴え………………… 45, 220
設立無効原因………………………44
全額払込主義……………………… 219
全株式譲渡制限会社…………………6
善管注意義務……………………… 132

全部取得条項付株式…………………56

総会検査役………………………… 106
総額引受け………………………… 244
相互保有株式……………………… 107
創設の効力……………………………28
相対的記載事項…………………35, 219
相対的登記事項………………… 13, 24
創立総会………………………………42
遡及効……………………………45, 300
組織再編行為の手続……………… 286
組織再編行為の無効の訴え……… 299
組織変更…………………………… 260
組織変更計画………………… 260, 262
組織変更登記……………………… 263
訴訟告知…………………………… 173
訴訟禁止事由……………………… 172
備置き……………………………… 183
損益計算書………………………… 187
損益分配…………………………… 229
損害賠償責任……………………… 226

〔た　行〕

大会社………………………………6, 101
大会社以外の会社………………… 6, 102
貸借対照表………………………… 184
退社した社員の責任……………… 224
対世効…………………… 45, 87, 88, 300
代表権………………………… 120, 131
代表執行役………………………… 164
代表社債権者……………………… 257
代表清算人………………………… 213
代表取締役………………………… 130
代理権…………………………………16
　——の授与……………………… 109
　——の制限…………………………18
代理権証明書面…………………… 109
代理商………………………………16, 21
多重代表訴訟……………………… 175
妥当性監査………………………… 141
単元株制度……………………………78
単元未満株主…………………………78
　——の買取請求・売渡請求………79

単独株主権……………………………49
担保財産…………………………… 190
担保提供命令…………………45, 173, 300

中会社……………………………………6
中間配当……………………… 195, 197
中間法人………………………………3
注記表……………………………… 189
忠実義務…………………………… 132
中小会社…………………………… 102
帳簿資料の保存…………………… 239
直接責任…………………………………6
直接無限責任社員……………………7
直接有限責任……………………… 222
直接有限責任社員……………………7

通常清算…………………………… 212
積立金……………………………… 192

定款……………………………………33, 219
　——の記載事項……………………34
定款自治………………………… 8, 218
定款変更………………… 37, 220, 260
定時分割償還……………………… 248
提訴禁止事由……………………… 172
定足数………………………… 111, 112
締約代理商……………………………21
D&O 保険………………………… 171
DES……………………………… 83, 97
敵対的企業買収防衛策………………99
デット・エクイティ・スワップ…… 83, 97
電子開示システム………………… 182
電子提供制度……………………… 116
電子提供措置……………………… 116
　——の中断……………………… 118
電磁的記録………… 111, 129, 133, 146, 183
電磁的方法………………………… 108
電子投票制度……………………… 107
店舗の使用人…………………………20

登記………………………………24, 263
　——の効力…………………………26
登記事項………………………………24

登記制度の公示的機能……………………25
登記手続……………………………………25
当事者申請主義……………………………25
登録質………………………………………73
登録譲渡担保………………………………74
特殊決議……………………………113, 115
特殊的効力…………………………………27
特定責任………………………………… 176
特定責任追及の訴え…………………… 175
独任制…………………………………… 138
特別決議……………………………112, 115
特別支配会社…………………… 205, 287
特別支配株主………………………………72
　──の株式売渡請求……………………72
特別清算………………………………… 215
特別清算開始の命令…………………… 215
特別代理人……………………………… 250
特別取締役……………………………… 129
特別の利益…………………………………36
特別法上の解散事由…………………… 211
特別目的会社………………………………99
特別利害関係人………………………107, 128
匿名組合…………………………………… 4
毒薬条項……………………………………95
独立的補助者………………………………16
特例有限会社……………………………… 8
独禁法による規制……………201, 265, 270
トラッキング・ストック…………………54
取締役…………………………………… 120
　──の義務…………………………… 132
　──の任期…………………………… 121
　──の報酬等………………………… 125
取締役会………………………………… 126
　──の議事録………………………… 128
　──の決議…………………………… 127
　──の招集権者……………………… 126
取締役等の説明義務…………………… 110
取立債務………………………………… 247
取次商………………………………………22
取引の代理…………………………………21
取引の媒介…………………………………21

〔な 行〕

名板貸し……………………………………14
名板貸人……………………………………14
名板借人……………………………………14
内部自治原則……………………………… 8
内部統制システム……………………… 122
仲立人………………………………………22
任意懈怠責任………………………………43
任意清算………………………………… 237
任意退社………………………………… 224
任意的記載事項…………………………37, 219

〔は 行〕

媒介代理商…………………………………22
敗訴した株主等の損害賠償責任……… 177
配当事項の決定………………………… 195
端株……………………………………67, 97
破産者…………………………………… 121
破産手続開始…………………121, 210, 216
パススルー課税…………………………… 4
発行可能株式総数…………………………34
払込みの仮装………………………………41
反対株主の株式買取請求………70, 288, 292, 295
非業務執行取締役等……………… 123, 167
非公開会社………………………………… 6
非固有権……………………………………51
1株1議決権の原則…………………… 107
非独立的補助者……………………………16
被保佐人………………………………… 121
表見支配人…………………………………19
表見代表執行役………………………… 164
表見代表取締役………………………… 131
費用負担………………………………… 174
不公正な引受人の責任……………………84
不公正な募集株式の発行…………………84
不実登記……………………………………28
付随的効力…………………………………28
不正競争……………………………………13
不正目的……………………………………12

附属明細書·····················································189
普通株式··············································································54
普通決議·····································································111, 115
物的分割·······················································································269
部分的包括代理権······································································20
振替株式················································································66, 116
振替社債·························································································245
分割型分割···················································································270
分社型分割···················································································269
分配可能額···················································································198
　　──を超える自己株式取得の責任········200
分配決定機関の特則·································································196
分配時基準···················································································183

変態設立事項··············································································35

ポイズン・ピル··········································································95
報告義務·····················133, 136, 141, 150, 154, 161
報酬委員会···················································································160
法人·······································································································2
法人格··························································································5, 9
法人格否認の法理···········································································10
法人業務執行社員······································································226
法人性··································································································5
法人清算人···················································································238
法定清算·······················································································237
法定退社·······················································································224
法定代理人···················································································120
法定の重要事項··········································································157
補完的効力······················································································28
保管振替機関··········································································65, 245
補欠：
　　──の会計参与··································································135
　　──の監査役······································································139
　　──の取締役······································································120
保佐人·····························································································121
募集株式··························································································79
　　──の募集事項····································································79
募集株式発行差止請求······························································84
募集事項·················································································80, 243
募集社債·······················································································243
募集新株予約権············································································90
募集設立··························································································40

補償契約·······················································································169
補助参加············································································173, 176
発起設立···············································································38, 219
発起人·································································································32
発起人組合·····················································································33
本拠地法主義············································································302

〔ま　行〕

満期償還·······················································································248

未成年者·······················································································120
見せ金·································································································41
みなし決議···················································································111
みなし大会社····················································································6
民事再生·······················································································207
民事再生開始原因····································································207
民法上の組合··················································································4

無議決権株式··············································································55
無限責任······························································································6
無限責任社員·······································································7, 222
名義書換え······················································································63
名義書換請求··············································································71
免除額···························································································166

持株会社·······················································································277
持分：
　　──の譲渡···········································································223
　　──の増減···········································································229
　　──の払戻し······································································234
持分会社············································································7, 218
　　──の代表···········································································226
　　──の設立···········································································219
持分単一主義··················································································47
持分複数主義··················································································47
持ち回り決議····································································128, 146

〔や　行〕

役員選任権付種類株式····························································57
役員等の損害賠償責任·························································165
役員等の第三者に対する損害賠償責任······168
役員等賠償責任保険契約·····················································171

有限責任…………………………………… 6
有限責任事業組合………………………… 4
有限責任社員………………………… 8, 222
優先株式……………………………………54
有利発行……………………………………80

〔ら 行〕

ライツ・イシュー…………………………93
ライツ・オファリング……………………93
ライツ・プラン……………………………99

利益供与に対する責任………………… 168
利益相反間接取引……………………… 132
利益相反直接取引……………………… 132
利益相反取引………………… 132, 165, 226
　　──と任務懈怠の推定の排除……… 156
　　──に対する責任………………… 167
利益の配当…………………… 195, 229

　　──に関する責任………………… 229, 231
　　──の制限………………………… 231
利札………………………………………… 247
リスク管理体制………………………… 122
略式質………………………………………73
略式譲渡担保………………………………74
略式組織再編………………………… 287, 291
臨時計算書類…………………………… 182

累積投票制度…………………………… 122

劣後株式……………………………………54
連結計算書類…………………………… 184
連帯債務者……………… 85, 99, 147, 169, 253

〔わ 行〕

和解……………………………………… 173
割当自由の原則………………………… 41, 81

《著者紹介》

葭田　英人（よしだ・ひでと）
　1952年　石川県生まれ
　東京教育大学卒業（現　筑波大学）
　筑波大学大学院経営政策科学研究科企業法学専攻修了
　琉球大学法文学部・大学院人文社会科学研究科教授を経て
　神奈川大学法学部・大学院法学研究科　教授（現在）
（主要著書）
『コーポレート・ガバナンスと会計法―株主有限責任と会社債権者保護―』
（日本評論社・2008）
『創業と会社変更のための会社法―中小会社・合同会社・特例有限会社―
（増補改訂版）』（晃洋書房・2010）
『基礎から理解する租税法―所得税法・法人税法入門―』（日本評論社・2010）
『持分会社・特例有限会社の制度・組織変更と税務』（編著、中央経済社・2013）
『中小企業と法（第二版）』（同文舘出版・2015）
『信託の法制度と税制』（税務経理協会・2017）
『基本がわかる会社法』（三省堂・2017）
『合同会社の法制度と税制（第三版）』（編著，税務経理協会・2019）

```
2008年 4月 8日　初　版　発　行
2009年 2月18日　初版 2 刷発行
2010年 3月 8日　増　補　版　発　行
2011年 3月 8日　増補版 2 刷発行
2013年 4月 8日　第　三　版　発　行
2015年 2月 8日　第　四　版　発　行
2017年 6月10日　第　五　版　発　行　　《検印省略》
2020年 2月 8日　第　六　版　発　行　略称―会社入門(六)
```

## 会社法入門（第六版）

著　者　　葭　田　英　人
発行者　　中　島　治　久
発行所　　同 文 舘 出 版 株 式 会 社
　　　　　東京都千代田区神田神保町 1-41　〒101-0051
　　　　　電話　営業(03)-3294-1801　　編集(03)-3294-1803
　　　　　振替　00100-8-42935　https://www.dobunkan.co.jp

©H. YOSHIDA　　　　　　　　　　印刷：三美印刷
Printed in Japan 2020　　　　　　　製本：三美印刷

ISBN 978-4-495-46386-1

JCOPY〈出版者著作権管理機構 委託出版物〉
本書の無断複製は著作権法上での例外を除き禁じられています。複製される場合は，そのつど事前に，出版者著作権管理機構（電話 03-5244-5088, FAX 03-5244-5089, e-mail: info@jcopy.or.jp）の許諾を得てください。